LOS ACONTECIMIENTOS NARRADOS EN ESTE LIBRO SON REALES.

SE HAN CAMBIADO LOS NOMBRES Y LUGARES PARA PROTEGER
A LOS SEIS DE LORIEN QUE PERMANECEN ESCONDIDOS.

QUE ESTA SEA LA PRIMERA ADVERTENCIA.

EXISTEN OTRAS CIVILIZACIONES... Y ALGUNAS BUSCAN
DESTRUIRNOS.

SOY EL NÚMERO CUATRO

LIBRO PRIMERO DE LOS LEGADOS DE LORIEN

PITTACUS LORE

Traducción
Olga Martín

GRUPO
EDITORIAL
norma

Bogotá, Barcelona, Buenos Aires, Caracas, Guatemala, Lima,
México, Panamá, Quito, San José, San Juan, Santiago de Chile

Lore, Pittacus
    Soy el número cuatro / Pittacus Lore ; traducción Olga Martín
Maldonado. -- Bogotá : Grupo Editorial Norma, 2010.
    384 p. ; 23 cm.
    Título original : I am number four.
    ISBN 978-958-45-3186-5
    1. Novela estadounidense 2. Extraterrestres - Ciencia ficción -
Novela 3. Amistad - Ciencia ficción - Novela I. Martín Maldonado,
Olga, tr. II. Tít.
I813.5 cd 21 ed.
A1274653
    CEP-Banco de la República-Biblioteca Luis Ángel Arango

Edición original en inglés:
I AM NUMBER FOUR
Book one of the Lorien – Legacies
de Pittacus Lore.
Una publicación de HarperCollins Children's Books
Copyright © 2010 por Pittacus Lore.

Copyright © 2011 en español para América Latina
por Editorial Norma S. A.
Avenida El Dorado No. 90-10, Bogotá, Colombia

www.librerianorma.com

Impreso por Cargraphics S.A.
Impreso en Colombia - Printed in Colombia

Enero, 2011

Fotografía de cubierta, Ioannis Pantziaras / Shutterstock
Adaptación de cubierta, Paula Andrea Gutiérrez
Diagramación, Nohora Betancourt y Andrea Rincón

C.C. 26001079

ISBN 978-958-45-3186-5

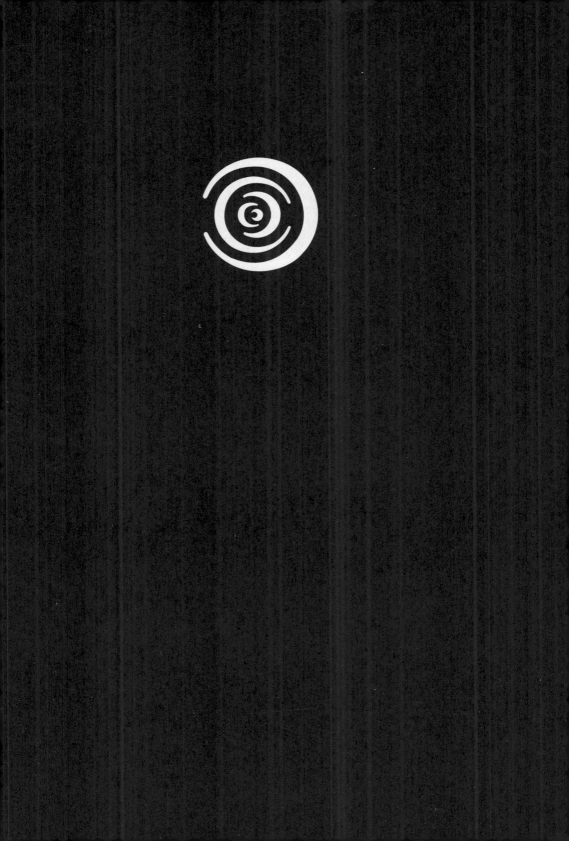

LA PUERTA TIEMBLA. ES UNA COSA DELGADA HECHA DE ramas de bambú amarradas con jirones de cáñamo. El temblor es sutil y para casi de inmediato. Los dos alzan la cabeza para escuchar; un chico de catorce años y un hombre de cincuenta que todo el mundo cree que es su padre, pero que nació cerca de una selva distinta en un planeta distinto a cientos de años luz de distancia. Los dos están acostados, sin camisa, en los extremos opuestos de la cabaña. Un mosquitero cubre cada catre. Oyen un estruendo lejano, como el de un animal que rompe la rama de un árbol, pero en este caso suena como si hubiera roto el árbol entero.

—¿Qué fue eso? —pregunta el chico.

—*Shh* —replica el hombre.

Se oye el chirrido de los insectos, nada más. El hombre baja las piernas por un lado del catre cuando la puerta vuelve a temblar. Un temblor más prolongado y firme, y otro estruendo, esta vez más cercano. Se levanta y camina lentamente hacia la puerta. Silencio. Respira profundamente al acercar la mano al cerrojo.

El chico se incorpora.

—No —susurra el hombre.

En ese instante, la hoja de una espada alargada y brillante, de un metal blanco y reluciente que no existe en la Tierra, traspasa la puerta, se hunde en su pecho hasta asomar quince centímetros por su espalda y luego vuelve a salir rápidamente. El hombre suelta un gruñido. El chico deja escapar un grito ahogado. El hombre toma aire y dice una sola palabra: "Corre". Y cae sin vida sobre el suelo.

El chico brinca del catre y atraviesa la pared de atrás. No se toma la molestia de salir por la puerta o una ventana. Literalmente atraviesa la pared, que se rompe como si fuera de papel, aunque está hecha de recia y dura caoba africana. Y se interna en la noche congoleña, saltando árboles, corriendo a una velocidad de casi cien kilómetros por hora. Sus sentidos del oído y la vista son superiores a los de los humanos. Esquiva árboles, sortea enmarañadas vides y brinca riachuelos con una sola zancada. Unos pasos fuertes le pisan los talones, acercándose cada vez más. Sus perseguidores también tienen dones. Y llevan algo consigo. Algo de lo que solo ha oído a medias, algo que nunca creyó que vería en la Tierra.

El estruendo se aproxima. El chico oye un rugido bajo y profundo. Sabe que lo que sea que viene persiguiéndolo avanza cada vez más rápido. Entonces, ve un quiebre en la selva, por delante. Y al llegar allí, ve un enorme barranco, de unos noventa metros de ancho y otros noventa de profundidad, con un río al fondo. Unas rocas inmensas bordean el río; unas rocas que lo destrozarían si cayera sobre ellas. Su única salvación está en atravesar el barranco. No podrá tomar mucho impulso, y tendrá esa sola oportunidad. Una sola oportunidad de salvar su vida. Pero incluso para él, o para cualquiera de los suyos que están en la Tierra, es un salto casi imposible. Regresar, bajar o intentar enfrentarlos equivale a una muerte segura. Tiene una sola posibilidad.

Oye un rugido ensordecedor a sus espaldas. Están a cinco o diez metros. Entonces da cinco pasos hacia atrás, arranca y, justo antes del precipicio, despega y empieza a volar sobre el barranco. Se sostiene tres o cuatro segundos en el aire. Y grita, con los brazos estirados hacia delante, a la espera de la seguridad o el fin. Aterriza en el suelo y avanza tambaleándose hasta detenerse al pie de una secuoya. Sonríe. No puede creer que lo haya logrado, que sobrevivirá. Para evitar que lo vean, y como sabe que tiene que alejarse aún más de ellos, se levanta. Tendrá que seguir corriendo.

Vuelve la vista hacia la selva. Y al hacerlo, una mano gigantesca se cierra en torno a su garganta y lo alza del suelo. Forcejea, patalea, intenta escapar, pero sabe que es inútil, que está acabado. Debería haber contado con que estarían en ambos lados, que en cuanto lo encontraran, no habría escapatoria. El mogadoriano lo alza para poder verle el pecho, ver el amuleto que cuelga de su cuello, el amuleto que solo pueden llevar él y los suyos. Se lo arranca y lo guarda en alguna parte dentro de la enorme capa negra que lleva puesta. Y al volver a sacar la mano, sostiene la espada de metal blanco reluciente. El chico examina los ojos negros del mogadoriano, profundos e impasibles, y habla:

—Los legados están vivos. Se encontrarán unos a otros, y cuando estén preparados, los destruirán.

El mogadoriano suelta una risa desagradable y burlona. Levanta la espada, la única arma en el universo que puede romper el hechizo que ha protegido al chico hasta hoy, y que sigue protegiendo a los demás. La hoja se enciende con una llama plateada al apuntar hacia el cielo, como si cobrara vida, intuyendo su misión, haciendo una mueca ante la expectativa. Al caer, un arco de luz surca velozmente la oscuridad de la selva, y el chico sigue creyendo que una parte suya sobrevivirá, que una parte de su ser logrará regresar a casa. Cierra los ojos justo antes de la estocada. Y entonces llega el fin.

CAPÍTULO UNO

AL PRINCIPIO ÉRAMOS NUEVE. NOS FUIMOS CUANDO ÉRA-
mos pequeños, casi demasiado pequeños para recordar.

Casi.

Según me contaron, la tierra tembló y los cielos se llenaron de luces y explosiones. Estábamos en ese periodo de dos
semanas al año en el que ambas lunas están en extremos opuestos del horizonte. Era una época de celebración, y al principio,
las explosiones se interpretaron como fuegos artificiales. Pero
no era así. Hacía calor. Del mar llegaba un viento suave. Siempre se menciona el clima: hacía calor, había un viento suave.
Nunca he podido entender por qué esto es importante.

El recuerdo más vívido que tengo de ese día es la imagen
de mi abuela. Estaba frenética, y también triste. Había lágrimas
en sus ojos. Mi abuelo estaba a su lado. Recuerdo cómo sus gafas recogían la luz del cielo. Hubo abrazos. Palabras dichas por
cada uno de ellos. No recuerdo qué palabras. Y no hay nada
que me obsesione más.

Tardamos un año en llegar aquí. Yo tenía cinco años
cuando llegamos. Debíamos integrarnos a la cultura de este
planeta antes de regresar al nuestro, Lorien, cuando este pudiera volver a sustentar vida. Los nueve tuvimos que separarnos y buscar nuestro propio camino. Nadie sabía por cuánto

tiempo. Y seguimos sin saberlo. Ninguno de los otros sabe dónde estoy, y yo no sé dónde están ellos o cómo son ahora. Es nuestra manera de protegernos, gracias al hechizo conjurado cuando nos fuimos. Un hechizo que garantiza que solo pueden matarnos según el orden de nuestros números, siempre y cuando permanezcamos separados. Si nos reunimos, el hechizo se rompe.

Cuando encuentran y matan a uno de nosotros, una cicatriz circular se cierra en torno al tobillo derecho de aquellos que siguen vivos. Y en el tobillo izquierdo, formada desde el momento en que se conjuró el hechizo loriense, tenemos una pequeña cicatriz idéntica al amuleto que llevamos todos al cuello. Las cicatrices circulares son otra parte del hechizo. Un sistema de alarma para que sepamos qué ha pasado con los demás y, por tanto, cuándo ha llegado nuestro turno. La primera cicatriz apareció cuando tenía nueve años. Me sacó del sueño al grabarse a fuego en mi carne. Vivíamos en Arizona, en un pueblito de frontera cerca de México. Desperté gritando, en plena noche, desesperado por el dolor, aterrado de ver cómo la cicatriz me marcaba la carne. Era la primera señal de que los mogadorianos finalmente nos habían encontrado en la Tierra, la primera señal de que estábamos en peligro. Hasta la aparición de la señal, casi había logrado convencerme de que mis recuerdos se equivocaban, de que lo que Henri me había contado no era cierto. Quería ser un chico común que vivía una vida normal, pero en ese momento supe, más allá de cualquier duda o discusión, que no lo era. Al día siguiente, nos mudamos a Minnesota.

La segunda cicatriz apareció cuando tenía doce años. Estaba en el colegio, en Colorado, en un concurso de ortografía. En cuanto empecé a sentir el dolor, supe lo que estaba pasando, lo que le había pasado a Dos. El dolor fue espantoso, pero esta vez soportable. Habría podido quedarme en el escenario, pero el calor me quemó el calcetín. El profesor que dirigía el concurso me bañó con el extintor de incendios y me llevó a toda prisa al hospital. El médico de la sala de urgencias encontró la primera cicatriz y llamó a la Policía. Cuando llegó Henri, amenazaron con arrestarlo por maltrato infantil. Pero como no estaba cerca en el momento en que apareció la segunda cicatriz, tuvieron que dejarlo en libertad. Nos subimos al auto y nos marchamos, esta vez a Maine. Dejamos todo lo que teníamos, menos el cofre loriense que Henri carga consigo en todas las mudanzas; las veintiuna mudanzas que hemos vivido hasta la fecha.

La tercera cicatriz apareció hace una hora. Estaba sentado en el barco de los padres del chico más popular del colegio, que organizó una fiesta allí sin su consentimiento. A mí nunca me habían invitado a las fiestas del colegio. Como sabía que tendríamos que irnos en cualquier momento, siempre me había mantenido al margen. Pero la cosa había estado tranquila desde hacía dos años. Henri no había visto en las noticias nada que pudiera llevar a los mogadorianos hacia alguno de nosotros, o que nos advirtiera sobre su presencia. De modo que hice un par de amigos. Y uno de ellos me presentó al anfitrión de la fiesta. Nos encontramos todos en el muelle. Había tres refrigeradores, un poco de música y chicas a las que había admirado de lejos pero con las que no había hablado nunca, aun cuando quería hacerlo. Salimos del muelle y nos adentramos unos ochocientos metros en el golfo de México. Estaba sentado en el borde del barco, con los pies en el agua, hablando con una chica muy bonita de pelo oscuro y ojos azules llamada Tara, cuando la sentí llegar. El agua empezó a hervir alrededor de mi pierna y la parte inferior empezó a brillar allí donde iba grabándose la cicatriz. El tercer símbolo de Lorien, el tercer

anuncio. Tara se puso a gritar y todos empezaron a aglome-
rarse a mi alrededor. Yo sabía que no tenía cómo explicarlo. Y
sabía que tendríamos que marcharnos inmediatamente.

Ahora había mucho más en juego. Habían encontrado a
Tres, dondequiera que él o ella estuviera, y había muerto. De
modo que tranquilicé a Tara, le di un beso en la mejilla, le dije
que había sido un placer conocerla y que esperaba que tuviera
una vida larga y hermosa. Me zambullí por un lado del barco
y empecé a nadar lo más rápido posible, por debajo del agua
todo el tiempo, salvo una vez que salí a tomar aire a medio
camino, hasta llegar a la orilla. Después corrí por el lado de la
carretera, justo por el lindero del bosque, a la misma velocidad
de los autos. Al llegar a casa, encontré a Henri en el banco de
escáneres y monitores que usaba para investigar las noticias
del mundo entero y la actividad policial de la zona. Lo supo
sin que le dijera una palabra, pero aun así me alzó el pantalón
empapado para ver las cicatrices.

Al principio éramos un grupo de nueve.

Tres se han ido, están muertos.

Ahora quedamos seis.

Los otros nos persiguen, y no pararán hasta habernos
matado a todos.

Soy el Número Cuatro.

Y sé que soy el siguiente.

CAPÍTULO
DOS

ESTOY EN LA MITAD DEL CAMINO DE ACCESO, CONTEMplando la casa color rosa claro, como de cubierta de pastel, sostenida por unos pilotes de madera a tres metros del suelo. Una palmera se mece en la fachada y, por detrás, un muelle se extiende unos veinte metros en el golfo de México. Si la casa estuviera un kilómetro y medio más al sur, el muelle estaría en el Atlántico.

Henri sale de la casa cargando la última de las cajas, algunas nunca las desempacamos después de nuestra última mudanza. Le echa llave a la puerta, luego mete las llaves por la ranura del buzón que está al lado. Son las dos de la mañana. Él lleva unos *shorts* caqui y una camisa negra. Está muy bronceado, y su rostro sin afeitar refleja una expresión alicaída. También está triste de que nos vayamos. Pone las últimas cajas en el platón de la camioneta con el resto de las cosas.

—Ya está —dice.

Asiento con la cabeza. Los dos nos quedamos allí, de pie, contemplando la casa y escuchando el viento que sopla entre las hojas de la palmera. Tengo una bolsa de apio en la mano.

—Voy a echar de menos este lugar —digo—. Aún más que los otros.

—Yo también.

—¿Ya es hora de la quema?

—Sí. ¿Quieres hacerlo tú o prefieres que lo haga yo?

—Lo haré yo.

Henri saca su billetera y la tira al suelo. Saco la mía y hago lo mismo. Él va a la camioneta y regresa con los pasaportes, certificados de nacimiento, documentos de identidad, chequeras, tarjetas de crédito y débito, y echa todo al suelo. Todos los documentos y materiales relacionados con nuestras identidades de aquí, todos falsificados. Yo saco de la camioneta una lata de combustible, que guardamos para las emergencias, y rocío la pequeña montaña. Mi nombre actual es Daniel Jones. Mi historia es que me crié en California y me mudé aquí por el trabajo de mi papá, que es programador informático. Daniel Jones está a punto de desaparecer. Enciendo un fósforo, lo tiro y la pila se prende. Otra de mis vidas que se va. Nos quedamos de pie junto al fuego, como siempre, contemplándolo. "Adiós, Daniel —pienso—. Fue un placer conocerte". Cuando el fuego se apaga, Henri me mira.

—Tenemos que irnos.

—Lo sé.

—Estas islas nunca fueron un lugar seguro. Son demasiado difíciles de abandonar rápidamente. Es muy difícil escapar de ellas. Fue una tontería haber venido aquí.

Asiento. Tiene razón, y lo sé. Pero aun así me cuesta irme. Vinimos porque yo quería y, por primera vez, Henri me dejó escoger nuestro paradero. Estuvimos aquí nueve meses, y es la vez que más tiempo hemos permanecido en un mismo lugar desde que nos fuimos de Lorien. Echaré de menos el sol y el calor. Y la lagartija que me observaba desde la pared todas las mañanas mientras desayunaba. Aunque en el sur de la Florida hay, literalmente, millones de lagartijas, puedo jurar que esta me seguía al colegio y parecía ir conmigo adondequiera que fuera. Echaré de menos esas tormentas que parecen surgir de la nada, y esa silenciosa tranquilidad de las horas de la madrugada antes de que canten las golondrinas. Echaré de menos a los delfines que a veces se alimentan cuando se pone el sol. Echaré de menos, incluso, el olor a azufre de las algas que se pudren al pie de la orilla, inundando la casa y penetrando nuestros sueños mientras dormimos.

—Ve a deshacerte del apio. Te espero en la camioneta —dice Henri—. Y nos vamos.

Me interno en una arboleda que está a la derecha de la camioneta. Ya hay tres venados de los cayos esperando. Arrojo el apio a sus pies y me agacho para acariciarlos, uno por uno. Y ellos me lo permiten, pues hace mucho que superaron la timidez. Uno alza la cabeza y me mira fijamente con sus ojos negros y desconcertados. Siento casi como si me transmitiera algo. Un escalofrío me recorre la espalda. El animal baja la cabeza y sigue comiendo.

—Buena suerte, amiguitos —les digo, y regreso a la camioneta y me siento en el puesto del pasajero.

En los espejos laterales vemos cómo la casa va haciéndose cada vez más pequeña, hasta que salimos a la avenida principal y la casa desaparece. Es sábado. Me pregunto qué estará pasando en la fiesta, sin mí. Qué estarán diciendo de la manera como me fui, y qué dirán el lunes cuando no vaya al colegio. Quisiera haber podido despedirme. Nunca volveré a ver a ninguna de las personas que conocí aquí. Nunca volveré a hablar con ninguno de ellos, y ellos no sabrán nunca lo que soy ni por qué me fui. En un par de meses, o quizás un par de semanas, ninguno volverá a pensar en mí.

Nos detenemos por combustible antes de entrar en la autopista. Mientras Henri se encarga del surtidor, le echo un vistazo al atlas que guarda en la mitad del asiento. Hemos tenido el atlas desde que llegamos a este planeta. Tiene líneas dibujadas desde y hacia todos los lugares donde hemos vivido, y a estas alturas, las líneas entrecruzan los Estados Unidos de un lado a otro. Ambos sabemos que deberíamos deshacernos de él, pero es la única pieza de nuestra vida juntos que conservamos. La gente normal tiene fotos, videos y diarios, nosotros tenemos el atlas. Al ojearlo, noto que Henri ha trazado una nueva línea desde Florida hasta Ohio. Y ese estado me hace pensar en vacas, maizales y gente amable. Se dice que es EL CORAZÓN DE TODO. No sé qué querrá decir "todo", pero supongo que ya lo averiguaré.

Henri regresa a la camioneta. Ha comprado un par de refrescos y una bolsa de papas fritas. Salimos de la gasolinera y nos dirigimos a la autopista interestatal, que nos llevará hacia el norte. Henri busca el mapa.

—¿Crees que hay personas en Ohio? —bromeo.

Él se ríe.

—Supongo que habrá una que otra. Hasta puede que tengamos la suerte de encontrar autos y televisión.

Asiento. Tal vez no sea tan terrible como me lo imagino.

—¿Qué opinas del nombre "John Smith"? —pregunto.

—¿Es lo que has decidido?

—Eso creo —respondo. Nunca antes he sido un John, ni tampoco un Smith.

—Más común imposible. Diría que es un placer conocerlo, señor Smith.

Sonrío.

—Pues sí, creo que me gusta "John Smith".

—Haré tus documentos cuando paremos.

Un kilómetro y medio después, ya hemos salido de la isla y vamos cruzando el puente. Las aguas pasan por debajo. Aguas calmas. La luz de la luna brilla sobre las pequeñas olas, creando vetas blancas en sus crestas. A la derecha: el océano; a la izquierda: el golfo. La misma agua pero con distintos nombres. Siento ganas de llorar, pero me contengo. No es que esté necesariamente triste de irme de Florida, pero estoy cansando de huir. Cansado de tener que inventarme un nuevo nombre cada seis meses. Cansado de las casas nuevas y los colegios nuevos. Me pregunto si podremos parar alguna vez.

CAPÍTULO
TRES

PARAMOS POR COMBUSTIBLE Y PARA COMPRAR COMIDA Y teléfonos nuevos. En una cafetería de carretera, comemos pastel de carne y macarrones gratinados, una de las pocas cosas que Henri considera superiores a cualquiera de las que teníamos en Lorien. Mientras comemos, Henri usa su portátil para preparar los documentos con nuestros nuevos nombres. Los imprimirá cuando lleguemos, y para cualquier persona que conozcamos de ahora en adelante, seremos quienes decimos ser.

—¿Estás seguro de que quieres ser John Smith? —pregunta.

—Ajá.

—Naciste en Tuscaloosa, Alabama.

Me río.

—¿Cómo se te ocurrió eso?

Henri sonríe y señala a dos mujeres sentadas a unos cuantos puestos delante de nosotros. Ambas están buenísimas, y una tiene una camiseta que dice "LO HACEMOS MEJOR EN TUSCALOOSA".

—Y para allá vamos ahora —dice Henri.

—Por extraño que parezca, espero que nos quedemos un buen tiempo en Ohio.

—¿En serio te gusta la idea de vivir en Ohio?

—Me gusta la idea de tener algunos amigos, de ir al mismo colegio durante más de un par de meses, la posibilidad de tener una vida de verdad. Estaba empezando a vivirlo en Florida, y no estaba nada mal. Por primera vez desde que llegamos a la Tierra, me sentí casi normal. Quiero encontrar un lugar y quedarme en ese lugar.

Henri me mira con aire pensativo.

—¿Les has echado un vistazo hoy a tus cicatrices?

—No, ¿por qué?

—Porque esto no tiene que ver solo contigo, sino con la supervivencia de nuestra raza, que fue destruida casi por completo. Cada vez que muere uno de nosotros, cada vez que muere uno de *ustedes*, los garde, se reducen nuestras posibilidades. Eres el Número Cuatro, el siguiente. Y te persigue toda una raza de asesinos sanguinarios. Nos iremos ante la primera señal de que algo anda mal, y no vamos a discutirlo.

Henri conduce todo el tiempo. Con las paradas y la creación de los nuevos documentos, tardamos unas treinta horas. Yo paso la mayor parte del tiempo dormitando o jugando videojuegos. Puedo dominar la mayoría rápidamente, gracias a mis reflejos. La vez que más me he demorado en ganarle a cualquiera fue, más o menos, un día. Los que más me gustan son los de las guerras extraterrestres y los juegos espaciales. Hago como si estuviera de vuelta en Lorien, luchando contra los mogadorianos, matándolos, reduciéndolos a ceniza. Esto le parece extraño a Henri, y trata de convencerme de que no lo haga. Dice que tenemos que vivir en el mundo real, donde la guerra y la muerte son una realidad, no una ficción. Al terminar mi último juego, alzo la mirada. Estoy cansado de estar sentado en la camioneta. El reloj del tablero marca las 7:58. Bostezo, me restriego los ojos.

—¿Cuánto falta?

—Ya casi llegamos.

Afuera está oscuro, pero hay un brillo pálido hacia el oeste. Pasamos junto a unas granjas con caballos y vacas, luego unos campos áridos, y más allá, árboles y más árboles hasta donde la vista alcanza. Es exactamente lo que Henri quería: un lugar apacible donde pasar desapercibidos. Una vez por semana, Henri pasa seis, siete u ocho horas seguidas en Internet para actualizar una lista de casas que estén disponibles en cualquier lugar del país y se ajusten a sus criterios: aisladas, rurales, con disponibilidad inmediata. Y según me dijo, solo necesitó cuatro llamadas —una a Dakota del Sur, otra a Nuevo México y otra a Arkansas— para encontrar la casa donde vamos a vivir ahora.

Unos minutos después, vemos las luces dispersas que anuncian el pueblo. Pasamos un letrero que dice:

BIENVENIDO A PARAÍSO, OHIO
5243 HABITANTES

—¡Vaya! —digo—. Este pueblo es aún más pequeño que donde estuvimos en Montana.

Henri sonríe.

—¿El paraíso de quiénes crees que será? —pregunta.

—¿De las vacas, quizás? ¿O de los espantapájaros?

Pasamos junto a una vieja estación de combustible, un lavadero de autos, un cementerio. Luego aparecen las casas. Casas de madera separadas por unos diez metros de tierra. Casi todas tienen adornos de Halloween en las ventanas. Una acera atraviesa los pequeños jardines que llevan a las puertas de entrada. En el centro del pueblo hay una rotonda, y en el centro de esta hay una estatua de un hombre a caballo con una espada. Henri frena. Contemplamos la estatua y nos reímos, pero lo cierto es que los dos esperamos que no se aparezca nunca nadie más con espadas. Avanzamos por la rotonda y, cuando esta se acaba, el GPS nos indica que giremos. Entonces empezamos a dirigirnos hacia el oeste, afuera del pueblo.

Continuamos unos seis kilómetros antes de doblar a la izquierda por un camino de grava. Luego pasamos junto a unos campos arados que probablemente estarán llenos de maíz en verano y avanzamos un kilómetro y medio por entre un bosque frondoso. Y, entonces, escondido entre la vegetación abandonada, encontramos el buzón plateado y oxidado, con unos caracteres negros pintados en un lado que anuncian: "17 Old Mill Road".

—La casa más cercana está a tres kilómetros —dice Henri mientras entramos. El camino de grava está sembrado de maleza y plagado de huecos llenos de un agua pardusca. Henri frena y apaga la camioneta.

—¿De quién es ese auto? —pregunto señalando con un gesto el auto deportivo detrás del cual hemos estacionado.

—Supongo que de la agencia inmobiliaria.

La casa se perfila contra los árboles y tiene un aspecto misterioso en la oscuridad, como si hubieran ahuyentado a sus últimos moradores, o estos hubieran escapado. Me bajo de la camioneta, saco mi maleta de la parte de atrás y me quedo quieto, con la maleta entre las manos.

—¿Qué te parece? —pregunta Henri.

Es una casa de un piso. La mayor parte de la pintura blanca de las tablas de madera se ha descascarado. Una de las ventanas de la fachada está rota. Las tejas negras se ven combadas y quebradizas. Tres escalones de madera llevan a un pequeño porche cubierto de sillas destartaladas. Hace mucho que podaron el césped por última vez.

—Todo un paraíso —le digo.

Subimos juntos al porche. En ese momento, una mujer rubia, bien vestida y más o menos de la edad de Henri, aparece en la entrada. Viste un traje de negocios con un BlackBerry sujeto a la pretina de la falda, y sostiene una carpeta y una tablilla con un portapapeles. Sonríe.

—¿Señor Smith?

—Sí —dice Henri.

—Soy Annie Hart, de la Inmobiliaria Paraíso. Hablamos por teléfono. Intenté llamarlo hace un rato, pero su teléfono parecía estar apagado.

—Sí, claro. Es que la batería se descargó por el camino.

—Ay, odio cuando eso pasa —dice ella, acercándose a nosotros para darle la mano a Henri.

Después me pregunta cómo me llamo, y le digo mi nombre, aunque siento la misma tentación de siempre, de decir simplemente "Cuatro". Mientras Henri firma el contrato, la mujer me pregunta cuántos años tengo y me cuenta que tiene una hija que va a la secundaria del pueblo y es más o menos de mi edad. Es una mujer amable y afectuosa, y se nota que le gusta conversar. Henri le devuelve el contrato y los tres entramos en la casa.

Adentro, la mayoría de los muebles están cubiertos por sábanas blancas. Los que no, están cubiertos por una gruesa capa de polvo e insectos muertos. Las persianas parece que van a quebrarse con solo tocarlas, y las paredes están revestidas por unos paneles de contrachapado barato. Hay dos dormitorios, una modesta cocina de linóleo verde lima y un baño. La sala, grande y rectangular, está en la parte delantera de la casa. En el otro extremo hay una chimenea. Recorro la casa y tiro la maleta sobre la cama del dormitorio más pequeño. En la pared hay un afiche grande y desteñido en el que se ve un jugador de fútbol americano con un uniforme anaranjado brillante lanzando un pase y a punto de ser aplastado por un tipo enorme con un uniforme negro y dorado. Dice: "BERNIE KOSAR, MARISCAL DE CAMPO, BROWNS DE CLEVELAND".

—¡Ven a despedirte de la señora Hart! —grita Henri desde la sala.

La señora Hart está en la puerta junto a Henri. Me dice que debería buscar a su hija en la escuela, que tal vez podríamos ser amigos. Sonrío y le digo que sí, que eso me gustaría. Después de que se va, Henri y yo sacamos las cosas de la camioneta. Dependiendo de la prisa con que abandonemos un lugar, viajamos con muy poco equipaje (es decir, la ropa que llevamos puesta, el portátil de Henri y el cofre loriense, que va adondequiera que vamos) o llevamos unas cuantas cosas (por lo general, los computadores adicionales de Henri y el equipo que utiliza para establecer un perímetro de seguridad y navegar en Internet en busca de noticias y acontecimientos que puedan estar relacionados con nosotros). En esta ocasión, hemos traído el cofre, los dos computadores de alta potencia, cuatro monitores de televisión y cuatro cámaras. Y también algo de ropa, aunque muy poco de lo que usábamos en Florida será apropiado para la vida en Ohio. Henri lleva el cofre a su dormitorio y bajamos los equipos al sótano, donde los instalará para que no los vean los visitantes. Tan pronto hemos entrado todo, Henri empieza a instalar las cámaras y a encender los monitores.

—No tendremos Internet sino hasta por la mañana. Pero si quieres ir al colegio, puedo imprimirte todos tus documentos.

—¿Si me quedo tendré que ayudarte a limpiar y terminar la instalación?

—Sí.

—Iré al colegio —anuncio.

—Entonces necesitas una buena noche de descanso.

CAPÍTULO
CUATRO

OTRA NUEVA IDENTIDAD, OTRO COLEGIO NUEVO. YA HE perdido la cuenta de cuántos han sido a lo largo de los años. ¿Quince? ¿Veinte? Siempre un pueblo pequeño, un colegio pequeño, siempre la misma rutina. Los alumnos nuevos llaman la atención, y a veces pongo en duda nuestra estrategia de limitarnos a los pueblos pequeños porque es muy difícil, casi imposible, pasar inadvertido. Pero sé bien cuál es la lógica de Henri: también a *ellos* les es imposible pasar inadvertidos.

Por la mañana, Henri me lleva al colegio, que queda a cinco kilómetros de la casa. Es más pequeño que la mayoría de los otros a los que he ido, y bastante común: una sola planta, alargada y baja. Un mural de un pirata con un cuchillo entre los dientes cubre la fachada junto a la puerta principal.

—¿De modo que ahora eres un pirata? —dice Henri, sentado a mi lado.

—Tal parece.

—Ya sabes cómo es el asunto.

—No es mi primera función.

—No demuestres tu inteligencia. Eso los hará sentirse incómodos.

—Ni en sueños.

—No te destaques ni llames mucho la atención.

—Seré un observador invisible.

—Y no le hagas daño a nadie. Eres mucho más fuerte que ellos.

—Lo sé.

—Y lo más importante: debes estar siempre listo. Listo para irte de un momento a otro. ¿Qué llevas en el morral?

—Frutos secos y nueces suficientes para cinco días. Calcetines de repuesto y ropa interior térmica. Un impermeable. Un GPS de mano. Una navaja que parece un bolígrafo.

—Llévalo siempre contigo, adondequiera que vayas —respira profundamente—. Y debes estar pendiente de las señales. Tus legados pueden aparecer cualquier día de estos. Ocúltalos a toda costa y llámame inmediatamente.

—Lo sé, Henri.

—Cualquier día de estos —insiste—, si empiezan a desaparecer tus dedos, si empiezas a flotar o a sacudirte violentamente, si pierdes el control de tus músculos o si empiezas a oír voces cuando nadie esté hablando, lo que sea, llámame.

Doy un golpecito en mi morral.

—Tengo el teléfono aquí mismo.

—Te esperaré aquí después de clases. Buena suerte allí adentro, muchacho —se despide.

Le sonrío. Henri tiene cincuenta años ahora, o sea que tenía cuarenta cuando llegamos, y eso hizo que la transición fuera más difícil para él. Todavía habla con un fuerte acento loriense, y la gente suele creer que es francés. Y eso fue una buena excusa al principio. Por eso escogió el nombre de Henri y lo ha conservado desde entonces. Lo único que cambia es el apellido para que tengamos el mismo.

—Bueno, me voy a conquistar el colegio —digo.

—Pórtate bien.

Camino hacia el edificio. Como suele suceder en casi todas las secundarias, hay un montón de chicos afuera, divididos según sus grupitos: los deportistas y las porristas; los músicos con sus instrumentos; los cerebritos con sus gafas, sus libros y sus BlackBerries; los marihuaneros, siempre a un lado, ajenos a todos los demás. Hay un chico desgarbado, con gafas gruesas, que está solo. Tiene una camiseta negra de la NASA y unos *jeans*, y no puede pesar más de cincuenta kilos. Tiene un telescopio de mano y está escudriñando el firmamento casi completamente oscurecido por las nubes. Me fijo en una chica que está tomando fotos y se mueve fácilmente entre un grupo y otro. Es lindísima: pelo rubio liso que le cae más abajo de los hombros, piel de marfil, pómulos altos, tenues ojos azules. Todos parecen conocerla y la saludan, y nadie se opone a que le tome fotos.

Me ve, sonríe y me saluda con la mano. Yo me pregunto por qué y me volteo para ver si hay alguien detrás de mí. Y, pues sí, hay dos chicos hablando de la tarea de matemáticas, nadie más. Me volteo otra vez. Ella viene a mi encuentro, sonriendo. Nunca había visto a una chica tan bonita, mucho menos hablado con una, y, definitivamente, nunca una chica tan bonita me había saludado desde lejos y me había sonreído como si fuéramos amigos. Me pongo nervioso enseguida y empiezo a sonrojarme. Pero también desconfío, pues estoy entrenado para hacerlo. Al acercarse, alza la cámara y empieza a tomarme fotos. Me tapo la cara con las manos. Ella baja la cámara y sonríe.

—No seas tímido.

—No lo soy. Solo quería proteger tu lente. Mi cara podría romperlo.

Ella se ríe.

—Pues con esa cara tan seria, sí. Intenta sonreír.

Sonrío ligeramente. Estoy tan nervioso que siento que voy a explotar. Siento que el cuello me arde y las manos se me calientan.

—Esa no es una sonrisa de verdad —dice, bromeando—. Una sonrisa implica mostrar los dientes.

Entonces sonrío de oreja a oreja, y ella me toma fotos. Por lo general, no dejo que nadie me tome fotos. Si fueran a parar a Internet, o un periódico, harían que fuera mucho más fácil encontrarme. Las dos veces que esto sucedió, Henri se puso furioso, se apoderó de las fotos y las destruyó. Y si supiera lo que estoy haciendo en este momento, estaría en graves problemas. Pero no puedo evitarlo. Ella es demasiado bonita y encantadora. Mientras me toma una foto, un perro se me acerca a toda prisa. Es un sabueso, con las orejas caídas y color canela, las patas y el pecho blancos y el cuerpo negro y esbelto. Está flaco y sucio, como si no tuviera dueño. Se restriega contra mi pierna, aúlla, trata de llamar mi atención. A la chica le parece tierno y me hace arrodillarme para tomarme una foto con él. Pero apenas empieza a tomarlas, el perro se aleja. Y cuando vuelve a intentarlo, se aleja aún más. Hasta que ella se da por vencida y me toma otro par a mí solo. El perro se queda a unos diez metros, observándonos.

—¿Conoces a ese perro? —pregunta la chica.

—No lo había visto nunca.

—Pero le caes bien. Eres John, ¿cierto?

Me alarga una mano.

—Ajá —contesto—. ¿Cómo lo sabes?

—Soy Sarah Hart. Mi madre es tu agente inmobiliaria. Me dijo que probablemente empezarías hoy en el colegio y que te buscara. Y eres el único nuevo que ha venido hoy.

Me río.

—Ah, sí, conocí a tu mamá. Es muy amable.

—¿No vas a darme la mano?

Sigue con la mano extendida. Yo sonrío y se la estrecho, y es, literalmente, una de las mejores sensaciones que he experimentado en la vida.

—Vaya —dice.

—¿Qué?

—Tienes la mano caliente, muy caliente, como si tuvieras fiebre o algo parecido.

—Creo que no.

Me suelta la mano.

—Tal vez eres de sangre caliente.

—Pues sí, tal vez.

Una campana suena a lo lejos, y Sarah me dice que es la campana de aviso. Tenemos cinco minutos para llegar a clase. Nos despedimos y la veo alejarse. Poco después, algo me pega en el codo. Me doy la vuelta y un grupo de jugadores de fútbol americano, todos con chaquetas del equipo, pasa rápidamente a mi lado. Uno de ellos me fulmina con la mirada y me doy cuenta de que fue él quien me pegó con el morral al pasar. Dudo que haya sido un accidente y los sigo. Sé que no voy a hacer nada, aun cuando podría. Pero no me gustan los matones, así de sencillo. Cuando me pongo en marcha, el chico de la camiseta de la NASA empieza a caminar a mi lado.

—Sé que eres nuevo, así que te pondré al tanto —dice.

—¿De qué? —pregunto.

—Ese es Mark James. Toda una eminencia por estos lares. Su papá es el jefe de la Policía y él es la estrella del equipo de fútbol americano. Era novio de Sarah, cuando ella era porrista, pero ella dejó el equipo y terminó con él. Y él no lo ha superado. Yo no me metería, si fuera tú.

—Gracias.

El chico se aleja a toda prisa. Me encamino a la rectoría para registrarme en las clases y poder empezar. Me volteo para ver si el perro sigue por ahí. Y allí sigue, en el mismo sitio, mirándome.

El rector es el señor Harris. Es gordo y está casi completamente calvo, salvo por unos cuantos pelos largos por detrás y a los lados de la cabeza. La barriga se le abulta por encima del cinturón. Tiene ojos pequeños, redondos, brillantes y demasiado juntos. Me sonríe desde el otro lado del escritorio, y la sonrisa parece tragársele los ojos.

—¿Así que viene del segundo curso de la secundaria de Santa Fe? —pregunta.

Asiento con la cabeza y digo que sí, aunque nunca he estado en Santa Fe. Es más, nunca he estado en Nuevo México. Una mentira piadosa para que no puedan rastrearme.

—Eso explica el bronceado. ¿Y qué lo trae a Ohio?

—El trabajo de mi papá.

Henri no es mi padre, pero es lo que digo siempre para disipar las sospechas. En realidad es mi protector, o lo que en la Tierra se entendería más como mi tutor. En Lorien había dos tipos de ciudadanos, los que desarrollan legados, o poderes, que pueden ser muy variados, desde la invisibilidad hasta la capacidad de leer la mente, volar y dominar las fuerzas naturales, como el fuego, el viento o los rayos. Los que tienen legados son los garde; los que no, son los cêpan. Yo soy miembro de los garde. Henri es mi cêpan. A cada garde se le asigna un cêpan en la infancia, y los cêpan nos ayudan a entender la historia de nuestro planeta y a desarrollar nuestros poderes. Los cêpan y los garde: un grupo ha de dirigir el planeta; el otro ha de defenderlo.

El señor Harris asiente con la cabeza.

—¿Y a qué se dedica?

—Es escritor. Quería vivir en un pueblo pequeño y tranquilo para terminar lo que está escribiendo —respondo con nuestra coartada habitual.

El señor Harris asiente y achica los ojos.

—Usted parece ser un joven fuerte, ¿piensa jugar con algún equipo?

—Ojalá pudiera, señor, pero tengo asma —es mi excusa habitual para evitar cualquier situación que pueda delatar mi fuerza y velocidad.

—Pues siento oír eso. Siempre estamos a la caza de buenos deportistas para el equipo de fútbol americano —dice, dirigiendo la mirada hacia el estante de la pared, en cuya parte superior hay un trofeo que tiene grabada la fecha del año pasado—. Ganamos la Liga de los Pioneros —dice con una sonrisa de orgullo.

Luego busca entre un archivador junto al escritorio, saca dos hojas y me las pasa. La primera es mi horario con unos cuantos espacios abiertos. La segunda es una lista de las electivas disponibles. Escojo las clases, lleno los espacios vacíos y le devuelvo todo. El señor Harris me da una especie de orientación, hablando durante lo que parecen horas, repasando todas las páginas del manual estudiantil con minucioso detalle. Suena una campana, después otra. Cuando finalmente termina, pregunta si tengo alguna duda. Respondo que no.

—Excelente. Estamos a la mitad de la segunda hora y veo que ha escogido astronomía, con la señora Burton. Es una profesora maravillosa, una de las mejores. Una vez recibió una condecoración estatal, firmada por el mismísimo gobernador.

—Maravilloso —digo.

Después de que el señor Harris se levanta como puede de su silla, salimos de su oficina y avanzamos por el pasillo.

Sus zapatos taconean sobre el suelo recién encerado. El aire huele a pintura fresca y a algún producto de limpieza. Las paredes están forradas de casilleros, y muchos de estos están cubiertos con pancartas de apoyo al equipo de fútbol americano. No puede haber más de veinte salones en todo el edificio. Los cuento al pasar por su lado.

—Henos aquí —anuncia el señor Harris. Me tiende la mano, yo se la estrecho—. Estamos felices de tenerlo con nosotros. Me gusta pensar en nosotros como en una familia unida. Y es un placer darle la bienvenida.

—Gracias.

Abre la puerta y mete la cabeza en el salón. Solo en ese momento me doy cuenta de que estoy un poco nervioso; una sensación como de mareo empieza a apoderarse de mí. Me tiembla la pierna derecha y siento mariposas en la boca del estómago. No entiendo por qué. Desde luego que no es por la perspectiva de entrar en mi primera clase. Ya lo he hecho demasiadas veces como para sufrir los efectos del nerviosismo. Respiro profundo y trato de sacudírmelos.

—Siento interrumpirla, señora Burton. Aquí está su nuevo alumno.

—¡Ay, genial! Dígale que pase —dice la profesora, con una aguda voz de entusiasmo.

El señor Harris sostiene la puerta abierta, y entro. El salón es un cuadrado perfecto y hay unas veinte personas sentadas ante escritorios rectangulares, más o menos del tamaño de una mesa de cocina, con tres estudiantes en cada uno. Todos los ojos están puestos en mí, y los miro a ellos antes de mirar a la señora Burton, que sonríe ampliamente. Es una mujer de unos sesenta años, con un suéter de lana rosa, unas gafas de plástico rojo atadas a una cuerda que le cuelga del cuello y pelo canoso y rizado. Me sudan las palmas de las manos y siento que la cara se me sonroja. Espero que no esté roja. El señor Harris cierra la puerta.

—¿Y cómo te llamas? —pregunta la señora Burton.

Dado mi agitado ánimo, me descubro a punto de responder "Daniel Jones", pero me contengo. Respiro profundo y digo:

—John Smith.

—¡Genial! ¿Y de dónde eres?

—Flo... —empiezo, pero vuelvo a contenerme antes de completar la palabra—. Santa Fe.

—Bueno, clase, démosle una calurosa bienvenida.

Todos aplauden. La señora Burton me indica el puesto libre en el centro del salón, entre dos estudiantes, y siento gran alivio cuando no me hace más preguntas. Ella se da la vuelta hacia su escritorio y yo empiezo a recorrer el pasillo, justo en dirección a Mark James, sentado junto a Sarah Hart. Cuando paso a su lado, él saca el pie y me hace una zancadilla. Entonces pierdo el equilibrio, pero me mantengo erguido. Unas risitas se cuelan por todo el salón. La señora Burton se voltea a toda prisa.

—¿Qué pasó?

En lugar de responderle a la profesora, fulmino a Mark con la mirada. En los colegios nunca falta el tipo rudo, el matón, o comoquiera que se le llame, pero nunca se había materializado tan rápido. Pelo negro, todo engominado y cuidadosamente despelucado. Patillas meticulosamente cortadas y una barba de tres días. Cejas pobladas sobre un par de ojos oscuros. Y por la chaqueta del equipo de fútbol americano, veo que está en el último curso; su nombre está bordado con cursivas doradas por encima del año. Nos fulminamos mutuamente con la mirada y la clase emite un gruñido provocador.

Desvío la mirada hacia mi puesto, tres escritorios más allá, luego la devuelvo hacia Mark. Podría partirlo literalmente por la mitad si quisiera. Podría arrojarlo hasta el siguiente condado. Si tratara de escapar en un auto, podría alcanzarlo y subirlo a la copa de un árbol. Pero, además de que sería una reacción exagerada, las palabras de Henri resuenan en mi cabeza: "No te destaques ni llames mucho la atención". Y sé que debería seguir su consejo y hacer caso omiso de lo que acaba de pasar, como lo he hecho siempre. Es algo que se nos da muy bien: no desentonar con el entorno, vivir entre sus sombras. Pero no me siento bien del todo, estoy intranquilo, y antes de tener la oportunidad de pensarlo mejor, ya he formulado la pregunta.

—¿Querías algo?

Mark me retira la mirada y la pasea por resto del salón, luego se endereza en el asiento y vuelve a mirarme.

—¿De qué estás hablando? —pregunta.

—Sacaste el pie cuando pasé. Y chocaste conmigo, afuera. Pensé que tal vez querrías algo.

—¿Qué está pasando? —pregunta la señora Burton detrás de mí. Volteo la cabeza y la miro por encima del hombro.

—Nada —respondo. Vuelvo la mirada hacia Mark—. ¿Y entonces?

Sus manos se aferran con fuerza al escritorio, pero guarda silencio. Nos miramos fijamente hasta que él suspira y aparta la mirada.

—Eso pensaba —digo con tono imponente y sigo caminando.

Los demás no saben cómo reaccionar y la mayoría se queda mirándome cuando me siento entre una chica pecosa y pelirroja y un chico pasado de peso que me mira con la boca abierta.

Al frente de la clase, la señora Burton parece un poco nerviosa, pero se sobrepone y explica por qué hay anillos alrededor de Saturno y cómo están hechos principalmente de partículas de hielo y polvo. Después de un rato, dejo de prestarle atención y observo a los demás estudiantes. Todo un nuevo grupo de personas frente a las que, una vez más, trataré de mantener cierta distancia. Una distancia siempre sutil, con un mínimo de interacción como para conservar un halo misterioso, pero sin resultar extraño. Hoy ya empecé fatal.

Inhalo profundamente y exhalo despacio. Sigo sintiendo mariposas en el estómago y el temblor fastidioso en la pierna. Y las manos cada vez más calientes. Mark James está tres escritorios delante de mí. Se da la vuelta una vez y me mira; luego susurra algo al oído de Sarah. Ella se gira. Parece tranquila, pero el hecho de que fuera su novia y esté sentada con él me inquieta. Me sonríe cálidamente. Quiero devolverle la sonrisa, pero estoy paralizado. Mark trata de susurrarle otra vez, pero ella sacude la cabeza y lo aparta. Mi oído es muchísimo mejor que el de los humanos si me concentro, pero estoy tan aturdido por su sonrisa, que no puedo. Quisiera poder haber oído lo que le dijo Mark.

Abro y cierro las manos. Las palmas me sudan y empiezan a arderme. Vuelvo a respirar profundamente. Se me nubla la vista. Pasan cinco minutos, luego diez. La señora Burton sigue hablando, pero no oigo lo que está diciendo. Aprieto los puños y vuelvo a abrirlos. Al hacerlo, me quedo sin respiración. Mi palma derecha despide un brillo leve. Me quedo mirándola, atónito, pasmado. Después de unos segundos, el brillo empieza a intensificarse.

Cierro los puños. Mi temor inicial es que le ha pasado algo a alguno de los otros. Pero ¿qué podría pasar? No pueden matarnos en desorden. Así funciona el hechizo. ¿Será que pueden hacerles daño a los otros? ¿Le habrán cortado la mano derecha a alguno? No tengo cómo saberlo. Pero si hubiera pasado algo, lo habría sentido en las cicatrices de mis tobillos. Y solo en ese momento lo comprendo. Debe de estar formándose mi primer legado.

Saco el teléfono del morral y le mando a Henri un mensaje que dice "UEM", aunque quería escribir "VEN". Estoy demasiado mareado como para escribirle nada más. Cierro los puños y los pongo sobre mi regazo. Me arden y me tiemblan. Abro las manos. Tengo la palma izquierda al rojo vivo, la derecha sigue brillando. Echo un vistazo al reloj de la pared. La clase está a punto de terminar. Si puedo salir de aquí, puedo meterme en un salón vacío y llamar a Henri y preguntarle qué está pasando. Empiezo a contar los segundos: sesenta, cincuenta y nueve, cincuenta y ocho. Siento como si algo fuera a explotar en mis manos. Me concentro en la cuenta regresiva. Cuarenta, treinta y nueve. Ahora siento un cosquilleo, como si estuvieran clavándome diminutas agujas en las palmas. Veintiocho, veintisiete. Abro los ojos y miro fijamente hacia delante, enfocado en Sarah, con la esperanza de que eso me distraiga. Quince, catorce. Mirarla a ella empeora las cosas. Las agujas parecen clavos. Clavos que han pasado por un horno y se han calentado y ahora están al rojo vivo. Ocho, siete.

Suena la campana, y en un segundo estoy de pie y afuera del salón, abriéndome camino entre los demás estudiantes. Me siento mareado y avanzo con paso inseguro por el pasillo, sin la menor idea de adónde ir. Puedo sentir que alguien me sigue. Saco el horario del bolsillo trasero y reviso el número de mi casillero. Por pura suerte, está justo a mi derecha. Me detengo y me apoyo contra la puerta metálica. Sacudo la cabeza al darme cuenta de que en mi prisa por salir del salón dejé el morral con el teléfono adentro. Y entonces alguien me empuja.

—¿Qué pasa, bravucón? —me tambaleo, miro hacia atrás. Allí está Mark, sonriéndome—. ¿Te pasa algo? —pregunta.

—No.

Me da vueltas la cabeza. Siento que voy a desmayarme. Y me arden las manos. Lo que sea que esté pasando, no podía haber sucedido en un peor momento. Vuelve a empujarme.

—No eres tan gallito cuando no hay profesores por ahí, ¿no?

Estoy demasiado desequilibrado como para mantenerme en pie, y me tropiezo con mis propios pies y me caigo. Sarah se planta delante de Mark.

—Déjalo en paz —dice.

—Esto no tiene nada que ver contigo —replica él.

—¿Cómo que no? Ves a un chico nuevo hablando conmigo y enseguida tratas de armar una pelea. *Este* es solo un ejemplo de por qué ya no estamos juntos.

Empiezo a levantarme. Sarah se inclina para ayudarme y, apenas me toca, el dolor de mis manos se enciende y siento como si unos rayos me explotaran en la cabeza. Me doy la vuelta y me alejo a toda velocidad, en la dirección opuesta al salón de astronomía. Sé que todos van a pensar que soy un cobarde por salir corriendo, pero siento que estoy a punto de desmayarme. Le daré las gracias a Sarah, y me ocuparé de Mark, después. Ahora lo que necesito es encontrar un salón donde pueda encerrarme con llave.

Llego al final del pasillo, que se cruza con la entrada principal del colegio. Entonces pienso en la orientación del señor Harris, que incluía dónde están los diversos salones del colegio. Si mal no recuerdo, el auditorio y los salones de música y de arte están al final de este pasillo. Corro hacia ellos tan rápido como me lo permite mi estado actual. Puedo oír a Mark, gritándome a mis espaldas, y a Sarah, gritándole a él. Abro la primera puerta que encuentro y la cierro tras de mí. Afortunadamente, puedo cerrarla con llave.

Estoy en un cuarto oscuro. Tiras de negativos cuelgan de unas cuerdas para secar. Me desplomo en el suelo. La cabeza me da vueltas y me arden las manos. Desde que vi la luz por primera vez, he mantenido las manos cerradas en puños. Ahora bajo la vista para observarlas y veo que mi mano derecha sigue brillando, latiendo. Empiezo a sentir pánico.

Me siento en el suelo, el sudor me hace arder los ojos y ambas manos me duelen muchísimo. Sabía que debía esperar la aparición de mis legados, pero no tenía idea de que sería así. Abro las manos. La palma derecha brilla intensamente, la luz empieza a concentrarse. La izquierda titila débilmente, pero la sensación de ardor es casi insoportable. Quisiera que Henri estuviera aquí. Espero que esté en camino.

Cierro los ojos y cruzo los brazos, pegados al pecho. Y me mezo de atrás para delante, sentado en el suelo. Me duele todo por dentro. No sé cuánto tiempo ha pasado. ¿Un minuto? ¿Diez? Suena la campana que indica el comienzo de la siguiente clase. Puedo oír gente hablando al otro lado de la puerta, que se sacude un par de veces, pero está cerrada con llave. Sigo meciéndome, con los ojos bien cerrados. Más golpes en la puerta. Voces apagadas que no puedo entender. Abro los ojos y puedo ver que el brillo de mis manos ha iluminado toda la habitación. Aprieto los puños para tratar de contener la luz, pero sale a chorros por entre mis dedos. Y entonces la puerta empieza a sacudirse en serio. ¿Qué pensarán de la luz en mis manos? No puedo esconderla. ¿Cómo voy a explicarlo?

—¿John? Abre la puerta… soy yo —dice una voz.

Y siento un alivio en todo el cuerpo. La voz de Henri, la única voz en el mundo entero que quería oír en este momento.

CAPÍTULO
CINCO

ME ARRASTRO HASTA LA PUERTA Y QUITO EL CERROJO. La puerta se abre. Henri está todo cubierto de tierra y con ropa de jardinería, como si hubiera estado trabajando en el exterior de la casa. Estoy tan feliz de verlo que siento ganas de brincar y abrazarlo, y lo intento, pero estoy demasiado mareado y vuelvo a desplomarme en el suelo.

—¿Todo bien allí adentro? —pregunta el señor Harris, que está detrás de Henri.

—Todo bien. Permítanos un minuto, por favor —responde Henri.

—¿Llamo una ambulancia?

—¡No!

La puerta se cierra. Henri baja la vista hacia mis manos. La luz de la derecha resplandece con fuerza mientras que la de la izquierda titila débilmente, como tratando de ganar seguridad en sí misma. Henri sonríe de oreja a oreja, su rostro brilla como un faro.

—Aaah, gracias a Lorien —suspira y se saca un par de guantes de jardinería del bolsillo trasero—. Qué suerte que justo estaba trabajando en el jardín. Póntelos.

Me los pongo y ocultan la luz por completo. El señor Harris abre la puerta y mete la cabeza.

—¿Señor Smith? ¿Está todo bien?

—Sí, todo bien. Permítanos tan solo treinta segundos —dice Henri, luego vuelve a mirarme—. Tu rector es un metiche.

Yo tomo aire profundamente y exhalo.

—Entiendo lo que está pasando, ¿pero por qué esto?

—Tu primer legado.

—Lo sé, pero… ¿por qué las luces?

—Hablaremos de eso en la camioneta. ¿Puedes caminar?

—Creo que sí.

Henri me ayuda a levantarme. Sigo inestable, tembloroso. Me agarro de su antebrazo para apoyarme.

—Tengo que recuperar mi morral antes de irme —digo.

—¿Dónde está?

—Lo dejé en el salón.

—¿Qué número es?

—Diecisiete.

—Voy a llevarte a la camioneta y después lo busco.

Acomodo el brazo derecho sobre los hombros de Henri, que me sostiene poniendo su brazo izquierdo alrededor de mi cintura. Aunque ya sonó la segunda campana, todavía puedo oír gente en el pasillo.

—Tienes que caminar lo más derecho y normal posible.

Respiro profundamente, tratando de reunir cualquier resto de energía que me quede para enfrentar el largo camino de salida del colegio.

—Andando —digo.

Me seco el sudor de la frente y sigo a Henri hacia fuera. El señor Harris está todavía en el pasillo.

—Es solo un ataque de asma fuerte —dice Henri y sigue de largo.

En el pasillo todavía hay unas veinte personas, la mayoría con cámaras colgadas del cuello, esperando a entrar en el cuarto oscuro para la clase de fotografía. Sarah no está entre ellos, afortunadamente. Avanzo con el paso más firme posible, un pie después del otro. La salida del colegio está a unos treinta metros. Eso son un montón de pasos. La gente murmura.

—Qué bicho más raro.

—¿Y este acaso está en este colegio?

—Eso espero, es guapo.

—¿Qué crees que estaba haciendo en el cuarto oscuro como para tener la cara tan roja? —oigo decir, y todos se ríen.

Así como los lorienses podemos aguzar nuestro oído, también podemos desconectarlo, lo cual ayuda cuando estamos tratando de concentrarnos en medio del ruido y la confusión. Así que me desconecto del ruido y sigo detrás de Henri. Cada paso parecen diez, hasta que llegamos a la puerta principal. Henri la abre y trato de caminar por mi cuenta hasta la camioneta, que está estacionada enfrente. Pero vuelvo a apoyar el brazo sobre sus hombros para los últimos veinte pasos. Él abre la puerta y me subo.

—Diecisiete, ¿cierto?

—Sí.

—Debías haberlo tenido contigo. Los pequeños errores son los que conducen a los grandes errores. No podemos cometer ninguno.

—Lo sé. Lo siento.

Cierra la puerta y regresa al edificio. Me encorvo en el asiento y trato de apaciguar mi respiración. Todavía puedo sentir el sudor en mi frente. Me enderezo y bajo la visera para poder mirarme en el espejo. Tengo la cara más roja de lo que creía, y los ojos un poco aguados. Pero a pesar del dolor y el agotamiento, sonrío. "Por fin", pienso. Después de tantos años de espera, después de tantos años en que mi única defensa frente a los mogadorianos fuera mi intelecto y mi sigilo, ha llegado mi primer legado. Henri sale del colegio con mi morral en mano. Bordea la camioneta, abre la puerta y echa el morral en el asiento.

—Gracias —le digo.

—No hay de qué.

Cuando salimos del estacionamiento, me quito los guantes y me miro las manos con detenimiento. La luz de la derecha empieza a concentrarse en un rayo, como el de una linterna, pero más intenso. El ardor empieza a atenuarse. La izquierda sigue titilando débilmente.

—Deberías dejártelos puestos hasta que lleguemos a la casa —dice Henri.

Vuelvo a ponérmelos y lo miro. Está sonriendo orgullosamente.

—Ha sido una espera *jodientemente* larga —dice.

—¿Ah? —pregunto.

Me mira.

—Una espera *jodientemente* larga —repite— para que aparecieran tus legados.

Me río. De todas las cosas que Henri ha aprendido a dominar en la Tierra, la blasfemia no es una de ellas.

—*Jodidamente* larga —le corrijo.

—Ajá, eso fue lo que dije.

Giramos hacia nuestra calle.

—¿Y ahora qué? ¿Podré lanzar rayos láser con mis manos, o qué?

Él sonríe.

—No es una mala idea, pero no.

—¿Y qué voy a hacer con la luz? Cuando estén persiguiéndome, ¿voy a darme la vuelta y deslumbrarlos? ¿Como si eso fuera a acobardarlos o algo así?

—Paciencia —dice Henri—. No se supone que debas entenderlo aún. Lleguemos a la casa, por ahora.

Y, entonces, recuerdo algo que casi me hace brincar del asiento.

—¿Esto significa que finalmente abriremos el cofre?

Henri asiente y sonríe.

—Muy pronto.

—¡Bien! —exclamo.

El cofre de madera, con su intrincada talla, me ha obsesionado toda la vida. Es una caja de apariencia precaria, con el símbolo loriense a un lado, y Henri ha guardado siempre absoluto silencio al respecto. Nunca me ha dicho qué hay adentro, y es imposible abrirlo. Y esto lo sé porque lo he intentado más veces de las que puedo contar, siempre en vano. Está cerrado con un candado en el que no se ve ninguna ranura por dónde meter la llave.

Cuando llegamos a casa, noto que Henri ha estado trabajando. Las tres sillas del porche han desaparecido y todas las ventanas están abiertas. Por dentro, las sábanas que cubrían los muebles también han desaparecido y algunas de las superficies están limpias. Pongo el morral sobre la mesa de la sala y, al abrirlo, me invade una oleada de frustración.

—Este desgraciado —maldigo.

—¿Qué?

—No está mi teléfono.

—¿Y dónde está?

—Esta mañana tuve una pequeña discusión con un chico que se llama Mark James. Puede que él lo haya tomado.

—John, estuviste una hora y media en el colegio. ¿Cómo diablos alcanzaste a discutir? Tú sabes cómo son las cosas.

—Es la secundaria, y soy el nuevo. Es fácil.

Henri saca su teléfono del bolsillo y marca mi número. Luego cierra el aparato de un golpe.

—Apagado.

—Pues claro.

Se queda mirándome.

—¿Qué pasó? —pregunta con una voz que reconozco, la voz que usa cuando está considerando una nueva mudanza.

—Nada. Fue una discusión estúpida. Puede que se me haya caído al suelo cuando fui a meterlo en el morral —le digo, aunque sé que no fue así—. No estaba en mi mejor momento. Pero seguro que está esperándome entre las cosas perdidas.

Henri pasea la mirada por la casa y suspira.

—¿Alguien te vio las manos?

Me quedo mirándolo. Tiene los ojos inyectados de sangre, más rojos que cuando me dejó en el colegio. Está despeinado y tiene una mirada alicaída, como si fuera a derrumbarse de cansancio en cualquier momento. No ha dormido desde que salimos de Florida, hace dos días. No sé cómo puede seguir en pie.

—No.

—Estuviste en el colegio una hora y media. Apareció tu primer legado, estuviste a punto de pelearte y dejaste el morral en el salón. Eso no es precisamente no desentonar.

—No fue nada. Y, sobre todo, nada tan importante como para mudarnos a Idaho, a Kansas, o adonde sea que vaya a ser nuestro próximo destino.

Henri achica los ojos, reflexionando acerca de lo que acaba de presenciar y tratando de decidir si es suficiente como para justificar una nueva mudanza.

—No es el momento de ser descuidados —dice.

—En todos de los colegios hay discusiones cada día. Te prometo que no van a rastrearnos porque un matoncito se metió con el nuevo del colegio.

—Las manos del nuevo no se iluminan en todos los colegios.

Suspiro.

—Henri, parece como si estuvieras a punto de morirte. Échate una siesta. Podemos decidir después de que hayas dormido un poco.

—Tenemos mucho de qué hablar.

—Nunca te había visto tan cansado. Duerme un par de horas. Hablaremos después.

Él asiente con la cabeza.

—Seguro que una siesta me vendría bien.

Henri se va a su habitación y cierra la puerta. Yo salgo y camino un rato por el jardín. El sol está detrás de los árboles y sopla un viento fresco. Todavía tengo los guantes en las manos. Me los quito y los guardo en el bolsillo trasero. Mis manos siguen igual. A decir verdad, solo la mitad de mi ser está feliz de que mi primer legado haya aparecido finalmente, después de tantos años de espera impaciente. La otra mitad está destrozada. Las mudanzas permanentes me han agotado, y ahora me será imposible no desentonar o quedarme en un sitio durante un tiempo determinado. Será imposible hacer amigos o sentirme integrado. Estoy harto de los nombres falsos y las mentiras. Estoy harto de tener que estar mirando siempre hacia atrás, para ver si me están persiguiendo.

Me inclino y me toco las cicatrices en el tobillo derecho. Tres círculos que representan a los tres que han muerto. Estamos unidos por algo más que la raza. Mientras me toco las cicatrices, trato de imaginarme quiénes eran, si eran chicos o chicas, dónde vivirían, cuántos años tendrían cuando murieron. Trato de recordar a los otros que viajaron conmigo en la nave y le pongo un número a cada uno. Pienso en cómo serían las cosas si los conociera, si pudiera estar con ellos. En cómo habría sido todo si todavía estuviéramos en Lorien. En cómo sería todo si el destino de nuestra raza entera no dependiera de la supervivencia de unos pocos de nosotros. En cómo sería si no tuviéramos que enfrentar la muerte a manos de nuestros enemigos.

Es aterrador saber que soy el siguiente. Pero hemos conservado la ventaja al vivir mudándonos, huyendo. Aunque estoy cansado de tanto huir, sé que es la única razón por la que seguimos vivos. Si paramos, nos encontrarán. Y ahora que soy el siguiente, no me queda duda de que han intensificado la búsqueda. Seguro que saben que estamos fortaleciéndonos cada vez más, que estamos desarrollando nuestros legados.

Y también está el otro tobillo con la cicatriz que se formó al conjurar el hechizo loriense, en esos preciados momentos antes de irnos de Lorien. Es la marca que nos une a todos.

CAPÍTULO SEIS

ENTRO EN MI HABITACIÓN Y ME ACUESTO SOBRE EL COL-chón sin sábanas. La mañana me ha dejado agotado y dejo que se me cierren los ojos. Cuando vuelvo a abrirlos, el sol está por encima de los árboles. Salgo del cuarto. Henri está sentado a la mesa de la cocina frente al portátil abierto, y sé que ha estado ojeando las noticias, como lo hace siempre, buscando información o historias que puedan indicarnos dónde están los otros.

—¿Dormiste? —le pregunto.

—No mucho. Ya tenemos Internet, y no había revisado las noticias desde que salimos de Florida. Eso estaba carco-miéndome.

—¿Y hay algo importante? —pregunto.

Él se encoge de hombros.

—En África, un chico de catorce años cayó desde un cuarto piso y salió sin un solo rasguño. En Bangladesh, hay uno de quince años que dice ser el Mesías.

Me río.

—Sé que el de quince no es de los nuestros. ¿Alguna posibilidad de que el otro sí?

—No. Sobrevivir a una caída desde un cuarto piso no es gran cosa, además, si fuera uno de nosotros, no habrían sido tan descuidados en un principio —responde con un guiño.

Sonrío y me siento al frente. Henri cierra el computador y pone las manos sobre la mesa. Son las 11:36 en su reloj. Apenas llevamos un poco más de medio día en Ohio y ya han sucedido muchas cosas. Alzo las palmas, que se han ido apaciguando desde la última vez que las revisé.

—¿Sabes lo que tienes? —pregunta Henri.

—Luz en las manos.

Se ríe.

—Se llama *lumen*. Con el tiempo, tendrás la capacidad de controlar la luz.

—Eso espero, pues nuestra coartada no durará mucho si no se apagan pronto. Pero sigo sin entender qué sentido tiene.

—Tu lumen implica más que las meras luces. Te lo prometo.

—¿Y qué más hay?

Henri va a su habitación y regresa con un encendedor en la mano.

—¿Recuerdas algo de tus abuelos? —pregunta.

Los abuelos son los que nos educan. A nuestros padres los vemos poco hasta que llegamos a los veinticinco años, cuando tenemos nuestros propios hijos. La expectativa de vida para los lorienses es de unos doscientos años, mucho mayor que la de los humanos, y cuando nacen los hijos, los mayores son quienes los educan mientras los padres, entre los veinticinco y los treinta y cinco años, siguen afinando sus legados.

—Un poco. ¿Por qué?

—Porque tu abuelo tenía el mismo don.

—No recuerdo haber visto nunca que las manos le brillaran.

Henri se encoge de hombros.

—Tal vez nunca tuvo motivos para usarlo.

—Genial —digo—. El don que todos querrían tener, uno que nunca voy a usar.

Él sacude la cabeza.

—Dame la mano.

Le doy la derecha. Él prende el encendedor y lo mueve para tocarme la punta del dedo con la llama. Yo quito la mano enseguida.

—¿Qué haces?

—Confía en mí.

Vuelvo a darle la mano. Él la toma y vuelve a prender el encendedor. Me mira a los ojos, luego sonríe. Entonces, bajo la vista y veo que la llama está en la punta de mi dedo del medio. No siento nada. El instinto hace que me sobresalte y retiro la mano. Me froto el dedo. Se siente igual que antes.

—¿Lo sentiste? —pregunta Henri.

—No.

—Dame la mano otra vez y avísame cuando sientas algo.

Empieza por la punta del dedo otra vez, luego mueve la llama muy despacio por el dorso de mi mano. Siento un ligero cosquilleo donde la llama toca la piel, nada más. Solo cuando llega a mi muñeca, empiezo a sentir el calor y retiro el brazo.

—¡Ay!

—Lumen —dice Henri—. Vas a volverte resistente al fuego y al calor. Las manos lo hacen por naturaleza, pero tendremos que entrenar el resto de tu cuerpo.

Una sonrisa se dibuja en mi cara.

—¿Resistente al calor y el fuego? —digo—. ¿Entonces no volveré a quemarme nunca?

—Con el tiempo, así será.

—¡Increíble!

—No es un legado tan malo después de todo, ¿ah?

—En absoluto —asiento—. ¿Y las luces? ¿Se apagarán algún día?

—Sí. Probablemente después de una noche de sueño reparador, cuando tu mente se olvide de que están encendidas —responde—. Pero tendrás que cuidarte de no exaltarte durante un tiempo. Un desequilibrio emocional hará que vuelvan a encenderse de inmediato, si te pones muy nervioso, furioso o triste.

—¿Hasta cuándo?

—Hasta que aprendas a controlarlas —Henri cierra los ojos y se restriega la cara con las manos—. En fin, voy a tratar de dormirme otra vez. Hablaremos de tu entrenamiento en un par de horas.

Después de que se va, me quedo un rato sentado a la mesa de la cocina, abriendo y cerrando las manos, respirando profundo y tratando de calmarme por dentro para que las luces se apaguen. Pero por supuesto que no funciona.

Aparte del par de cosas que Henri alcanzó a hacer mientras yo estaba en el colegio, la casa sigue patas arriba. Puedo darme cuenta de que está considerando la opción de marcharnos, pero no hasta el punto de no poder convencerlo de quedarnos. Si se levanta y encuentra la casa limpia y ordenada, tal vez eso lo incline hacia la decisión acertada.

Empiezo por mi habitación. Quito el polvo, lavo las ventanas, barro el suelo. Cuando todo está limpio, pongo sábanas, cobijas y almohadas en la cama, después cuelgo y doblo mi ropa. El armario está viejo y destartalado, pero lo lleno y pongo los pocos libros que tengo en la parte de arriba. Y, así de fácil, tengo un cuarto limpio, con todas mis pertenencias guardadas y organizadas.

Luego paso a la cocina, saco todos los platos y limpio las alacenas. Así me concentro en otra cosa y dejo de pensar en mis manos, aunque pienso en Mark James mientras tanto. Por primera vez en mi vida le hice frente a alguien. Siempre había querido hacerlo, pero nunca había podido, por estar siguiendo el consejo de Henri de no llamar la atención. Y siempre he intentado retrasar al máximo una nueva mudanza. Pero hoy fue distinto. Hoy sentí algo muy satisfactorio en el hecho de que alguien me desafiara y en poder responder con otro desafío. Y además está el asunto de mi teléfono robado. Claro que podríamos comprar uno nuevo, pero ¿dónde queda la justicia entonces?

CAPÍTULO
SIETE

ME DESPIERTO ANTES DE QUE SUENE EL DESPERTADOR.
La casa está fría y silenciosa. Saco las manos de las cobijas: no
hay luces ni brillo. Salgo pesadamente de la cama y voy a la
sala. Henri está en la mesa de la cocina, leyendo el periódico
del pueblo y tomando café.

—Buenos días —dice—. ¿Cómo te sientes?

—De maravilla.

Me sirvo un tazón de cereal y me siento enfrente.

—¿Qué harás hoy? —le pregunto.

—Mandados, sobre todo. Ya nos estamos quedando sin
dinero. Estoy pensando en hacer una transferencia al banco.

Lorien es (o era, dependiendo de cómo se mire) un planeta rico en recursos naturales. Algunos de esos recursos eran
piedras y metales preciosos. Cuando nos fuimos, cada cêpan
recibió una bolsa llena de diamantes, esmeraldas y rubíes para
venderlos al llegar a la Tierra. Henri lo hizo y depositó el dinero en una cuenta de un banco en el exterior. No sé cuánto
haya y nunca pregunto, pero sé que es suficiente como para
diez vidas, si no más. Henri hace un retiro una vez al año, más
o menos.

—Pero no estoy seguro —continúa—. No quiero irme demasiado lejos por si pasa algo hoy.

Como no quiero darle demasiada importancia a lo de ayer, lo animo:

—Estaré bien, ve por tu sueldo.

Miro por la ventana. El amanecer proyecta una luz pálida sobre el mundo. La camioneta está cubierta de rocío. Hace tiempo que no vivimos un invierno. Ni siquiera tengo una chaqueta, y ya no me queda casi ninguno de mis suéteres.

—Parece que afuera está haciendo frío —digo—. Tal vez podríamos ir a comprar ropa pronto.

Henri asiente.

—Estuve pensando en eso anoche, y por eso tengo que ir al banco.

—Entonces ve —le digo—. No va a pasar nada hoy.

Me termino el cereal, pongo el plato sucio en el fregadero y abro la ducha. Diez minutos después, estoy vestido con unos *jeans* y una camiseta térmica negra, remangada hasta los codos. Me miro al espejo, luego las manos. Me siento tranquilo. Tengo que conservar esta tranquilidad.

De camino al colegio, Henri me da un par de guantes.

—Asegúrate de tenerlos siempre contigo. Uno nunca sabe.

Me los meto en el bolsillo trasero.

—No creo que vaya a necesitarlos. Me siento realmente bien.

Los autobuses están alineados frente al colegio. Henri estaciona a un lado del edificio.

—No me gusta que estés sin teléfono —dice—. Cualquier cosa podría salir mal.

—No te preocupes. Lo recuperaré pronto.

Él suspira y sacude la cabeza.

—No hagas ninguna estupidez. Estaré aquí mismo cuando terminen las clases.

—No te preocupes —le digo al bajar de la camioneta. Él se marcha.

Adentro, los corredores bullen de actividad, los estudiantes hablan y ríen junto a los casilleros. Algunos me miran y murmuran. No sé si será por el enfrentamiento o por lo del cuarto oscuro. Lo más probable es que sea por ambas cosas. Es un colegio pequeño, y en los colegios pequeños hay muy poco que no llegue a los oídos de todos en el acto.

Al llegar al vestíbulo principal, doblo a la derecha y encuentro mi casillero. Está vacío. Tengo quince minutos antes de que empiece la clase de redacción. Paso por el salón para asegurarme de que sé dónde queda y luego me dirijo a la oficina. La secretaria me sonríe al entrar.

—Hola —le digo—. Ayer se me perdió el teléfono y pensé que quizás alguien lo habría traído a las cosas perdidas.

La mujer niega con la cabeza.

—No, me temo que no han traído ningún teléfono.

—Gracias.

Al salir al pasillo, no veo a Mark por ningún lado. Escojo una dirección y empiezo a andar. La gente sigue mirándome y murmurando, pero no me importa. Entonces lo veo a unos quince metros por delante. De repente, siento cómo me sube la adrenalina. Me miro las manos. Están normales. Me preocupa que se enciendan, y es esa preocupación, precisamente, lo que las podría encender.

Mark está recostado contra un casillero, con los brazos cruzados, en medio de un grupo de cinco chicos y dos chicas. Todos hablan y ríen. Sarah está sentada en el marco de una ventana, a unos cinco metros de distancia. Hoy también se ve radiante, con su pelo rubio recogido en una cola de caballo, vestida con una falda y un suéter gris. Está leyendo un libro, pero alza la vista cuando me les acerco.

Me detengo justo fuera del grupo, miro a Mark fijamente y espero. Él nota mi presencia después de unos cinco segundos.

—¿Qué quieres? —pregunta.

—Tú lo sabes.

Mutuamente nos fulminamos con la mirada. La multitud que nos rodea aumenta a diez, luego a veinte. Sarah se levanta y camina hasta el borde de la masa. Mark tiene puesta la chaqueta del equipo y su pelo negro está cuidadosamente peinado para que parezca que acaba de salir de la cama, como si no en verdad no se hubiera esforzado.

Se aparta del casillero y camina hacia mí. Cuando está a unos pocos centímetros, se detiene. Nuestros pechos casi se chocan; el olor dulce de su colonia inunda mis fosas nasales. Debe de medir un metro ochenta, unos cuantos centímetros más que yo, y tenemos la misma complexión. Pero no puede imaginarse que lo que hay en mi interior es muy distinto a lo que hay en el suyo. Soy más rápido que él, y mucho más fuerte. Y esto hace que en mi cara se dibuje una sonrisa de seguridad.

—¿Crees que podrás aguantar en el colegio un poco más que ayer? ¿O vas a salir corriendo otra vez como un perro asustado?

Las risas se extienden entre la multitud.

—Pues ya lo veremos, ¿no?

—Sí, supongo que sí —responde acercándose aún más.

—Devuélveme mi teléfono —le digo.

—No tengo tu teléfono.

Sacudo la cabeza.

—Hay dos personas que te vieron tomarlo —miento.

Por la manera como se le arruga la frente, sé que no me he equivocado.

—¿Y qué pasa si lo tengo? ¿Qué vas a hacer?

Estamos rodeados por unas treinta personas, y no tengo la menor duda de que todo el colegio sabrá lo que ha pasado antes de que finalicen los primeros diez minutos de la primera clase.

—Te lo advierto —le digo—. Tienes hasta al final del día.

Me doy media vuelta y me voy.

—¿O qué? —grita Mark a mis espaldas. No le hago caso. Que se imagine la respuesta.

He tenido los puños cerrados todo el tiempo y ahora me doy cuenta de que había confundido los nervios con la adrenalina. ¿Por qué estaba tan nervioso? ¿Porque el asunto era impredecible? ¿Porque es la primera vez que me enfrento a alguien? ¿Por la posibilidad de que me brillaran las manos? Probablemente por las tres cosas.

Voy al baño, entro en un cubículo vacío y cierro la puerta detrás de mí. Abro las manos. Un brillo ligero en la derecha. Cierro los ojos y suspiro, concentrándome en respirar despacio. Un minuto después, el brillo sigue allí. Sacudo la cabeza. No creí que el legado pudiera ser tan sensible. Me quedo en el cubículo. Una delgada capa de sudor me cubre la frente. Tengo ambas manos calientes, pero la izquierda sigue normal, afortunadamente. La gente entra y sale del baño, y yo sigo en el cubículo, esperando. La luz de la mano derecha sigue brillando. La campana de la primera clase suena finalmente y el baño queda vacío.

Sacudo la cabeza, furioso, y acepto lo inevitable. No tengo mi teléfono y Henri va rumbo al banco. Estoy solo con mi propia estupidez y no puedo culpar a nadie más que a mí mismo. Saco los guantes del bolsillo trasero y me los pongo. Guantes de jardinería. No podría verme más ridículo si llevara zapatos de payaso y pantalón amarillo. Hasta aquí llegaron mis esperanzas de pasar desapercibido. Me doy cuenta de que no puedo seguir metiéndome con Mark. Él gana. Puede quedarse con mi teléfono. Henri y yo iremos a comprar uno nuevo esta tarde.

Salgo del baño y camino por el pasillo hasta el salón. Todos me miran fijamente al entrar, luego a mis guantes. No tiene sentido tratar de esconderlos. Parezco un idiota. Soy un extraterrestre, tengo poderes extraordinarios, y vienen más en camino, y puedo hacer cosas con las que ningún humano podría soñar, y aún así parezco un idiota.

Me siento en el centro del salón. Nadie me dice nada, y estoy demasiado nervioso como para oír lo que dice el profesor. Cuando suena la campana, recojo mis cosas, las meto en el morral y me lo echo a la espalda. Sigo con los guantes puestos. Al salir del salón, levanto un poco el derecho y le echo un vistazo a mi palma. Sigue brillando.

Recorro el pasillo con paso firme. Respiro lentamente. Trato de despejarme la cabeza, pero no funciona. Cuando entro en el salón, Mark está sentado en el mismo puesto de ayer, con Sarah a su lado. Me mira con aire despectivo, tratando de mostrarse tranquilo, por eso no ve mis guantes.

—¿Qué cuentas, campeón? Me contaron que el equipo de atletismo está buscando nuevos corredores.

—No seas tan imbécil —le dice Sarah.

Yo la miro al pasar; miro esos ojos azules que me hacen sentir tímido y cohibido, y que hacen que me ardan las mejillas. Como el puesto en el que me senté ayer está ocupado, me dirijo hacia el fondo. La clase se llena, y el chico de ayer, el que me advirtió acerca de Mark, se sienta a mi lado. Tiene puesta otra camiseta negra con un logo de la NASA en la mitad, pantalón militar y unos tenis Nike; pelo rubio-rojizo, despelucado, y unas gafas que hacen que sus ojos color avellana se vean más grandes. Saca un cuaderno lleno de diagramas de constelaciones y planetas. Me mira y no intenta ocultar el hecho de que está mirándome fijamente.

—¿Qué tal? —pregunto.

Se encoge de hombros.

—¿Por qué estás usando guantes? —pregunta.

Abro la boca para responder, pero la señora Burton empieza. Mi vecino de pupitre se pasa casi toda la clase haciendo dibujos de lo que parece ser su interpretación de los marcianos. Cuerpos pequeños; cabezas, ojos y manos grandes. Las mismas representaciones estereotipadas que suelen mostrar en las películas. En la parte de abajo de cada dibujo, escribe su nombre con letras pequeñas: "SAM GOODE". Como se da cuenta de que estoy mirándolo, aparto la vista.

Mientras la señora Burton habla acerca de las sesenta y una lunas de Saturno, contemplo la cabeza de Mark James por detrás. Está encorvado sobre el escritorio, escribiendo. Luego se endereza y le pasa una nota a Sarah. Ella se la devuelve enseguida, sin leerla. Esto me hace sonreír. La señora Burton apaga las luces y pone un video. Los planetas que rotan en la pantalla que está al frente del salón me hacen pensar en Lorien. Es uno de los dieciocho planetas del universo que pueden sustentar vida. La Tierra es otro. Mogadore, desafortunadamente, es otro.

Lorien. Cierro los ojos y me doy permiso de recordar. Un planeta viejo, cientos de años más antiguo que la Tierra. Todos los problemas que tiene ahora la Tierra —polución, sobrepoblación, calentamiento global, escasez alimentaria— los tuvo también Lorien. En un momento dado, hace veinticinco mil años, el planeta empezó a morir. Esto fue mucho antes del desarrollo de la capacidad de viajar a través del espacio, y los habitantes de Lorien tuvieron que hacer algo para sobrevivir. De manera lenta, pero segura, para garantizar que el planeta se mantuviera autosuficiente para siempre, asumieron un compromiso y cambiaron su estilo de vida al acabar con todo lo nocivo —armas y bombas, químicos venenosos, contaminantes— y, con el tiempo, el daño empezó a revertirse. Con la evolución, a lo largo de miles de años, ciertos ciudadanos —los garde— desarrollaron poderes para proteger al planeta, y ayudarlo. Es como si Lorien hubiera recompensado a mis antepasados por su previsión, por su respeto.

La señora Burton enciende las luces. Abro los ojos y miro el reloj. La clase está a punto de terminar. He vuelto a calmarme, y me he olvidado de mis manos por completo. Respiro profundamente y alzo el guante derecho. ¡La luz está apagada! Sonrío y me los quito. De vuelta a la normalidad. Faltan seis clases por hoy. Debo conservar la calma a lo largo de todas.

La primera mitad del día transcurre sin incidentes. Permanezco tranquilo y, asimismo, no tengo más encontronazos con Mark. A la hora del almuerzo, lleno mi bandeja con lo básico y me siento a una mesa vacía al fondo de la sala. Cuando voy por la mitad de un pedazo de pizza, Sam Goode, el de la clase de astronomía, se sienta al frente.

—¿En serio vas a pelear con Mark después de clases?

Sacudo la cabeza.

—No.

—Eso es lo que están diciendo.

—Pues se equivocan.

Él se encoge de hombros, sigue comiendo. Un minuto después, me pregunta:

—¿Y tus guantes?

—Me los quité. Ya no tengo las manos frías.

Él abre la boca para decir algo, pero una albóndiga gigante, que estoy seguro que venía hacia mí, aparece de la nada y le da en la cabeza, por detrás. El pelo y los hombros le quedan llenos de trozos de carne y salsa. A mí también me alcanza a caer un poco, y cuando empiezo a limpiarme, una segunda albóndiga vuela por los aires y me da justo en el cachete. *Ahs* y *ohs* se cuelan por toda la cafetería.

Me levanto y me limpio la cara con una servilleta. Me invade la ira. Ya no me importan mis manos. Bien pueden brillar como el sol, y Henri y yo podemos largarnos esta misma tarde si es necesario, pero que me lleve el diablo antes de dejarlo pasar. Eso había decidido esta mañana, pero ahora ya no.

—No lo hagas —dice Sam—. Si peleas, no te dejarán en paz nunca.

Empiezo a caminar. El silencio se posa sobre la cafetería. Un centenar de pares de ojos se clavan en mí. Frunzo la cara en una mueca de furia. Hay siete personas sentadas a la mesa de Mark James, todos hombres. Y los siete se levantan cuando me acerco.

—¿Algún problema? —pregunta uno. Es grande, con complexión de jugador de la línea defensiva. En sus mejillas y barbilla se ven unos parches de vello rojizo, como si quisiera dejarse la barba, y esto hace que parezca que tiene la cara sucia. Como todos los demás, tiene puesta la chaqueta del equipo. Cruza los brazos y se atraviesa en mi camino.

—Esto no es contigo —le digo.

—Tendrás que vértelas conmigo para llegar a él.

—Lo haré si no te apartas de mi camino.

—No creo que puedas —me dice.

Alzo la rodilla y lo golpeo en la ingle. Él se queda sin respiración y se dobla en dos. La cafetería entera suelta un grito ahogado.

—Te lo advertí —le digo, y paso por encima de él en dirección a Mark. Justo en ese momento, alguien me agarra por detrás. Entonces me volteo con los puños apretados, listo para atacar, pero en el último segundo me doy cuenta de que es el vigilante de la cafetería.

—Ya basta, jóvenes.

—Mire lo que acaba de hacerle a Kevin, señor Johnson —dice Mark. Kevin sigue en el suelo, retorciéndose. Tiene la cara roja como un tomate—. ¡Mándelo a la rectoría!

—Cállate, James. Irán los cuatro. No creas que no te vi lanzando esas albóndigas —dice, y baja la vista al suelo, hacia Kevin—. Levántate.

Sam ha aparecido de la nada. Ha intentado limpiarse el pelo y los hombros, y los trozos más grandes han desaparecido, pero está embadurnado de salsa. No sé muy bien por qué está aquí. Me miro las manos, listo para escapar ante el primer indicio de luz, pero, para mi sorpresa, están apagadas. ¿Habrá sido por la urgencia de la situación, al permitirme acercarme sin nervios preventivos? No lo sé.

Kevin se pone de pie y me mira. Está tembloroso, todavía le cuesta respirar. Se agarra del hombro del tipo que está a su lado para apoyarse.

—Ya te llegará tu turno —me dice.

—Lo dudo —replico. Sigo con el ceño fruncido y bañado en comida. Y me importa un pito limpiarme o no limpiarme.

Los cuatro caminamos hacia la rectoría. El señor Harris está sentado detrás de su escritorio, comiéndose un almuerzo de microondas con una servilleta metida en el cuello de la camisa.

—Siento interrumpir. Acabamos de tener un pequeño problema durante el almuerzo. Estoy seguro de que estos muchachos se lo explicarán con gusto —dice el vigilante de la cafetería.

El señor Harris suspira, se quita la servilleta de la camisa y la tira a la basura. Luego empuja el almuerzo a un lado con el dorso de la mano.

—Gracias, señor Johnson.

El señor Johnson se va, cierra la puerta de la oficina tras de sí, y los cuatro nos sentamos.

—¿Quién quiere empezar? —pregunta el rector con voz irritada.

Guardo silencio. El señor Harris tensa los músculos de la mandíbula. Me miro las manos. Siguen apagadas. Pongo las palmas hacia abajo sobre mis piernas, por si acaso. Tras diez segundos de silencio, Mark empieza.

—Alguien lo golpeó con una albóndiga, y como cree que fui yo, le dio un rodillazo a Kevin en las pelotas.

—¡Cuidadito con las palabrotas! —exclama el señor Harris, y luego se dirige a Kevin—. ¿Estás bien?

Kevin, que aún tiene la cara roja, asiente.

—¿Y quién tiró la albóndiga? —me pregunta el señor Harris.

No digo nada. Estoy que ardo, furioso por toda la escena. No quiero tener que lidiar con Mark por intermedio del señor Harris, y preferiría encargarme de la situación por mi cuenta, lejos de la rectoría.

Sam me mira sorprendido. El señor Harris alza las manos en un gesto de frustración.

—¿Y entonces por qué rayos están aquí?

—Es una buena pregunta —dice Mark—. Solo estábamos almorzando.

Sam interviene.

—Fue Mark. Yo lo vi, y también lo vio el señor Johnson.

Miro a Sam. Sé que no lo vio porque la primera vez estaba de espaldas, y la segunda estaba limpiándose. Pero me impresiona que lo haya dicho, que se haya puesto de mi lado, aun sabiendo que eso lo meterá en problemas con Mark y sus amigos. Mark me mira con el ceño fruncido.

—Por favor, señor Harris —ruega Mark—. Mañana tengo la entrevista con la *Gaceta*, y el juego es el viernes. No tengo tiempo para preocuparme por estupideces como esta. Me están acusando de algo que no hice. Y es muy difícil mantenerse concentrado con esta mierda de por medio.

—¡Cuidadito con las palabrotas! —grita el señor Harris.

—Es cierto.

—Te creo —dice el rector, y suspira pesadamente. Luego mira a Kevin, que sigue luchando por recobrar la respiración—. ¿Necesitas ir a la enfermería?

—Estaré bien —dice Kevin.

El señor Harris asiente.

—Ustedes dos, olvídense del incidente en la cafetería, y Mark, concéntrate. Llevamos un buen rato tratando de que nos dediquen ese artículo. Incluso puede que nos pongan en la primera página. Imagínate eso, la primera página de la *Gaceta* —dice, y sonríe.

—Gracias —dice Mark—. Estoy muy emocionado.

—Bien. Ya pueden irse ustedes dos.

Se van, y el señor Harris le lanza una mirada dura a Sam, que se la sostiene.

—Dime, Sam, y quiero que me digas la verdad, ¿viste a Mark lanzando la albóndiga?

Sam frunce el ceño, sin apartar la mirada.

—Sí.

El rector sacude la cabeza.

—No te creo. Y puesto que no te creo, vamos a hacer lo siguiente —dice mirándome—; alguien tiró una albóndiga...

—Dos —interviene Sam.

—¡¿Qué?! —pregunta el señor Harris, fulminando a Sam con la mirada una vez más.

—Fueron dos albóndigas, señor Harris, no una.

El señor Harris da un puñetazo en la mesa.

—¿A quién le importa cuántas fueron? John agredió a Kevin. Ojo por ojo. Vamos a dejarlo así. ¿Entendido?

Tiene la cara colorada, y sé que no tiene sentido discutir.

—Sip —contesto.

—No quiero volver a verlos por aquí —dice—. Pueden irse.

Salimos de la oficina.

—¿Por qué no le dijiste lo de tu teléfono? —pregunta Sam.

—Porque no le importa. Lo único que quiere es seguir almorzando —respondo—. Y ten cuidado —le digo—, ahora estarás en la mira de Mark.

Después de almuerzo tengo clase de cocina; no porque tenga un especial interés culinario, sino porque era eso o el coro. Y aunque tengo muchos poderes y fortalezas considerados excepcionales en la Tierra, cantar no está en la lista. De modo que voy al salón y me siento. Es un salón pequeño, y justo antes de que suene la campana, Sarah entra y se sienta a mi lado.

—Hola —dice.

—Hola.

La sangre se me sube a la cara y se me tensan los hombros. Tomo un lápiz con la mano derecha y me pongo a juguetear con él mientras doblo las esquinas de mi cuaderno con la izquierda. El corazón me late con fuerza. "Por favor, que no me estén brillando las manos". Me miro las palmas y respiro aliviado al ver que siguen normales. "Tranquilo —pienso—. Es solo una chica".

Sarah está mirándome. Siento que me derrito por dentro. Puede que sea la chica más hermosa que haya visto en mi vida.

—Siento que Mark esté portándose como un idiota contigo.

Me encojo de hombros.

—No es tu culpa.

—Pero no van a pelear, ¿o sí?

—Yo no quiero —respondo.

Ella asiente.

—A veces puede ser un verdadero imbécil. Siempre tiene que mostrar que es el jefe.

—Esa es una señal de inseguridad.

—No es inseguro. Simplemente es un imbécil.

Claro que lo es, pero no quiero discutir con ella. Además habla con tanta seguridad que casi me hace dudar.

Sarah se queda mirando las manchas de salsa que ya se han secado en mi camiseta, después alarga una mano y me quita un trozo seco del pelo.

—Gracias —le digo.

Ella suspira.

—Siento que haya pasado eso —me mira fijamente—. No somos novios, ¿sabes?

—¿No?

Niega con la cabeza. Me intriga el que se sintiera obligada a aclarármelo. Después de diez minutos de instrucciones sobre cómo hacer *pancakes* —de las cuales no oigo nada en realidad—, la profesora, la señora Benshoff, me pone a trabajar con Sarah. Entonces pasamos por una puerta al fondo del salón que lleva a la cocina. Esta es unas tres veces más grande que el salón y tiene diez módulos, con sus refrigeradores, alacenas, fregaderos y hornos. Sarah entra en uno, saca un delantal de un cajón y se lo pone.

—¿Me lo amarras? —pregunta.

Aprieto demasiado el lazo y tengo que volver a amarrarlo. Puedo sentir las curvas de su cintura bajo mis dedos. Cuando termino, me pongo un delantal y trato de atarlo yo mismo.

—Ven, tonto —me dice, y toma las tiras y las amarra.

—Gracias.

Trato de romper el primer huevo, pero lo hago con demasiada fuerza y el huevo cae todo por fuera del tazón. Sarah se ríe. Pone otro huevo en mi mano y la toma entre la suya y me muestra cómo romperlo en el borde del tazón. Deja su mano sobre la mía un segundo más de lo necesario. Me mira y sonríe.

—Así.

Luego revuelve la mezcla, y unos mechones de pelo le caen sobre la cara mientras trabaja. Me muero de ganas de estirar la mano y acomodárselos detrás de la oreja, pero no lo hago. La señora Benshoff entra en nuestra cocina para ver cómo vamos. Por lo pronto, todo bien, pero gracias a Sarah, pues yo no tengo ni la menor idea de lo que estoy haciendo.

—¿Cómo te ha parecido Ohio? —pregunta Sarah.

—No está mal. Podría haber tenido un primer día en el colegio mejor.

Sonríe.

—¿Y qué fue lo que pasó? Me dejaste preocupada.

—¿Me creerías si te dijera que soy un extraterrestre?

—Cómo no —dice alegremente—. ¿Qué fue lo que pasó, en serio?

Me río.

—Tengo un asma terrible y, por alguna razón, ayer tuve un ataque —le digo, y lamento tener que decirle mentiras. No quiero que vea debilidades en mí, sobre todo una debilidad falsa.

—Pues me alegra que estés mejor.

Hacemos cuatro *pancakes*. Sarah los pone uno encima de otro en un solo plato. Luego les echa una cantidad absurda de miel y me pasa un tenedor. Miro a los demás estudiantes. La mayoría come cada uno de su plato. Acerco el tenedor y corto un bocado.

—Nada mal —digo mientras mastico.

No tengo nada de hambre, pero le ayudo, alternando bocados hasta dejar vacío el plato. Me duele el estómago cuando terminamos. Después, ella lava los platos y yo los seco. Cuando suena la campana, salimos juntos del salón.

—¿Sabes qué? Para ser de segundo, no estás nada mal —me dice y me da un codazo—. No importa lo que digan.

—Gracias. Tú no estás nada mal, para ser de… lo que sea.

—Tercero.

Avanzamos en silencio un par de pasos.

—No vas a pelearte con Mark después de clases, ¿o sí?

—Necesito recuperar mi teléfono. Además, mírame —digo señalando mi camisa.

Sarah se encoge de hombros. Yo me detengo delante de mi casillero. Ella se fija en el número.

—Pues no deberías —dice.

—Y no quiero.

Pone los ojos en blanco.

—Los hombres y sus peleas. En fin, nos vemos mañana.

—Que tengas un feliz resto de día —le digo.

Después de la última clase, de historia, camino despacio hacia mi casillero. Pienso en la posibilidad de irme del colegio sigilosamente, sin buscar a Mark. Pero entonces me doy cuenta de que quedaría catalogado para siempre como un cobarde.

Llego a mi casillero y saco de la maleta los libros que no necesito. Después me quedo allí, quieto, y siento cómo los nervios empiezan a apoderarse de mí. Mis manos siguen estando normales. Pienso en ponerme los guantes, solo por si acaso, pero no lo hago. Respiro profundamente y cierro la puerta del casillero.

—Hola —oigo decir, y la voz me sorprende. Es Sarah, que mira hacia atrás y después vuelve a mirarme—. Te traje algo.

—No serán más *pancakes*, ¿o sí? Todavía estoy que me exploto.

Suelta una risa nerviosa.

—No son *pancakes*. Pero, si te lo doy, tienes que prometerme que no vas a pelear.

—De acuerdo —le digo.

Vuelve a mirar hacia atrás y busca rápidamente entre el bolsillo delantero de su morral. Saca mi teléfono y me lo pasa.

—¿De dónde lo sacaste?

Se encoge de hombros.

—¿Mark lo sabe? —pregunto.

—No. ¿Sigues pensando en dártelas de muy valiente?

—Supongo que no.

—Bien.

—Gracias —le digo. No puedo creer que se haya tomado tantas molestias para ayudarme, si apenas me conoce. Pero no me quejo.

—De nada —dice, luego se da media vuelta y se aleja a toda prisa por el pasillo. Me quedo mirándola todo el tiempo, y no puedo dejar de sonreír. Cuando me dispongo a salir,

Mark James y ocho de sus amigos están esperándome en el vestíbulo.

—Bueno, bueno, bueno —dice Mark—. Conque lograste llegar hasta el final del día, ¿no?

—Así es. Y mira lo que encontré —le digo, alzando el teléfono para que pueda verlo. Él se queda boquiabierto. Yo paso a su lado, atravieso el vestíbulo y salgo del edificio.

CAPÍTULO
OCHO

HENRI ESTÁ ESTACIONADO EXACTAMENTE DONDE DIJO que estaría. Subo de un brinco a la camioneta, aun sonriente.

—¿Tuviste un buen día? —pregunta.

—No estuvo mal. Recuperé mi teléfono.

—¿Sin peleas?

—Nada importante.

Me mira con desconfianza.

—¿Quiero saber qué significa eso?

—Puede que no.

—¿Se te encendieron las manos en algún momento?

—No —miento—. ¿Cómo estuvo tu día?

Avanzamos por el camino de acceso al colegio.

—Estuvo bien. Viajé hora y media hasta Columbus después de dejarte.

—¿Por qué hasta Columbus?

—Porque allí hay bancos grandes. No quería despertar sospechas al solicitar una transferencia por una cantidad de dinero mayor que lo que tiene el pueblo entero en conjunto.

Asiento.

—Bien pensado.

Salimos a la calle.

—¿No vas a decirme cómo se llama?

—¿Ah? —pregunto.

—Tiene que haber una razón que explique esa sonrisa ridícula. La más obvia es una chica.

—¿Cómo lo supiste?

—John, amigo mío, en Lorien, este viejo cêpan era todo un galán.

—¡Qué va! —le digo—. En Lorien no hay galanes.

Él asiente en señal de aprobación.

—Has estado prestando atención.

Los lorienses somos un pueblo monógamo. Cuando nos enamoramos, es para toda la vida. El matrimonio llega más o menos a los veinticinco años, y no tiene nada que ver con la ley. Se basa más en la promesa y el compromiso que en cualquier otra cosa. Henri estuvo casado durante veinte años antes de irse conmigo. Ya han pasado diez años, pero yo sé que sigue echando de menos a su esposa todos los días.

—¿Y quién es entonces?

—Se llama Sarah Hart. Es la hija de la agente inmobiliaria que te arrendó la casa. Está en dos de mis clases. Y está en tercero.

Henri asiente.

—¿Es bonita?

—Muchísimo. E inteligente.

—Ajá. Estaba esperando que esto sucediera desde hace un buen tiempo. Pero no se te olvide que quizás tengamos que irnos de un momento a otro.

—Lo sé —digo, y el resto del viaje transcurre en silencio.

Al llegar a la casa, el cofre loriense está sobre la mesa de la cocina. Es del tamaño de un horno microondas, casi perfectamente cuadrado, de cincuenta por cincuenta centímetros. La emoción recorre mi cuerpo de arriba abajo. Me acerco y agarro el candado con la mano.

—Creo que estoy más emocionado por saber cómo se abre esto que por lo que hay adentro —digo.

—¿En serio? Si quieres te muestro cómo se abre y después volvemos a cerrarlo y nos olvidamos de lo que hay adentro.

Sonrío.

—No nos apresuremos. A ver… ¿qué hay adentro?

—Tu herencia.

—¿Qué quiere decir "mi herencia"?

—Es lo que se le da a cada garde al nacer para que su protector lo use hasta que el garde empiece a desarrollar sus legados.

Asiento. Estoy eufórico.

—¿Y qué contiene?

—Tu herencia.

Su respuesta evasiva me hace sentir frustrado. Alzo el candado y trato de abrirlo, como siempre lo he intentado. Y no cede, por supuesto.

—No puedes abrirlo sin mí, y yo no puedo abrirlo sin ti —dice Henri.

—¿Y cómo lo abrimos? No hay ninguna ranura.

—Con la voluntad.

—Ay, vamos, Henri. Deja de ser tan hermético.

Entonces me quita el candado.

—El candado se abre únicamente cuando estamos juntos, y solo después de que haya aparecido tu primer legado.

Camina hasta la puerta y asoma la cabeza; después cierra con llave y regresa.

—Presiona un lado del candado con tu palma —dice, y lo hago.

—Está caliente —digo.

—Bien. Eso significa que estás listo.

—¿Y ahora qué?

Henri presiona el otro lado del candado con su palma y entrelaza sus dedos con los míos. Pasa un segundo. El candado se abre de golpe.

—¡Increíble! —exclamo.

—Está protegido por un hechizo loriense, así como tú. Y es inquebrantable. Podrías pasarle por encima con una aplanadora y no le harías ni un rasguño. Solo juntos podemos abrirlo. A no ser que me muera, entonces podrás abrirlo solo.

—Pues espero que eso no suceda.

Trato de abrir la tapa de la caja, pero Henri alarga una mano y me detiene.

—Todavía no —dice—. Aquí adentro hay cosas que no estás preparado para ver. Siéntate en el sofá.

—Ay, Henri.

—Confía en mí.

Sacudo la cabeza y me siento. Él abre la caja y saca una piedra que tiene unos quince centímetros de largo y dos de ancho. Cierra el candado y me trae la piedra. Es muy suave y alargada, clara por fuera, pero nubosa en el centro.

—¿Qué es? —pregunto.

—Un cristal loriense.

—¿Para qué sirve?

—Sostenlo —me dice al pasármelo. En el instante en que mis manos entran en contacto con el cristal, las luces de mis palmas se encienden. Y alumbran aún más que el día anterior. La piedra empieza a calentarse. La alzo para observarla detenidamente. La masa nubosa del centro se arremolina, dando vueltas en sí misma, como una ola. También puedo sentir cómo se calienta el amuleto en mi cuello. Todo esto me emociona muchísimo. Llevo toda la vida esperando que llegaran mis poderes. Claro que hubo momentos en los que deseé que no llegaran nunca, sobre todo porque así podríamos asentarnos en algún lugar y vivir una vida normal; pero ahora, mientras sostengo un cristal que contiene lo que parece ser una bola de humo en su centro y que sé que mis manos son resistentes al calor y al fuego, y que hay más legados en camino, a los que les seguirá mi poder principal —el poder que me permitirá pelear—, pues bueno, todo es muy emocionante. No puedo dejar de sonreír.

—¿Qué le está pasando?

—Está atada a tu legado. Tú la activas al tocarla. Si no estuvieras desarrollando tu lumen, el cristal se encendería por sí mismo, como tus manos. Pero en este caso sucede al revés.

Miro el cristal fijamente, contemplando el círculo de humo y el brillo.

—¿Empezamos? —pregunta Henri.

Asiento rápidamente.

—¡Pero por supuesto!

El día se ha enfriado. La casa está en silencio salvo por una que otra ráfaga de viento que hace vibrar las ventanas. Estoy acostado de espaldas sobre la mesa de centro. Mis manos cuelgan por los lados. En algún momento, Henri encenderá un fuego debajo de cada una. Mi respiración es lenta y estable, como me lo ha indicado él.

—Debes mantener los ojos cerrados —dice—. Escucha el viento. Puede que sientas un leve ardor en los brazos cuando pase el cristal por ellos. Préstale la menor atención posible.

Escucho el viento que sopla entre los árboles. De alguna manera, puedo sentirlos mecerse y doblarse.

Henri empieza por mi mano derecha. Presiona el cristal contra el dorso y luego va subiendo hacia la muñeca y el antebrazo. Siento un ardor, tal como me advirtió, pero no es tan fuerte como para hacerme quitar el brazo.

—Deja que tu mente deambule, John. Ve adonde tengas que ir.

No sé de qué está hablando, pero trato de despejar la cabeza y respiro lentamente. Y de pronto siento que me alejo. Puedo sentir que el sol me calienta la cara desde algún lugar, y percibo un viento mucho más cálido que el que sopla al otro lado de nuestras paredes. Cuando abro los ojos, ya no estoy en Ohio.

Estoy sobre una inmensa extensión de copas de árboles: nada más que selva hasta donde la vista alcanza. Cielo azul. El sol brilla intensamente, un sol que es casi el doble del de la Tierra. Un viento suave y cálido sopla entre mi pelo. Abajo, los ríos forjan profundas quebradas que surcan la vegetación. Estoy flotando sobre una de ellas. Animales de todos los tamaños y formas —algunos altos y delgados, algunos con patas cortas y cuerpos robustos, otros con pelo y otros con un cuero oscuro que parece áspero al tacto— beben de las aguas frescas a la orilla del río. Hay una curva en el horizonte, muy a lo lejos, y ahora sé que estoy en Lorien. Es un planeta diez veces más pequeño que la Tierra, y es posible ver la curva de su superficie al observar desde la distancia.

Por alguna razón, puedo volar. Subo a toda prisa y doy una vuelta en el aire para luego bajar y avanzar a toda velocidad a lo largo de la superficie del río. Los animales alzan la cabeza y observan con curiosidad, pero sin miedo. Lorien en su apogeo, cubierto de vegetación y habitado por animales. De alguna manera, así me imagino que fue la Tierra hace millones de años, cuando la Tierra controlaba la vida de sus criaturas, antes de que llegaran los humanos y empezaran a controlar la Tierra. Lorien en su apogeo. Yo sé que ya no es así. Debo de estar viviendo un recuerdo. ¿Seguro que no es mío?

Y entonces el día se hace noche. A lo lejos empieza todo un despliegue de fuegos artificiales que se elevan por los aires y explotan con formas de animales y árboles sobre el trasfondo brillante del cielo oscuro y las lunas y un millón de estrellas.

—Puedo sentir la desesperación de ellos —oigo decir desde alguna parte. Me volteo y miro a mi alrededor. No hay nadie—. Saben dónde está una de las nuestras, pero el hechizo perdura. No pueden tocarla antes de haberte matado. Pero siguen persiguiéndola.

Alzo el vuelo, luego vuelvo a bajar, en busca de la voz. ¿De dónde viene?

—Ahora es cuando debemos ser más cautelosos. Ahora es cuando debemos llevarles la delantera.

Avanzo hacia los fuegos artificiales. La voz me pone nervioso. A lo mejor los fuertes estallidos la acallen.

—Esperaban habernos matado a todos mucho antes de que se desarrollaran tus legados. Pero hemos permanecido escondidos. Tenemos que conservar la calma. Los tres primeros cayeron presa del pánico. Los tres primeros están muertos. Tenemos que ser inteligentes y cautelosos. Cuando el pánico se apodera de nosotros, es cuando cometemos errores. Ellos saben que cuanto más desarrollados estén ustedes, más les costará, y cuando estén completamente desarrollados, les haremos la guerra. Contraatacaremos y buscaremos nuestra venganza, y ellos lo saben.

Veo las bombas que caen desde lo alto sobre la superficie de Lorien. Las explosiones hacen temblar la tierra y el aire; los gritos se extienden con el viento; las ráfagas de fuego azotan el suelo y los árboles. El bosque arde. Debe de haber miles de aviones distintos, y todos bajan desde lo alto para aterrizar en Lorien. Los soldados mogadorianos salen en tropel, con armas y granadas muy superiores a nuestras herramientas bélicas. Todos son más altos que nosotros, pero tienen un aspecto parecido, excepto por sus rostros. No tienen pupilas, y sus iris son de un rojo oscuro y profundo, algunos negros. Unos círculos negros y gruesos enmarcan sus ojos, y en su piel hay una palidez de calidad amarillenta, casi magullada. Los dientes brillan por entre sus labios, que parecen no cerrarse nunca; son dientes que parecen limados y terminan en una punta antinatural.

De los aviones que los siguen de cerca, bajan las bestias de Mogadore, con esa misma mirada fría en sus ojos. Algunas son grandes como casas y muestran sus dientes afilados; sus rugidos son tan fuertes que me hieren los oídos.

—Nos descuidamos, John, por eso nos derrotaron tan fácilmente —me dice, y ahora sé que es la voz de Henri. Pero no lo veo por ningún lado, y no puedo apartar la vista de la matanza y la destrucción para buscarlo. La gente corre por todas partes, defendiéndose. Están muriendo tantos mogadorianos como lorienses. Pero estos están perdiendo la batalla contra las bestias, que matan a los nuestros por docenas: respirando fuego, rechinando los dientes y batiendo sus patas y sus colas ferozmente. El tiempo vuela, avanzando mucho más rápido que de costumbre. ¿Cuántas horas han pasado? ¿Una? ¿Dos?

Los garde lideran la lucha, desplegando sus legados al máximo. Algunos vuelan, otros corren tan rápido que se desdibujan, y otros desaparecen por completo. Manos que disparan rayos láser, cuerpos envueltos en llamas, nubes de tormenta fabricadas junto con vientos violentos por encima, de aquellos que pueden controlar el clima. Pero siguen perdiendo. Son muchísimos menos, en una proporción de uno contra quinientos. Sus poderes no son suficientes.

—Habíamos bajado la guardia. Los mogadorianos lo planearon bien al escoger ese preciso momento en el que sabían que estaríamos más vulnerables, cuando los ancianos lorienses se habían marchado del planeta. Pittacus Lore, el más grande de todos, su líder, reunió a los ancianos antes del ataque. Nadie sabe qué les sucedió o adónde se fueron, ni siquiera si siguen vivos. Tal vez los mogadorianos acabaron con ellos primero, y una vez se deshicieron de los ancianos, nos atacaron. Lo único que sabemos es que el día en que los ancianos se reunieron, una columna de luz blanca y reluciente se alzó en el cielo hasta donde la vista alcanzaba. Resplandeció todo el día, después desaparecieron. Nosotros, como pueblo, debimos haberlo visto como una señal de que algo andaba mal, pero no fue así. Somos los únicos culpables de lo que sucedió. Y tuvimos la suerte de al menos poder sacar a algunos del planeta, nada más y nada menos que nueve jóvenes garde que algún día podrán continuar la lucha y mantener viva nuestra raza.

A lo lejos, una nave se alza por los aires a toda velocidad, dejando una estela azul tras de sí. La observo desde mi puesto estratégico en el cielo hasta que desaparece. Me resulta conocida de algún modo. Y entonces me doy cuenta: yo estoy en esa nave, y Henri también. Es la nave que nos lleva a la Tierra. Los lorienses deben de haber sabido que estaban derrotados. ¿Por qué otra razón nos habrían enviado lejos?

Una masacre inútil. Así lo veo yo todo. Bajo al suelo y camino por entre una bola de fuego. Me invade la furia. Hombres y mujeres mueren, garde y cêpan, junto con niños indefensos. ¿Cómo tolerar algo así? ¿Cómo pueden estar tan endurecidos los corazones de los mogadorianos para hacer todo esto? ¿Y por qué me salvaron a mí?

Arremeto contra un soldado cercano, pero lo atravieso y caigo al suelo. Todo lo que estoy presenciando sucedió en el pasado. Soy un espectador de nuestra propia muerte y no puedo hacer nada.

Me doy la vuelta y me encuentro ante una bestia que debe de medir más de diez metros; hombros anchos, ojos rojos y cuernos de unos cinco metros de largo. De sus dientes largos y afilados chorrean babas. Suelta un rugido y luego ataca.

Me atraviesa y mata a montones de lorienses a mi alrededor. Todos muertos, así, sin más. Y la bestia insiste, y mata a muchos más.

Por entre la escena de destrucción me llega un ruido, como un rasguño, algo que no hace parte de la carnicería en Lorien. Empiezo a alejarme, o a regresar. Dos manos me presionan los hombros. Abro los ojos de golpe y estoy de vuelta en nuestra casa en Ohio. Mis brazos cuelgan por los lados de la mesa de centro. Unos cuantos centímetros por debajo hay dos calderos de fuego y mis dos manos y las muñecas están completamente sumergidas en las llamas. No siento ningún efecto en absoluto. Henri se alza a mi lado. El rasguño que oí hace un minuto viene del porche.

—¿Qué es eso? —susurro y me incorporo.

—No lo sé —dice Henri.

Los dos guardamos silencio, aguzando el oído. Otros tres rasguños en la puerta. Henri baja la vista hacia mí.

—Hay alguien afuera —dice.

Miro el reloj de la pared. Ha pasado casi una hora. Estoy sudando, sin aliento, agitado por las escenas de matanza que acabo de presenciar. Por primera vez en la vida, entiendo plenamente lo que sucedió en Lorien. Hasta esta noche, los acontecimientos eran solo parte de otra historia, una historia no muy distinta de las que he leído en los libros. Pero ahora he visto la sangre, las lágrimas, los muertos. He visto la destrucción. Es parte de lo que soy.

Ha caído la noche. Otros tres rasguños en la puerta, un débil gruñido. Los dos damos un brinco. Enseguida pienso en los gruñidos débiles de las bestias.

Henri corre a la cocina y saca un cuchillo del cajón junto al fregadero.

—Ponte detrás del sofá.

—¿Qué? ¿Por qué?

—Porque yo lo digo.

—¿Crees que vas a matar a un mogadoriano con ese cuchillito?

—Si le doy justo en el corazón, sí. Escóndete ya.

Me levanto de la mesa y me agacho detrás del sofá. Los dos calderos de fuego siguen ardiendo; las vagas imágenes de Lorien siguen rondando en mi mente. Un gruñido impaciente llega desde el otro lado de la puerta. No hay duda de que hay alguien, o algo, allí afuera.

—No te levantes —dice Henri.

Alzo la cabeza para poder echar un vistazo por encima del sofá. Toda esa sangre, pienso. Seguro que sabían que eran muchos menos, pero aun así lucharon hasta el final, dieron la vida por los otros, por Lorien. Henri agarra el cuchillo con fuerza y estira la otra mano lentamente hacia el pomo. La furia me inunda. Espero que *sea* uno de ellos. Que sea un mogadoriano el que entre por esa puerta. Le daremos guerra.

Por nada del mundo pienso quedarme detrás del sofá. Tomo uno de los calderos, meto la mano y saco un trozo de madera ardiente con un extremo afilado. Se siente fresco al tacto, pero el fuego sigue ardiendo, extendiéndose por mi mano. Sostengo el trozo de madera como si fuera un puñal. "Que vengan —pienso—. Ya no huiremos más". Henri me mira, respira profundamente y abre la puerta de un golpe.

CAPÍTULO
NUEVE

TENGO TODOS LOS MÚSCULOS TENSOS. HENRI SALTA HA-
cia la entrada y yo estoy listo para seguirlo. Puedo sentir el
bum-bum-bum en mi pecho. Tengo los nudillos pálidos, los dedos aferrados con todas mis fuerzas al trozo de madera ardiente.
Una ráfaga de viento entra por la puerta y el fuego baila en mi
mano y sube hasta mi muñeca. No hay nadie allí afuera. Henri
relaja el cuerpo enseguida y se ríe, mirando hacia sus pies. Allí,
con los ojos alzados hacia Henri, está el mismo sabueso que vi
ayer en el colegio. El perro menea la cola y rasguña el suelo con
la pata. Henri se inclina y lo acaricia. Después, el perro se abre
camino y entra en la casa trotando y con la lengua afuera.

—¿Qué está haciendo aquí? —pregunto.

—¿Lo conoces?

—Lo vi en el colegio. Estuvo siguiéndome ayer después
de que me llevaste.

Dejo el trozo de madera en el caldero y me limpio la
mano en el pantalón, dejando una estela de ceniza negra por
delante. El perro se sienta a mis pies y me mira con ojos expectantes, golpeando las tablas del suelo con la cola. Me siento en
el sofá y veo arder los dos fuegos. Ahora que la agitación del
momento ha pasado, mi mente regresa a lo que acabo de ver
en la visión de Lorien. Todavía puedo oír los gritos, ver cómo

resplandece la sangre en la hierba bajo la luz de la luna. Puedo ver los cuerpos y los árboles caídos, el brillo rojo en los ojos de las bestias de Mogadore y el terror en los ojos de los lorienses.

Miro a Henri.

—Vi lo que sucedió. Al menos el comienzo.

Él asiente.

—Pensé que quizás lo verías.

—Podía oír tu voz. ¿Estabas hablándome?

—Sí.

—No lo entiendo —digo—. Fue una masacre. Había demasiado odio como para que solo estuvieran interesados en nuestros recursos. Había algo más.

Henri suspira y se sienta en la mesa de centro frente a mí. El perro salta a mi regazo y lo acaricio. Está sucio; el pelo se siente tieso y grasoso bajo mi mano. En el collar tiene una medalla en forma de balón de fútbol americano. Es una medalla vieja, casi toda la pintura café se ha desgastado. La miro bien, tiene el número 19 por un lado y el nombre "BERNIE KOSAR" por el otro.

—Bernie Kosar —digo. El perro menea la cola—. Supongo que así se llama, como el tipo del afiche que hay en mi pared. Un tipo popular por estos lares, por lo visto —le acaricio el lomo—. No parece tener un hogar. Y tiene hambre —por alguna razón, lo sé.

Henri asiente y mira a Bernie Kosar, que se estira, pone la cabeza sobre las patas y cierra los ojos. Yo enciendo el mechero y sostengo la llama bajo mis dedos, luego mi palma, luego lo muevo por debajo de mi brazo. Solo cuando la llama está a unos centímetros de mi codo empiezo a sentir el ardor. Sea lo que sea que haya hecho Henri funcionó, pues mi resistencia se ha extendido. Me pregunto cuánto tiempo tardaré en hacerme resistente por completo.

—¿Y qué pasó? —pregunto.

Henri respira profundamente.

—Yo también he tenido esas visiones. Son tan reales que sientes que estás allí.

—No me había dado cuenta de lo terrible que fue. Es decir, sé lo que me habías contado, pero no lo entendí plenamente sino hasta que lo vi con mis propios ojos.

—Los mogadorianos son distintos a nosotros. Son herméticos y manipuladores, y desconfían casi de todo. Tienen ciertos poderes, pero no son poderes como los nuestros. Son una raza gregaria, y donde mejor les va es en las grandes ciudades. Cuanto más densa sea la población, mejor. Por eso tú y yo nos mantenemos alejados de las ciudades, aun cuando podría ser más fácil integrarnos si viviéramos en una. Pero también sería muchísimo más fácil para ellos. Mogadore empezó a morir hace unos cien años, muy parecido a como sucedió con Lorien hace veinticinco mil. Pero ellos no reaccionaron como nosotros. No lo comprendieron como los humanos están empezando a entenderlo. No le prestaron atención. Acabaron con sus océanos e inundaron sus ríos y lagos con desechos y aguas negras para seguir ampliando sus ciudades. La vegetación empezó a morir, lo que ocasionó la muerte de los herbívoros, y luego siguieron los carnívoros. Sabían que tenían que hacer algo drástico.

Henri cierra los ojos y guarda silencio durante un minuto entero.

—¿Sabes cuál es el planeta capaz de sustentar vida más cercano a Mogadore? —pregunta finalmente.

—Sí, *es* Lorien. O era, supongo.

Él asiente.

—Sí, es Lorien. Y estoy seguro de que ahora sabes que eran nuestros recursos lo que estaban buscando.

Asiento. Bernie Kosar alza la cabeza y suelta un bostezo profundo. Henri calienta en el microondas una pechuga de pollo cocinada y la desmenuza. Luego lleva el plato hasta el sofá y lo pone en frente del perro, que come con ferocidad, como si no hubiera comido desde hace días.

—Hay una buena cantidad de mogadorianos en la Tierra —continúa Henri—. No sé cuántos, pero puedo sentirlos cuando duermo. A veces puedo verlos en mis sueños. Nunca sé dónde están, o qué están diciendo. Pero los veo. Y no creo que ustedes seis sean la única razón por la que haya tantos en la Tierra.

—¿Qué quieres decir? ¿Por qué otra razón estarían aquí?

Me mira fijamente.

—¿Sabes cuál es el segundo planeta capaz de sustentar vida más cercano a Mogadore?

Asiento.

—Es la Tierra, ¿cierto?

—Mogadore es dos veces más grande que Lorien, pero la Tierra es cinco veces más grande que Mogadore. En términos de defensa, la Tierra está mejor preparada para un ataque gracias a su tamaño. Los mogadorianos tendrán que comprender mejor este planeta antes de que puedan atacarlo. En realidad no puedo decirte cómo hicieron para derrotarnos tan fácilmente porque todavía hay muchas cosas que sigo sin entender. Pero puedo decirte, con toda certeza, que en parte fue por su conocimiento de nuestro planeta y nuestro pueblo, combinado con el hecho de que nuestra única defensa era nuestra inteligencia y los legados de los garde. Bien puedes decir lo que quieras de los mogadorianos, pero en cuestiones de guerra, son unos estrategas extraordinarios.

Vuelve a hacerse el silencio; el viento sigue rugiendo por fuera.

—No creo que estén interesados en los recursos de la Tierra —dice Henri.

Suspiro y lo miro.

—¿Por qué no?

—Mogadore sigue muriendo. Y aunque se han encargado de los asuntos más apremiantes, la muerte del planeta es inevitable, y ellos lo saben. Creo que están planeando matar a los humanos. Creo que quieren convertir la Tierra en su hogar permanente.

Después de cenar, baño a Bernie Kosar con champú y acondicionador. Lo cepillo con un cepillo viejo de alguno de los anteriores inquilinos que encontré en uno de los cajones. Ahora se ve y huele mucho mejor, pero el collar sigue apestando, así que lo tiro. Antes de acostarme, le abro la puerta de la casa, pero como no está interesado en regresar a la intemperie, se echa en el suelo y pone la cabeza sobre las patas delanteras. Puedo sentir su deseo de quedarse en la casa con nosotros. Me pregunto si podrá sentir mi deseo de eso mismo.

—Creo que tenemos una nueva mascota —dice Henri.

Sonrío. En cuanto lo vi, esperaba que Henri me permitiera quedármelo.

—Eso parece —digo.

Media hora después, me meto en la cama. Bernie Kosar se sube de un brinco y se enrolla como un ovillo a mis pies. Minutos después, está roncando. Me quedo un rato echado de espaldas, contemplando la oscuridad, con un millón de pensamientos diferentes dándome vueltas en la cabeza. Imágenes de la guerra: la mirada ávida y hambrienta de los mogadorianos; la mirada furiosa y dura de las bestias; la muerte y la sangre. Pienso en la belleza de Lorien. ¿Volverá a sustentar vida, o

Henri y yo nos quedaremos esperando aquí en la Tierra para siempre?

Trato de espantar los pensamientos y las imágenes de mi mente, pero no tardan en volver. Me levanto y doy vueltas por la habitación. Bernie Kosar alza la cabeza y me mira; después la deja caer y vuelve a dormirse. Suspiro, tomo mi teléfono de la mesa de noche y lo reviso para asegurarme de que Mark James no haya hecho nada. El número de Henri sigue allí, pero ya no es el único. Ahora hay otro número, bajo el nombre "Sarah Hart". Después de la última campana, y antes de venir a mi casillero, Sarah grabó su número en mi teléfono.

Lo cierro, lo pongo sobre la mesa de noche y sonrío. Después de dos minutos, vuelvo a revisarlo para asegurarme de que no estaba viendo visiones. Y no fue una visión. Lo cierro de golpe y lo dejo en la mesita, para volver a tomarlo cinco minutos después, solo para volver a ver su número. No sé cuánto tardo en quedarme dormido, pero finalmente me duermo. Al despertarme a la mañana siguiente, el teléfono sigue en mi mano, descansando sobre mi pecho.

CAPÍTULO
DIEZ

BERNIE KOSAR ESTÁ RASGUÑANDO LA PUERTA DE MI cuarto cuando me levanto. Lo dejo salir y se apresura a inspeccionar el jardín, con el hocico pegado al suelo. Cuando ya ha cubierto las cuatro esquinas, sale disparado y desaparece entre el bosque. Cierro la puerta y me meto en la ducha. Salgo diez minutos después y el perro está otra vez adentro, en el sofá. Menea la cola al verme.

—¿Tú le abriste la puerta? —le pregunto a Henri, sentado a la mesa de la cocina con el portátil abierto y cuatro periódicos apilados enfrente.

—Sí.

Después de un desayuno rápido, salimos. Bernie Kosar nos adelanta a toda prisa, luego para y se sienta junto a la camioneta, con la vista alzada hacia la puerta del puesto del pasajero.

—Esto es un poco raro, ¿no te parece? —digo.

Henri se encoge de hombros.

—Por lo visto, viajar en auto no es raro para él. Déjalo subir.

Abro la puerta. Él sube de un brinco y se sienta en el puesto de la mitad, con la lengua afuera. Cuando salimos a la carretera, se pasa a mi regazo y rasguña la ventanilla con la pata. La abro y él saca medio cuerpo, todavía con la boca abierta; el viento le sacude las orejas. Cinco kilómetros después, llegamos al colegio. Abro la puerta y Bernie Kosar sale de un brinco antes que yo. Lo alzo y vuelvo a meterlo en la camioneta, pero se vuelve a salir. Entonces vuelvo a meterlo y tengo que agarrarlo para que no vuelva a saltar mientras cierro la puerta. Se queda sentado sobre las patas traseras, con las delanteras en el borde de la ventanilla abierta. Le doy una palmadita en la cabeza.

—¿Tienes tus guantes? —pregunta Henri.

—Sip.

—¿El teléfono?

—Sip.

—¿Cómo te sientes?

—Me siento bien —respondo.

—Bueno. Llámame si tienes cualquier problema.

Henri se aleja, y Bernie Kosar mira desde la ventanilla trasera hasta que la camioneta desaparece por la esquina.

Siento unos nervios parecidos a los de ayer, pero por motivos distintos. Por un lado, quiero ver a Sarah de inmediato, pero, por otro, espero no tener que verla. No sé qué voy a decirle. ¿Qué tal que no se me ocurra nada de nada y me quede allí paralizado como un idiota? ¿Y si está con Mark cuando la vea? ¿Debo saludarla y arriesgarme a otro enfrentamiento, o seguir de largo y fingir que no he visto a ninguno de los dos? A ambos los veré seguro en la segunda hora. Eso es inevitable.

Me dirijo a mi casillero. Tengo el morral lleno de libros que tendría que haber leído anoche pero que ni siquiera abrí. Demasiados pensamientos e imágenes dándome vueltas en la cabeza. Aun no se han ido, y es difícil imaginar que vayan a irse algún día. Todo fue tan distinto de como me lo esperaba.

La muerte no es como lo que muestran en las películas. Los sonidos, los olores, las imágenes. Todo es tan distinto.

Al llegar a mi casillero, noto enseguida que algo anda mal. La manija metálica está cubierta de mugre, o algo que parece mugre. No estoy seguro de si debería abrirlo, pero respiro profundo y tiro de la manija.

El casillero está lleno de estiércol hasta la mitad, y al abrirlo, casi todo se viene al suelo y cae sobre mis zapatos. El olor es horrendo. Cierro el casillero de un golpazo y la aparición repentina de Sam Goode, que estaba detrás de la puerta, me sobresalta. Se le ve triste, y tiene una camiseta blanca de la NASA no muy diferente a la que tenía ayer.

—Hola, Sam.

Él baja la vista hacia la montaña de estiércol en el suelo; luego vuelve a mirarme.

—¿El tuyo también? —le pregunto.

Asiente.

—Voy a la rectoría. ¿Vienes?

Sam niega con la cabeza, da media vuelta y se aleja sin decir palabra. Yo voy a la oficina del señor Harris, toco a la puerta y luego entro sin esperar a que responda. Está sentado detrás de su escritorio, con una corbata que luce la mascota del colegio y por lo menos veinte cabezas de pirata. Me sonríe orgullosamente.

—Es un gran día, John —dice. No sé de qué está hablando—. Los periodistas de la *Gaceta* deben llegar de aquí a una hora. ¡Primera página!

Entonces me acuerdo: la gran entrevista de Mark James con el periódico del pueblo.

—Debe de estar muy orgulloso —le digo.

—Estoy orgulloso de todos y cada uno de los estudiantes de Paraíso —la sonrisa no se le borra de la cara. Se recuesta en la silla, entrelaza los dedos y pone las manos sobre la barriga—. ¿Para qué soy útil?

—Solo quería comunicarle que esta mañana me llenaron de estiércol el casillero.

—¿Qué quiere decir "llenaron"?

—Pues que estaba lleno de estiércol.

—¿Estiércol? —pregunta con cara de confusión.

—Sí.

Se ríe. Su absoluta falta de consideración me deja desconcertado. Me invade la ira. Se me calienta la cara.

—Vine a decírselo para que lo limpien. El de Sam Goode también.

El señor Harris suspira y sacude la cabeza.

—Enviaré al señor Hobbs, el conserje, y haremos toda una investigación.

—Los dos sabemos quién fue, señor Harris.

—Yo me encargaré de la investigación, señor Smith —dice con una sonrisa condescendiente.

Como no tiene sentido seguir hablando, salgo de la oficina y me encamino al baño para echarme agua fría en la cara y las manos. Tengo que calmarme. No quiero tener que volver a usar los guantes. Quizás debería no hacer nada en absoluto, dejarlo así. ¿Le pondría eso fin al asunto? Además, ¿qué otra opción hay? Ellos son muchos más, y mi único aliado es un alumno de segundo grado que no llega a los cincuenta kilos y está obsesionado con los extraterrestres. Claro que quizás esa no sea toda la verdad, tal vez Sarah Hart sea otra aliada.

Me miro las manos. Están bien, no hay brillo. Salgo del baño. El conserje ya está limpiando el estiércol de mi casillero, sacando los libros y echándolos a la basura. Paso por su lado, voy al salón y espero a que empiece la clase. El tema son las reglas gramaticales, la diferencia entre el indicativo y el subjuntivo. Pongo más atención que el día anterior, pero a medida que la clase se acerca a su fin, empiezo a ponerme nervioso por la siguiente. Y no porque podría ver a Mark, sino porque podría ver a Sarah. ¿Volverá a sonreírme hoy? Pienso que lo mejor es llegar antes que ella para poder sentarme y verla entrar. Así puedo ver si me saluda primero.

Cuando suena la campana, salgo disparado por el pasillo. Soy el primero en entrar en el salón de astronomía, que empieza a llenarse poco a poco. Sam vuelve a sentarse a mi lado. Y justo antes de que suene la campana, Sarah entra con Mark. Está vestida con una camisa blanca de abotonar y un pantalón negro. Me sonríe antes de sentarse. Le sonrío de vuelta. Mark no me mira en absoluto. Todavía puedo oler el estiércol de mis zapatos, o a lo mejor viene de los de Sam.

Él saca del morral un panfleto titulado *Ellos caminan entre nosotros.* Parece ser una impresión casera. Sam pasa las hojas hasta llegar a un artículo que está en la mitad y se pone a leerlo atentamente.

Miro a Sarah, sentada cuatro puestos por delante, con el pelo recogido en una cola de caballo. Puedo ver su esbelta nuca. Cruza las piernas y se endereza en el asiento. Quisiera estar sentado a su lado, poder acercarme y tomarle la mano. Quisiera que ya fuera la octava clase. Me pregunto si volveré a ser su compañero en la clase de cocina de hoy.

La señora Burton empieza la lección. Sigue con el tema de Saturno. Sam saca una hoja y se pone a garabatear desaforadamente, deteniéndose de vez en cuando para consultar un artículo de la revista que permanece abierta a su lado. Miro por encima de su hombro y leo el título: "Todo un pueblo de Montana abducido por extraterrestres".

Antes de anoche, no habría considerado nunca una teoría como esa. Pero Henri cree que los mogadorianos están conspirando para apoderarse de la Tierra, y he de reconocer que aunque la teoría de la revista de Sam es absurda, puede tener algo de cierto en el nivel más básico. Yo sé, con toda certeza, que los lorienses han visitado la Tierra muchas veces a lo largo de la vida de este planeta. Vimos cómo se desarrolló la Tierra, la observamos durante sus épocas de crecimiento y abundancia, cuando todo se movía, y durante sus épocas de hielo y nieve, cuando no se movía nada. Ayudamos a los humanos, les enseñamos a hacer fuego, les dimos las herramientas para desarrollar el habla y la lengua; por eso, nuestro idioma es tan parecido a los de la Tierra. Y aunque nunca abdujimos humanos, eso no quiere decir que no lo hayan hecho otros. Miro a Sam. Nunca había conocido a nadie con una fascinación semejante por los extraterrestres, hasta el punto de leer y tomar notas sobre teorías conspirativas.

La puerta se abre en ese momento y el señor Harris asoma su cara sonriente.

—Siento interrumpir, señora Burton. Voy a tener que robarme a Mark. Los periodistas de la *Gaceta* han venido para entrevistarlo —dice en un tono suficientemente alto para que todos podamos oírlo.

Mark se levanta, agarra su morral y sale del salón con aire despreocupado. Veo que el señor Harris le da una palmadita en la espalda. Luego vuelvo a mirar a Sarah, deseando poder sentarme en el puesto vacío a su lado.

En la cuarta hora, tengo clase de educación física. Sam está en mi clase. Después de cambiarnos, nos sentamos juntos en el suelo del gimnasio. Lleva unos tenis, unos *shorts* y una camiseta dos o tres tallas más grande. Y es puro hueso, flaco como una caña, lo que le da un aspecto larguirucho aunque es bajito.

El profesor de gimnasia, el señor Wallace, se planta firmemente delante de nosotros, los pies alineados con los hombros y las manos cerradas en puños sobre las caderas.

—Muy bien, muchachos, presten atención. Puede que esta sea la última oportunidad que tengamos de trabajar al aire libre, así que sáquenle provecho. Van a correr los mil seiscientos metros, lo más rápido posible. Tomaremos nota de sus tiempos para cuando vuelvan a correrlos en primavera. ¡A correr!

La pista descubierta es de caucho sintético y rodea el campo de fútbol americano. Más allá hay unos bosques, que supongo que llevarán a nuestra casa, pero no estoy seguro. Corre un viento fresco. A Sam se le erizan los brazos y trata de calentarlos frotándoselos.

—¿Ya han hecho esta carrera? —le pregunto.

Sam asiente.

—En la segunda semana de clases.

—¿Cuál fue tu tiempo?

—Nueve minutos y cincuenta y cuatro segundos.

Me quedo mirándolo.

—Creía que los flacos eran rápidos —le digo.

—Cierra el pico.

Corro junto a Sam por detrás del grupo. Cuatro vueltas. Esa es la cantidad de veces que tenemos que recorrer la pista para correr los mil seiscientos metros. Hacia la mitad de la primera vuelta, empiezo a apartarme de Sam. Me pregunto cuánto tiempo tardaría si lo intentara en serio. Dos minutos, quizás uno, ¿o menos?

El ejercicio me sienta bien, y casi sin darme cuenta, paso al líder. Después, bajo la marcha y finjo estar agotado. En ese momento, veo una mancha blanca y café que sale disparada por entre los matorrales que están junto a la entrada de la tribuna y se dirige directo hacia mí. "Estoy viendo visiones", pienso.

Miro hacia otro lado y sigo corriendo. Paso junto al profesor, que sostiene un cronómetro y grita cosas para animarnos. Pero no está mirando hacia la pista, sino a lo que viene detrás de mí. Sigo sus ojos. Están clavados en la mancha blanca y café que sigue avanzando directo hacia mí. Las imágenes de la noche anterior regresan precipitadamente. Las bestias de Mogadore. También las había pequeñas, con dientes que brillaban bajo la luz cual cuchillas; criaturas veloces decididas a matar. Empiezo a correr a toda velocidad.

Corro la mitad de la pista en una carrera a muerte antes de voltearme. Ya no hay nada. Lo he dejado atrás. Han pasado veinte segundos. Entonces, me doy la vuelta y me encuentro con la cosa justo frente a mí. Debe de haber atravesado la pista por la mitad. Freno en seco y ahora veo otro panorama. ¡Es Bernie Kosar! En medio de la pista, con la lengua afuera y meneando la cola.

—¡Bernie Kosar! —grito—. ¡Casi me matas del susto!

Retomo la marcha a un ritmo lento; Bernie Kosar corre a mi lado. Espero que nadie se haya dado cuenta de lo rápido que corrí. Luego me detengo y me inclino, como si tuviera un calambre y necesitara recobrar la respiración. Camino un rato. Después, troto un poco. Antes de terminar la segunda vuelta, me han pasado dos personas ya.

—¡Smith! ¿Qué pasó? ¡Ibas como un rayo! —grita el señor Wallace cuando paso a su lado.

Respiro pesadamente, haciendo teatro.

—Tengo… asma… —le digo.

Él sacude la cabeza con gesto de desaprobación.

—Y yo creyendo que tenía en mi clase al nuevo campeón estatal.

Me encojo de hombros y sigo, pero me detengo a cada rato para caminar. Bernie Kosar me acompaña, caminando a ratos, trotando a otros. Cuando empiezo la última vuelta, Sam me alcanza y corremos juntos. Tiene la cara roja como un tomate.

—¿Y qué estabas leyendo en la clase de astronomía? —pregunto—. ¿Todo un pueblo de Montana abducido por extraterrestres?

Me sonríe.

—Ajá, esa es la teoría —dice con cierta timidez, como si le diera vergüenza.

—¿Por qué iban a abducir un pueblo entero?

Sam se encoge de hombros, no responde.

—No, en serio —insisto.

—¿De verdad quieres saberlo?

—Por supuesto.

—Pues la teoría es que el gobierno ha estado permitiendo secuestros extraterrestres a cambio de tecnología.

—¿En serio? ¿Qué clase de tecnología?

—Como chips para supercomputadores y fórmulas para hacer bombas y tecnologías verdes. Cosas por el estilo.

—¿Tecnologías verdes para especímenes vivos? Qué raro. ¿Y por qué querrían abducir humanos?

—Para poder estudiarnos.

—¿Pero por qué? Quiero decir, ¿qué razón podrían tener?

—Pues porque para cuando llegue el Apocalipsis, ya conocerán nuestras debilidades y podrán derrotarnos fácilmente al ponerlas en evidencia.

Su respuesta me deja un poco desconcertado, pero solo por las escenas de la noche anterior, que siguen proyectándose en mi cabeza, recordándome las armas que vi que usaban los mogadorianos y las bestias enormes.

—¿Pero no les quedaría más fácil si ya tienen bombas y tecnologías muy superiores a las nuestras?

—Hay quienes creen que esperan que nos matemos unos a otros primero.

Miro a Sam, y él me sonríe, tratando de decidir si estoy tomándome en serio la conversación.

—¿Por qué querrían que nos matáramos unos a otros primero? ¿Qué incentivo tendrían? —pregunto.

—Pues que tienen envidia.

—¿De nosotros? ¿Por qué? ¿Por nuestra belleza irresistible?

Se ríe.

—Algo así.

Asiento. Corremos un minuto en silencio. Puedo ver que Sam está pasando un mal rato, respirando con dificultad.

—¿Cómo empezaste a interesarte en todo esto?

Se encoge de hombros.

—Es solo un pasatiempo —dice, pero tengo la sensación inconfundible de que me está ocultando algo.

Terminamos la carrera a los ocho minutos con cincuenta y nueve segundos, mejor que la última vez de Sam. Bernie Kosar sigue a la clase de regreso al colegio. Los otros lo acarician, y cuando entramos, trata de entrar con nosotros. No sé cómo supo dónde estaba. ¿Se habrá aprendido de memoria el camino cuando vinimos esta mañana? La idea es bastante ridícula.

El perro se queda en la puerta. Voy al vestuario con Sam, que, apenas recobra la respiración, empieza a soltar un montón de teorías conspirativas, una tras otra, la mayoría bastante risibles. Me cae bien y me resulta divertido, pero a veces quisiera que se callara la boca.

Cuando empieza la clase de cocina, Sarah no ha llegado al salón. La señora Benshoff da las instrucciones en los diez primeros minutos y pasamos a la cocina. Entonces me dirijo al módulo solo, resignado al hecho de que hoy tendré que cocinar sin ella, y tan pronto esta idea pasa por mi cabeza, aparece.

—¿Me perdí de algo bueno? —pregunta.

—Unos diez minutos de tiempo valioso conmigo —respondo con una sonrisa.

Se ríe.

—Me enteré de lo de tu casillero esta mañana. Lo siento.

—¿Tú metiste el estiércol? —pregunto.

Vuelve a reírse.

—No, claro que no. Pero sé que están metiéndose contigo por mí.

—Pues tuvieron suerte de que no usara mis superpoderes y los lanzara al siguiente condado.

Sarah me agarra el bíceps con gesto burlón.

—Cómo no, estos músculos inmensos. Tus superpoderes. Sí que tuvieron suerte.

El proyecto del día es preparar unos pastelitos de arándano. Cuando empezamos a batir la mezcla, Sarah se pone a contarme su historia con Mark. Fueron novios durante dos años, pero cuanto más tiempo pasaban juntos, más se alejaba ella de sus padres y amigos. Era la novia de Mark, nada más. Ella sabía que había empezado a cambiar, a adoptar algunas de sus actitudes hacia la gente, a mostrarse mezquina y sentenciosa, a creer que era mejor que los demás. También empezó a beber y sus notas empezaron a bajar. Al final del año pasado, sus padres la mandaron a pasar el verano donde su tía, en Colorado. Allí empezó a dar largos paseos por las montañas, a tomar fotos de los paisajes con la cámara de su tía. Se enamoró de la fotografía y pasó el mejor verano de su vida, y se dio cuenta de que la vida era mucho más que ser porrista y salir con el mariscal de campo del colegio. Cuando volvió a casa, terminó con Mark y dejó el equipo de porristas y se prometió que sería buena y generosa con todo el mundo. Pero Mark no lo ha superado. Sarah dice que él todavía la considera su novia o que cree que van a volver. Y que lo único que echa de menos de él son sus perros, con los que pasaba todo el tiempo cada vez que iba a su casa. Entonces yo le hablo de Bernie Kosar y de cómo se nos apareció en la puerta inesperadamente después de esa primera mañana en el colegio.

Trabajamos mientras charlamos. En un momento dado, abro el horno sin los guantes y saco la bandeja de los pastelitos. Sarah me ve y pregunta si estoy bien; yo finjo estar adolorido y sacudo la mano como si me hubiera quemado, aunque en realidad no siento nada. Vamos al fregadero, y Sarah calibra el agua tibia para ayudarme con la quemadura inexistente. Cuando me ve la mano intacta, me encojo de hombros. Y cuando les echamos azúcar por encima a los pastelitos, me pregunta por mi teléfono y me dice que se dio cuenta de que solo tenía un número. Le digo que es el de Henri, y que perdí el teléfono viejo con todos mis contactos. Después me pregunta si dejé a una novia cuando nos mudamos. Le digo que no, y ella sonríe, y eso me derrite casi por completo. Antes de que se termine la clase, me habla del festival de Halloween del pueblo, que es ya casi, y me dice que espera verme allí, que tal vez podríamos pasar un rato juntos. Le digo que sí, que eso me encantaría, y trato de mostrarme tranquilo, pero en realidad estoy volando por dentro.

CAPÍTULO
ONCE

LAS IMÁGENES VIENEN A MI MENTE AL AZAR, POR LO general cuando menos las espero. A veces son pequeñas y fugaces —mi abuela sosteniendo un vaso de agua y abriendo la boca para decir algo—, pero nunca sé cuáles son las palabras porque la imagen desaparece con la misma velocidad con la que apareció. A veces son más largas, más reales: mi abuelo empujándome en un columpio. Puedo sentir la fuerza de sus brazos cuando me empuja hacia arriba y las mariposas en el estómago cuando bajo. Mi risa viaja con el viento. Y la imagen desaparece. A veces recuerdo explícitamente las imágenes de mi pasado; recuerdo ser parte de ellas. Pero otras veces son completamente nuevas para mí, como si nunca hubieran sucedido.

En la sala, con Henri pasando el cristal loriense por mis brazos y con las manos suspendidas sobre las llamas, veo lo siguiente: soy un niño —de tres o cuatro años— y corro por el jardín delantero, sobre la hierba recién cortada. A mi lado hay un animal con el cuerpo parecido al de un perro, pero con la piel semejante a la de un tigre. Tiene la cabeza redonda, el cuerpo fornido y las patas cortas. No se parece a ningún animal que haya visto antes. Se agazapa, listo para saltar. No puedo parar de reírme. El animal salta y trato de agarrarlo, pero soy demasiado pequeño y ambos caemos sobre la hierba.

Forcejeamos. Es más fuerte que yo. Entonces salta en el aire, y en vez de volver a caer, como espero que suceda, se convierte en un pájaro que alza el vuelo y revolotea a mi alrededor, justo fuera de mi alcance. Da una vuelta, luego baja, pasa a toda velocidad por entre mis piernas y aterriza a unos seis metros. Ahora se transforma en algo parecido a un mono sin cola, y se agazapa para atacarme.

En ese momento, un hombre se acerca por el sendero. Es joven y está vestido con un traje azul y plata, ceñido al cuerpo, como el de los buzos. Me habla en un idioma que no comprendo. Dice el nombre "Hadley" y saluda al animal con la cabeza. Hadley corre hacia él, cambiando de su forma de mono a algo más grande, algo parecido a un oso con melena de león. Ahora los dos tienen la cabeza a la misma altura, y el hombre acaricia al animal por debajo de la quijada. Entonces mi abuelo sale de la casa. Se ve joven, pero sé que debe de tener por lo menos cincuenta años.

Le estrecha la mano al hombre. Hablan, pero no entiendo lo que dicen. Luego el hombre me mira, sonríe, alza una mano y, de un momento a otro, me elevo y vuelo por los aires. Hadley me sigue, otra vez con forma de pájaro. Puedo controlar mi cuerpo, pero el hombre controla hacia dónde voy, moviendo la mano hacia la izquierda o la derecha. Hadley y yo jugamos en el aire; él me hace cosquillas con el pico, yo trato de atraparlo. Entonces abro los ojos de golpe, y la imagen desaparece.

—Tu abuelo podía hacerse invisible —oigo decir a Henri, y vuelvo a cerrar los ojos. El cristal sigue subiendo por mi brazo, extendiendo el repelente de fuego por el resto de mi cuerpo—. Uno de los legados más excepcionales que existen, y se desarrolla en solo un uno por ciento de nuestra gente. Y él era uno de ellos. Podía desaparecerse a sí mismo y a cualquier cosa que tocara.

"Una vez quiso hacerme una broma, antes de que yo supiera cuáles eran sus legados. Tú tenías tres años y yo acababa de empezar a trabajar con tu familia. Había ido a tu casa por primera vez el día anterior, y al subir la colina en mi segundo día, la casa no estaba allí. Había un camino de acceso, un auto y el árbol, pero no había ninguna casa. Creí que me estaba volviendo loco. Y seguí de largo. Luego, cuando sabía que había avanzado demasiado, me di la vuelta, y allí, a una cierta distancia, estaba la casa que podía jurar que no había estado antes. Entonces empecé a regresar, pero cuando ya me había acercado lo suficiente, la casa volvió a desaparecer. Y entonces me quedé allí, observando el lugar donde sabía que debía estar, pero lo único que veía eran los árboles que estaban más allá. Así que seguí caminando otra vez. Tu abuelo solo la hizo reaparecer del todo cuando pasé por tercera vez. No podía parar de reírse. Y ambos nos reímos de ese día durante el siguiente año y medio, siempre, hasta el puro final.

Cuando abro los ojos, estoy de vuelta en el campo de batalla. Más explosiones, fuego, muerte.

—Tu abuelo era un buen hombre —dice Henri—. Le encantaba hacer reír a la gente, le encantaba contar chistes. No creo que haya habido un día en que yo haya salido de tu casa sin dolor de estómago de tanto reírme.

El cielo se ha enrojecido. Un árbol arrancado vuela por los aires, lanzado por el hombre del traje azul y plata que vi en la casa. Mata a dos mogadorianos y quiero celebrar el triunfo. Pero ¿qué sentido tiene celebrar? Sin importar cuántos mogadorianos vea morir, el resultado de ese día no cambiará. Los lorienses serán derrotados. Todos morirán, absolutamente todos. Y a mí me enviarán a la Tierra.

—Nunca lo vi enfurecerse. Cuando todos los demás perdían los estribos, cuando la angustia se apoderaba de ellos, tu abuelo conservaba la calma. Solía ser en esos momentos cuando contaba sus mejores chistes, y así, de un momento a otro, todos volvían a reír.

Las bestias pequeñas atacan a los niños. Están indefensos, con bengalas en las manos por la celebración. Así estamos perdiendo. Solo unos pocos lorienses luchan contra las bestias; los demás tratan de salvar a los niños.

—Tu abuela era diferente. Era silenciosa y reservada, muy inteligente. Así se complementaban tus abuelos: él era el despreocupado, y ella trabajaba tras bastidores para que todo saliera tal como se había planeado.

En lo alto del cielo aun puedo ver la estela de humo azul de la nave que nos lleva a la Tierra, a nosotros nueve y a nuestros protectores. Su presencia perturba a los mogadorianos.

—Y Julianne, mi esposa.

Muy a lo lejos hay una explosión, del estilo de las producidas por el despegue de los cohetes de la Tierra. Otra nave se eleva por los aires, dejando una estela de fuego tras de sí. Asciende lentamente al principio, después acelera. Estoy confundido. Nuestras naves no usaban fuego para despegar; no usaban petróleo ni gasolina. Despedían una leve estela de humo azul proveniente de los cristales usados para ponerlas en marcha, pero nunca fuego, como esta. Comparada con la primera, la segunda nave es lenta y torpe, pero logra elevarse por los aires, cada vez más rápido. Henri no me ha hablado nunca de una segunda nave. ¿Quién va en ella? ¿Adónde va? Los mogadorianos gritan y la señalan. Esto vuelve a inquietarlos, y los lorienses se levantan por un brevísimo instante.

—Tenía los ojos más verdes que haya visto en mi vida, un verde brillante, como el de las esmeraldas, y un corazón tan grande como el planeta. Siempre estaba ayudando a los demás, trayendo a casa animales que se convertían en mascotas. Nunca sabré qué fue lo que vio en mí.

La enorme bestia ha regresado, la de los ojos rojos y cuernos gigantes. Babas mezcladas con sangre chorrean de sus dientes afilados, tan grandes que no le caben en la boca. El hombre de azul y plata está justo frente a la bestia. Intenta levantarla con sus poderes, y logra alzarla unos cuantos centímetros, pero después forcejea y no puede más. La bestia ruge, se sacude y cae al suelo, luchando contra los poderes del hombre, que vuelve a levantarla. El sudor y la sangre de su rostro brillan bajo la luz de la luna. Entonces dobla las manos y la bestia se desploma de lado. El suelo se estremece. Truenos y rayos inundan el cielo, pero no hay ninguna lluvia que los acompañe.

—Le gustaba dormir hasta tarde, y yo siempre me despertaba antes que ella. Me iba al estudio y leía el periódico, hacía el desayuno, salía a caminar. A veces, cuando volvía, ella seguía durmiendo. Yo me impacientaba, no podía esperar a empezar el día junto a ella. El solo hecho de estar cerca de ella me hacía sentir bien. Entonces entraba y trataba de despertarla. Ella se tapaba la cabeza con las cobijas y gruñía. Casi todas las mañanas, siempre la misma historia.

La bestia se sacude, pero el hombre sigue teniendo el control. Se le han unido otros garde, cada uno lucha con su propio poder contra la bestia colosal. Fuego y rayos les llueven encima, ráfagas de láser llegan desde todas las direcciones. Algunos garde arremeten sin ser vistos, desde lejos y con las manos en alto, concentrados. Y entonces una tormenta colectiva se cuaja en lo alto, una nube inmensa que crece y brilla en medio de un cielo despejado. Todos los garde están concentrados, ayudando a crear la nube catastrófica. Y entonces un último relámpago masivo cae sobre la bestia, que muere en el instante.

—¿Qué podía hacer yo? ¿Qué podía hacer cualquiera? En total, éramos diecinueve en la nave: ustedes nueve y nosotros, los nueve cêpan, elegidos únicamente por el lugar donde nos encontrábamos esa noche, más el piloto que nos trajo hasta aquí. Los cêpan no podíamos luchar, ¿y acaso habría habido alguna diferencia si hubiéramos podido? Los cêpan somos burócratas, hechos para mantener el planeta en funcionamiento, para enseñar, para entrenar a los nuevos garde a comprender y manipular sus poderes. La lucha nunca fue lo nuestro. Habríamos resultado incompetentes. Habríamos muerto, como todos los demás. Lo único que podíamos hacer era irnos. Irnos con ustedes, para vivir y algún día restablecer la gloria del planeta más hermoso del universo.

Cierro los ojos. Cuando vuelvo a abrirlos, la batalla ha terminado. El humo se alza del suelo por entre los muertos y los moribundos. Árboles arrancados de raíz, bosques quemados. Los únicos que se sostienen en pie son los pocos mogadorianos que han sobrevivido para contar la historia. El sol sale por el sur; un brillo pálido empieza a cubrir la tierra yerma bañada de rojo. Montañas de cuerpos, no todos intactos, no todos enteros. Encima de uno de los montones está el hombre de azul y plata, muerto, como todos los demás. Su cuerpo no muestra ninguna huella apreciable, pero está muerto.

Abro los ojos de golpe. No puedo respirar y tengo la boca seca, estoy muerto de sed.

—Ven —dice Henri. Me ayuda a levantarme de la mesa de centro, me lleva a la cocina y me ofrece una silla. Los ojos se me llenan de lágrimas, pero pestañeo para contenerlas.

Henri me trae un vaso de agua y bebo hasta la última gota, sin parar. Le doy el vaso y él vuelve a llenarlo. Dejo caer la cabeza; todavía me cuesta respirar. Bebo el segundo vaso de agua; luego miro a Henri.

—¿Por qué no me habías hablado de la segunda nave? —pregunto.

—¿De qué estás hablando?

—Había una segunda nave —respondo.

—¿Dónde había una segunda nave?

—En Lorien, el día que nos fuimos. Una segunda nave que despegó después de la nuestra.

—Imposible.

—¿Imposible por qué?

—Porque destruyeron las otras naves. Yo lo vi con mis propios ojos. Cuando aterrizaron, los mogadorianos se tomaron nuestros puertos primero. Nosotros viajamos en la única nave que sobrevivió a su ataque. Fue un milagro que lo lográramos.

—Vi una segunda nave. En serio. Pero no era como las otras. Funcionaba con combustible, y dejó una bola de fuego tras de sí.

Henri me mira detenidamente. Está pensando intensamente, con las cejas arrugadas.

—¿Estás seguro, John?

—Sí.

Se recuesta en la silla, mira por la ventana. Bernie Kosar está en el suelo, con los ojos alzados hacia nosotros dos.

—Logró salir de Lorien —digo—. La vi todo el tiempo, hasta que desapareció.

—No tiene sentido —dice Henri—. No entiendo cómo pudo haber sido posible. No quedaba nada.

—Había una segunda nave.

Guardamos un largo silencio.

—¿Henri?

—¿Sí?

—¿Qué había en la segunda nave?

Me mira fijamente.

—No lo sé. De verdad que no lo sé.

Estamos en la sala, la chimenea encendida, Bernie Kosar en mi regazo. Los chisporroteos ocasionales de la leña rompen el silencio.

—¡Enciéndete! —exclamo y chasqueo los dedos.

Mi mano derecha se ilumina, no con la misma intensidad de otras ocasiones, pero casi. En el poco tiempo que ha pasado desde que Henri empezó mi entrenamiento, he aprendido a controlar el resplandor. Puedo hacer que sea concentrado, amplio como la luz de una casa o estrecho como el de una linterna. Mi capacidad de manipularlo está desarrollándose más rápido de lo que esperaba. La izquierda sigue siendo más débil que la derecha, pero está avanzando. Chasqueo los dedos y digo "enciéndete" solo para lucirme, pues no lo necesito ni para controlar la luz ni para hacerla aparecer. Es algo que sucede desde adentro, sin ningún esfuerzo, como mover un dedo o guiñar un ojo.

—¿Cuándo crees que se desarrollarán los otros legados? —pregunto.

Henri alza la vista del periódico.

—Pronto —dice—. El próximo debería empezar en el transcurso del mes, sea cual sea. Debes estar alerta. No todos los poderes serán evidentes como el de las manos.

—¿Y cuánto tardarán en aparecer todos?

Henri se encoge de hombros.

—A veces el proceso completo dura solo dos meses; a veces se necesita un año. Es distinto para cada garde. Pero sin importar cuánto tarde en llegar, tu legado más importante será el último en desarrollarse.

Cierro los ojos y me recuesto en el sofá. Pienso en mi legado más importante, el que me permitirá pelear. No estoy seguro de lo que quiero que sea. ¿Rayos láser? ¿Control mental? ¿La capacidad de manipular el clima, como vi que lo hacía el hombre de azul y plata? ¿O algo más oscuro, más siniestro, como la capacidad de matar sin tocar?

Le acaricio el lomo a Bernie Kosar. Miro a Henri. Tiene puesta una gorra de dormir y un par de anteojos en la punta de la nariz, como un personaje de cuento de hadas.

—¿Por qué estábamos en el aeródromo ese día? —pregunto.

—Por un espectáculo aéreo. Cuando terminó, nos dieron una vuelta por algunas de las naves.

—¿Ese fue realmente el único motivo?

Henri vuelve a mirarme y asiente. Pasa saliva con dificultad, lo que me hace pensar que está ocultándome algo.

—¿Y cómo decidieron que nos iríamos? —pregunto—. Es decir, seguro que habrían tenido que organizar un plan como ese con un poco más de anticipación, ¿no?

—No despegamos sino hasta tres horas después de que empezó la invasión. ¿No recuerdas nada?

—Muy poco.

—Nos reunimos con tu abuelo en la estatua de Pittacus. Él te entrego a mí y me dijo que te llevara al aeródromo, que esa era nuestra única oportunidad. Debajo había un complejo subterráneo. Tu abuelo dijo que siempre había habido un plan de contingencia en caso de que ocurriera algo de ese estilo, pero nunca lo tomaron en serio porque la amenaza de un ataque parecía ridícula. Tal como lo sería aquí, en la Tierra. Si le dijeras a cualquier humano que hay una amenaza de un ataque extraterrestre, se reiría de ti. Lo mismo sucedía en Lorien. Le pregunté a tu abuelo por qué estaba enterado de ese plan, pero no respondió, se limitó a sonreír y se despidió. Y tiene sentido que nadie estuviera realmente enterado del plan, o solo unos pocos.

Asiento.

—¿Y entonces se les ocurrió venir a la Tierra así porque sí?

—Por supuesto que no. Uno de los ancianos se reunió con nosotros en el aeródromo. Él fue quien conjuró el hechizo loriense que los unió a todos ustedes y que está grabado en sus tobillos, y les entregó un amuleto a cada uno. Dijo que eran niños especiales, bienaventurados, con lo que supongo que se refería a que tendrían una oportunidad para escapar. En un principio, el plan era elevarnos en la nave y esperar a que acabara la invasión, a que los nuestros se defendieran y ganaran. Pero eso nunca sucedió... —dice Henri, luego guarda silencio y suspira—. Estuvimos una semana en órbita. Eso fue lo que necesitaron los mogadorianos para arrasar con Lorien. Cuando ya no cabía duda de que no podríamos regresar, nos dirigimos a la Tierra.

—¿Y por qué no conjuró un hechizo para que no pudieran matarnos, a ninguno de nosotros, sin importar el orden de los números?

—Todo tiene un límite, John. Estás hablando de invencibilidad, y eso no es posible.

Asiento. El hechizo tiene sus límites. Pero si algún mogadoriano intenta matarnos en desorden, el daño se revierte sobre sí mismo. Si alguno hubiera tratado de dispararme a la cabeza, la bala le habría atravesado su propia cabeza. Pero ya no. Si me encuentran ahora, moriré.

Me quedo un rato en silencio, pensando en todo. En el aeródromo. En el único anciano que quedaba en Lorien, el que conjuró el hechizo, Loridas, ahora muerto. Los ancianos fueron los primeros habitantes de Lorien, quienes hicieron del planeta lo que era. Eran diez en el principio, y contenían todos los legados entre ellos. Pero esto pasó hace tanto tiempo y eran tan antiguos, que parecían un mito más que algo basado en la realidad. Aparte de Loridas, nadie sabía qué había sido del resto, si habían muerto.

Trato de recordar cómo fue el tiempo en que estuvimos girando en órbita alrededor del planeta, esperando a ver si podíamos regresar, pero no recuerdo nada. Solo puedo acordarme de partes y pedacitos del viaje. El interior de la nave en la que viajamos era curvo y abierto, con excepción de los dos baños, que tenían puertas. Había catres a un lado; el otro estaba destinado a los ejercicios y los juegos para evitar que nos impacientáramos demasiado. No puedo recordar cómo son los otros. Tampoco puedo recodar a que jugábamos. Recuerdo el aburrimiento, un año entero vivido en una nave con otros dieciocho lorienses. Había un animal de peluche con el que dormía por las noches, y aunque estoy seguro de que mi memoria se equivoca, creo recordar que el animal también jugaba.

—¿Henri?

—¿Sí?

—He estado viendo las imágenes de un hombre con un traje azul y plata. Lo vi en nuestra casa y después en el campo de batalla. Podía controlar el clima. Y luego lo vi muerto.

Henri asiente.

—Cada vez que viajas al pasado, viajas únicamente a las escenas que tienen alguna importancia para ti.

—Era mi padre, ¿verdad?

—Sí. Se suponía que no debía ir tanto a la casa, pero aún así lo hacía. Iba con mucha frecuencia.

Suspiro. Mi padre luchó con valor, mató a la bestia y a muchos soldados. Pero, al final, no fue suficiente.

—¿Realmente tenemos alguna oportunidad de ganar?

—¿A qué te refieres?

—Nos derrotaron tan fácilmente. ¿Qué esperanzas tenemos de que el resultado sea diferente si nos encuentran? Incluso si todos hemos desarrollado nuestros poderes, y logramos reunirnos y estamos listos para combatirlos, ¿qué esperanza tenemos de ganarles a cosas como esas?

—¿Esperanza? —replica Henri—. Siempre hay esperanza, John. Hay acontecimientos que están por presentarse. Información que está por revelarse. No. No renuncies a la esperanza todavía. Es lo último que se pierde. Cuando has perdido la esperanza, lo has perdido todo. Y cuando crees que todo está perdido, cuando todo se ve gris y sombrío, siempre hay esperanza.

CAPÍTULO DOCE

HENRI Y YO VAMOS AL PUEBLO EL SÁBADO PARA EL DESfile de Halloween, casi dos semanas después de haber llegado a Paraíso. Creo que la soledad está empezando a afectarnos a los dos. Y no es que no estemos acostumbrados a la soledad, pero la soledad en Ohio es distinta que en la mayoría de los otros lugares. Tiene un silencio particular, un vacío particular.

Es un día frío, el sol se asoma intermitentemente por entre unas nubes blancas y gordas que se deslizan en lo alto. El pueblo bulle. Todos los niños están disfrazados. Le hemos comprado una correa a Bernie Kosar, que lleva puesta una capa de Superman en el lomo y una gran *S* en el pecho, pero no parece muy convencido. Y no es el único perro disfrazado de superhéroe.

Nos situamos en la acera en frente de El Oso Hambriento, el restaurante que está justo a un lado de la rotonda en el centro del pueblo, para ver el desfile. En la ventana que da a la calle, hay un recorte del artículo de la *Gaceta* sobre Mark James. Este aparece fotografiado en el mediocampo, con su chaqueta del equipo, los brazos cruzados, el pie derecho sobre un balón y una sonrisa sarcástica y segura en el rostro. Hasta yo tengo que reconocer que se ve impresionante.

Henri me ve con los ojos clavados en el recorte.

—Ese es tu amigo, ¿cierto? —pregunta, sonriendo.

Él conoce toda la historia, desde la casi pelea hasta el estiércol y mi interés en su exnovia. Y desde que descubrió toda esta información, se refiere a Mark como mi "amigo".

—Mi *mejor* amigo —le corrijo.

En ese momento, empieza a tocar la banda, que va encabezando el desfile, seguida por diversas carrozas alusivas al Halloween; en una de ellas van Mark y algunos de los jugadores del equipo. Reconozco a los que están en mis clases, a los otros no. Todos les lanzan puñados de dulces a los niños. Mark me ve y codea al que está a su lado: Kevin, al que le di el rodillazo en la ingle en la cafetería. Mark me señala y dice algo. Los dos se ríen.

—¿Ese es? —pregunta Henri.

—Ese es.

—Se nota que es un idiota.

—Te lo dije.

Después siguen las porristas, que van a pie, todas uniformadas, con el pelo recogido, sonriendo y saludando a la muchedumbre. Sarah camina a su lado, tomándoles fotos en acción, mientras saltan y hacen sus hurras. Aunque lleva unos *jeans* y no está maquillada, Sarah es muchísimo más bonita que cualquiera de ellas. Hemos estado hablando cada vez más en el colegio, y no puedo sacármela de la cabeza. Henri me ve con los ojos clavados en ella. Después vuelve la vista hacia el desfile.

—Esa es ella, ¿no?

—Esa es ella.

Sarah me ve y me saluda con la mano; después señala la cámara, indicándome que no puede venir porque quiere tomar fotos. Le sonrío y asiento.

—Bueno —dice Henri—, pues sí que puedo ver el atractivo.

Vemos el desfile. El alcalde de Paraíso pasa sentado en la parte trasera de un convertible rojo. Les lanza más dulces a los niños. Sin duda hoy habrá muchos niños hiperactivos.

Siento un golpecito en el hombro y me volteo.

—Sam Goode. ¿Qué cuentas?

Se encoge de hombros.

—Nada. ¿Y tú?

—Aquí, viendo el desfile. Este es mi papá, Henri.

Se dan la mano.

—John me ha hablado mucho de ti —dice Henri.

—¿En serio? —pregunta Sam con una mueca.

—En serio —contesta Henri. Hace una pausa, luego sonríe—. He estado leyendo, ¿sabes? Y puede que ya lo hayas oído, ¿pero sabías que los extraterrestres son la razón por la cual tenemos tormentas? Las crean para entrar en nuestro planeta sin ser vistos. La tormenta crea una distracción, y los rayos que vemos vienen en realidad de las naves espaciales que entran en la atmósfera terrestre.

Sam sonríe y se rasca la cabeza.

—¡Qué va! —exclama.

Henri se encoge de hombros.

—Eso es lo que he oído.

—Muy bien —dice Sam, más que dispuesto a complacer a Henri—. ¿Sabías que los dinosaurios no se extinguieron en realidad? Los extraterrestres estaban tan fascinados con ellos que decidieron recogerlos a todos y llevárselos a su planeta.

Henri sacude la cabeza.

—No lo sabía —dice—. Pero, ¿sabías que el monstruo del lago Ness era en realidad un animal del planeta Trafalgra? Lo trajeron como parte de un experimento, para ver si podía sobrevivir, y así fue. Pero cuando lo descubrieron, los extraterrestres tuvieron que volver a llevárselo, y por eso no volvieron a verlo nunca más.

Me río, no de la teoría, sino del nombre Trafalgra. No hay ningún planeta que se llame así, y me pregunto si Henri se lo habrá inventado sobre la marcha.

—¿Sabías que fueron unos extraterrestres los que construyeron las pirámides de Egipto?

—Eso sí lo había oído —responde Henri, sonriendo. Le resulta divertido porque aunque no las construyeron los extraterrestres, sí se usaron conocimientos y ayuda de Lorien para su construcción—. ¿Sabías que se supone que el mundo se va a acabar el 21 de diciembre de 2012?

Sam asiente y sonríe.

—Sí, lo he oído. La supuesta fecha de vencimiento de la Tierra, el fin del calendario maya.

—¿Fecha de vencimiento? —meto la cucharada—. ¿Como lo de "consumir preferiblemente antes de" que ponen en las cajas de leche? ¿Acaso se nos va a cuajar la Tierra?

Me río de mi propio chiste, pero Sam y Henri no me prestan atención.

—¿Sabías que los círculos de los cultivos fueron utilizados originalmente por la raza extraterrestre agharia como herramienta de navegación? —continúa Sam—. Pero eso fue hace miles de años. Hoy en día los hacen los campesinos que se aburren.

Vuelvo a reírme. Me dan ganas de preguntar qué clase de gente crea teorías conspirativas extraterrestres, si son los campesinos que se aburren los que hacen los círculos en los cultivos, pero me contengo.

—¿Y los centuri? —pregunta Henri—. ¿Has oído hablar de ellos?

Sam niega con la cabeza.

—Es una raza extraterrestre que vive en el centro de la Tierra. Son unos seres conflictivos, que viven en constante desacuerdo unos con otros, y cuando tienen guerras civiles, la superficie de la Tierra se desnivela. Es entonces cuando se producen cosas como los terremotos y las erupciones volcánicas. ¿El tsunami del 2004? Todo porque desapareció la hija del rey centuri.

—¿Y la encontraron? —pregunto.

Henri niega con la cabeza, me mira y luego vuelve a mirar a Sam, que sigue feliz con el juego.

—Nunca. Los teóricos creen que puede cambiar de forma y que vive en alguna parte de América del Sur.

La teoría de Henri es tan buena que pienso que es imposible que se la haya inventado tan rápido. Entonces me pongo a reflexionar al respecto, aun cuando nunca he oído hablar de unos extraterrestres llamados centuri, y aun cuando sé, con toda certeza, que no hay vida en el centro de la Tierra.

—¿Sabías que…? —Sam hace una pausa, creo que ya no sabe qué más decir, y en el momento en que esa idea aparece en mi cabeza, dice algo tan alarmante que me sacude una oleada de terror—. ¿Sabías que los mogadorianos andan en busca de la dominación universal, y que ya acabaron con un planeta y ahora están planeando acabar con la Tierra? Están aquí en busca de la debilidad humana, para poder aprovecharse de nosotros cuando estalle la guerra.

Me quedo boquiabierto. Henri mira fijamente a Sam, conteniendo la respiración. Está anonadado, aferrado a la taza de café con tal fuerza que temo que va a volverla añicos si la aprieta un poco más. Sam mira a Henri; después me mira a mí.

—Parece como si acabaran de ver a un fantasma. ¿Eso significa que gané?

—¿De dónde sacaste eso? —pregunto. Henri me lanza una mirada tan feroz que deseo haberme quedado callado.

—De *Ellos caminan entre nosotros*.

Henri sigue sin saber cómo responder. Abre la boca para decir algo, pero no dice nada. En ese momento, nos interrumpe una mujer menuda que está detrás de Sam.

—Sam —dice. Él se voltea y la mira—, ¿dónde has estado?

Él se encoge de hombros.

—Aquí mismo.

Ella suspira; después le dice a Henri:

—Hola, soy la madre de Sam.

—Henri —dice él y le da la mano—. Es un placer conocerla.

La mujer abre los ojos, sorprendida. El acento de Henri la ha emocionado por alguna razón.

—*Ah bon! Vous parlez français? C'est super! J'ai personne avec qui je peux parler français depuis longtemps.*

Henri sonríe.

—Lo siento. En realidad no hablo francés, pero sé que mi acento suena parecido.

—¿No? —está decepcionada—. Y yo pensando que por fin había llegado algo de dignidad a este pueblo.

Sam me mira y pone los ojos en blanco.

—Bueno, Sam, andando —dice ella.

Él se encoge de hombros.

—¿Van a ir al parque y al paseo embrujado? —pregunta.

Miro a Henri, luego a Sam.

—Sí, claro —le digo—. ¿Y tú?

Él se encoge de hombros.

—Ven a buscarnos, si puedes —le digo.

Él sonríe y asiente.

—Bueno, genial —dice.

—Es hora de irnos, Sam. Y tal vez no puedas ir al paseo embrujado. Necesito que me ayudes en la casa —dice su madre. Sam empieza a decir algo, pero ella se aleja. Él la sigue.

—Qué mujer más simpática —dice Henri con voz sarcástica.

—¿Cómo te inventaste todo eso? —pregunto.

La multitud empieza a avanzar por la calle principal, alejándose de la rotonda. Henri y yo la seguimos hacia el parque, donde están sirviendo sidra y comida.

—Cuando has mentido bastante, empiezas a acostumbrarte.

Asiento.

—¿Y qué opinas?

Henri respira profundo y exhala. Hace tanto frío que puedo ver su aliento.

—Ni idea. No sé qué pensar a estas alturas. Me tomó por sorpresa.

—A los dos.

—Vamos a tener que ver la revista de la que está sacando su información, descubrir quién la escribe y dónde.

Me mira con ojos expectantes.

—¿Qué? —pregunto.

—Tendrás que conseguir una copia.

—Lo haré. Pero, en todo caso, no tiene sentido. ¿Cómo podría saberlo alguien?

—Alguien ha suministrado la información.

—¿Crees que es alguno de nosotros?

—No.

—¿Crees que son ellos?

—Podría ser. Nunca pensé en revisar los periodicuchos de teorías conspirativas. A lo mejor ellos creen que los leemos y que pueden encontrarnos filtrando información como esa. Es decir... —hace una pausa, reflexiona un momento—. Diablos, John, no lo sé. En todo caso, tendremos que investigarlo. No es una coincidencia, de eso no hay duda.

Caminamos en silencio, todavía un poco pasmados, rumiando mentalmente posibles explicaciones. Bernie Kosar trota entre los dos, con la lengua afuera y arrastrando la capa por un lado sobre la acera. Es toda una sensación entre los niños, y muchos de ellos nos detienen para acariciarlo.

El parque está en el límite sur del pueblo. En el extremo más lejano, hay dos lagos separados por una delgada franja de tierra que lleva al bosque que se extiende del otro lado. El parque en sí se compone de tres canchas de béisbol, un patio de juegos y un gran pabellón donde los voluntarios están sirviendo sidra y tajadas de pastel de calabaza. En el camino de grava hay tres remolques llenos de paja y un letrero grande que dice:

¡LLÉVATE UN SUSTO DE MUERTE!
PASEOS EMBRUJADOS
AL CAER LA NOCHE
$5 POR PERSONA

El camino de grava se convierte en un sendero de tierra antes de llegar al bosque, cuya entrada está decorada con dibujos de fantasmas y duendes de cartón. Por lo visto, el paseo embrujado discurre por el bosque. Miro a mi alrededor en busca de Sarah, pero no la veo por ningún lado. Me pregunto si irá al paseo embrujado.

Henri y yo entramos en el pabellón. Las porristas están en un costado; algunas están pintándoles las caras a los niños con motivos de Halloween, otras venden los tiquetes de la rifa para la sesión de las seis de la tarde.

—Hola, John —oigo detrás de mí. Me doy la vuelta y allí está Sarah, con su cámara—. ¿Te gustó el desfile?

Le sonrío y me meto las manos en los bolsillos. Sarah tiene un fantasmita blanco pintado en la mejilla.

—Hola, tú —digo—. Me gustó. Creo que estoy empezando a acostumbrarme al encanto de este pueblito de Ohio.

—¿Encanto? Querrás decir aburrimiento, ¿no?

Me encojo de hombros.

—No lo sé, no está tan mal.

—Oye, pero si es el amiguito del colegio. Yo me acuerdo de ti —dice Sarah, inclinándose para acariciar a Bernie Kosar, que menea la cola desenfrenadamente, salta y trata de lamerle la cara. Ella se ríe. Yo miro por encima de mi hombro. Henri está a unos seis metros, hablando con la mamá de Sarah en una de las mesas de picnic. Quisiera saber de qué están hablando.

—Creo que le gustas. Se llama Bernie Kosar.

—¿Bernie Kosar? Ese no es un nombre para un perro adorable. Mira su capa. Ay, es como una sobredosis de ternura.

—Si sigues así, voy a ponerme celoso de mi perro —le digo.

Ella sonríe y se levanta.

—¿Vas a comprarme un tiquete para la rifa? Es para reconstruir un refugio de animales que se incendió el mes pasado en Colorado.

—¿En serio? ¿Y cómo hace una chica de Paraíso, Ohio, para saber de un refugio de animales de Colorado?

—Es de mi tía. Ya convencí a todas las porristas para que participen y vamos a hacer un viaje para ayudar con la reconstrucción. Así, ayudamos a los animales y nos escapamos del colegio y de Ohio una semana. Es una situación de la que todos nos beneficiamos.

Me imagino a Sarah blandiendo un martillo y con un casco de constructor en la cabeza, y la idea me hace sonreír.

—¿Quieres decir que tendré que encargarme de la cocina durante toda una semana? —finjo un suspiro exasperado y sacudo la cabeza—. No sé si pueda tolerar un viaje así en estos momentos, aun cuando sea por los animales.

Ella se ríe y me da un golpe en el brazo. Yo saco la billetera y le compro seis tiquetes.

—Estos seis son de buena suerte —me dice.

—¿Ah sí?

—Pues claro. Me los compraste a mí, tonto.

En ese instante, por encima del hombro de Sarah, veo entrar a Mark y a los que estaban con él en la carroza.

—¿Vas a ir al paseo embrujado esta noche? —pregunta Sarah.

—Sí, eso estaba pensando.

—Deberías, es muy divertido. Todo el mundo va. Y en realidad da miedo.

Mark ve que estoy hablando con Sarah y frunce el ceño. Camina hacia nosotros. La misma ropa de siempre: chaqueta del equipo, *jeans* y pelo engominado.

—¿Vas a ir? —le pregunto a Sarah.

Antes de que pueda contestarme, Mark interrumpe.

—¿Te gustó el desfile, Johnny?

Sarah se voltea enseguida y lo fulmina con la mirada.

—Sí, me gustó mucho —respondo.

—¿Vas a ir al paseo embrujado esta noche o te da mucho miedo?

Le sonrío.

—Pues sí voy a ir.

—¿Y te va a dar otro ataque de pánico como en el colegio y vas a salir del bosque llorando como un bebé?

—No seas tan imbécil, Mark —dice Sarah.

Él me mira, furioso. No puede hacer nada sin armar un escándalo entre la multitud que nos rodea. Y tampoco creo que vaya a hacer nada de todos modos.

—Todo en su debido momento —dice.

—¿Ah sí?

—Ya llegará el tuyo.

—Puede que sí —le digo—, pero no de tus manos.

—¡Ya no más! —grita Sarah, metiéndose entre los dos para separarnos de un empujón. La gente nos observa. Sarah mira a su alrededor como si estuviera avergonzada por la atención. Entonces, fulmina a Mark con la mirada, y después a mí—. Está bien. Peléense si eso es lo que quieren. Buena suerte.

Se da media vuelta y se aleja. Me quedo mirándola. Mark no.

—¡Sarah! —le grito, pero ella sigue caminando y desaparece más allá del pabellón.

—Pronto —me dice Mark.

Vuelvo a mirarlo.

—Lo dudo.

Mark regresa a su grupo de amigos. Henri se me acerca.

—Supongo que no vino a preguntarte por la tarea de matemáticas de ayer.

—Pues no.

—Yo no me preocuparía —dice Henri—, parece ser de los de mucho ruido y pocas nueces.

—Pero yo no —replico, mirando hacia el lugar por donde desapareció Sarah—. ¿Debería ir a buscarla? —le pregunto y lo miro, apelando a esa parte de su ser que alguna vez estuvo casado y enamorado, esa parte que sigue añorando a su esposa todos los días, y no a la parte que quiere mantenerme oculto y a salvo.

Asiente.

—Sí. Por más que odie tener que admitirlo, creo que deberías ir a buscarla —responde con un suspiro.

CAPÍTULO
TRECE

NIÑOS QUE CORREN, GRITAN, SE TIRAN POR TOBOGANES y juegan en las barras. Todos con una bolsa de golosinas en la mano y la boca llena de dulces. Niños vestidos como personajes de las tiras cómicas, monstruos, demonios y fantasmas. Todos los habitantes de Paraíso deben de estar en el parque en este momento. Y en medio de toda la locura, veo a Sarah, sola, meciéndose suavemente en un columpio.

Me abro camino por entre los gritos y chillidos. Al verme, Sarah sonríe, con esos ojos azules, enormes como un faro.

—¿Te doy un empujoncito? —pregunto.

Ella señala con un gesto el columpio que acaba de liberarse a su lado y yo me siento.

—¿Estás bien? —pregunto.

—Sí, estoy bien, pero es que él me agota. Siempre tiene quiere aparentar que es muy macho y se pone pesadísimo cuando está con sus amigos.

Sarah da vueltas en el columpio hasta que la cuerda se tensa, entonces alza los pies y empieza a girar, despacio primero, después más y más rápido. No para de reírse; su pelo es una estela rubia detrás de ella. Yo hago lo mismo, y cuando el columpio se detiene finalmente, el mundo sigue girando.

—¿Dónde está Bernie Kosar?

—Lo dejé con Henri.

—¿Tu papá?

—Sí, mi papá.

Siempre hago lo mismo, me refiero a Henri por su nombre en vez de decirle "papá".

La temperatura baja rápidamente y se me empiezan a enfriar las manos, que están aferradas a la cuerda con los nudillos pálidos. Observamos a los niños que corren como locos a nuestro alrededor. Sarah me mira; sus ojos parecen más azules que nunca en la penumbra creciente. Nuestras miradas se entrelazan, contemplándonos mutuamente, sin decirnos nada, pero transmitiéndonos tanto. Los niños parecen fundirse en el fondo. Entonces, ella sonríe tímidamente y aparta la mirada.

—¿Y qué vas a hacer? —pregunto.

—¿De qué?

—Mark.

Se encoge de hombros.

—¿Qué puedo hacer? Ya terminé con él. Y no hago más que decirle que no estoy interesada en que volvamos —no estoy seguro de cómo responder a eso—. Pero, en fin, tal vez debería tratar de vender el resto de tiquetes, pues ya solo falta una hora para la rifa.

—¿Quieres que te ayude?

—No, no te preocupes. Ve a divertirte. Bernie Kosar debe de estar extrañándote en este momento. Eso sí, deberías quedarte para el paseo embrujado. ¿A lo mejor podríamos ir juntos?

—Claro —le digo. La alegría florece en mi interior, pero trato de que no se me note.

—Te veré dentro de un rato entonces.

—Suerte con los tiquetes de la rifa.

Se me acerca y me toma la mano y la sostiene durante tres segundos largos. Después me suelta, baja del columpio con un salto y se aleja a toda prisa. Me quedo allí sentado, columpiándome suavemente, disfrutando del viento frío que no había sentido en mucho tiempo, porque el último invierno lo pasamos en Florida y el anterior en el sur de Texas. Cuando me dirijo de vuelta hacia el pabellón, Henri está sentado a una de las mesas de picnic, comiendo una tajada de pastel de calabaza, con Bernie Kosar a sus pies.

—¿Cómo te fue?

—Bien —respondo con una sonrisa.

Fuegos artificiales de color azul y naranja salen disparados desde algún lado y explotan en el cielo. Me hacen pensar en Lorien y los fuegos artificiales que vi en el día de la invasión.

—¿Has vuelto a pensar en la segunda nave que vi?

Henri mira a su alrededor para asegurarse de que no haya nadie lo bastante cerca como para oírnos. La mesa de picnic es toda nuestra, y está en la última punta, lejos de la multitud.

—Un poco. Pero sigo sin saber qué significa.

—¿Crees que habría podido viajar hasta aquí?

—No. No habría sido posible. Si funcionaba con combustible, como dices, no habría podido llegar muy lejos sin repostar.

Me quedo un rato allí sentado.

—Ojalá hubiera podido.

—¿Qué?

—Viajar hasta aquí, con nosotros.

—Es una idea bonita —dice Henri.

Pasa más o menos una hora hasta que veo a todos los jugadores del equipo de fútbol americano, con Mark a la cabeza, atravesando el prado. Van disfrazados de momias, zombis y fantasmas; veinticinco en total se sientan en la tribuna de la cancha de béisbol más cercana, y las porristas que estaban pintando a los niños empiezan a maquillarlos para completar sus disfraces. Solo entonces caigo en la cuenta de que ellos serán los encargados de asustarnos en el paseo embrujado, quienes estarán esperándonos en el bosque.

—¿Ves?

Henri los mira a todos y asiente; después alza su taza de café y bebe un buen sorbo.

—¿Todavía crees que deberías ir al paseo? —pregunta.

—No. Pero iré de todos modos.

—Eso me imaginé.

Mark está disfrazado de zombi, si es que a eso puede llamársele zombi, con ropa negra hecha jirones, maquillaje gris y negro en la cara y manchones rojos, que supuestamente son sangre, en distintas partes. Cuando queda listo, Sarah se le acerca y le dice algo. Él alza la voz, pero no puedo oír lo que dice. Se mueve animadamente y habla tan rápido que noto que se le traba la lengua. Sarah cruza los brazos y niega con la cabeza. Mark se tensa. Me dispongo a levantarme, pero Henri me agarra del brazo.

—Quieto —dice—. Él mismo está alejándola cada vez más.

Los miro y me muero de ganas de oír lo que están diciéndose, pero hay demasiados niños gritando a mi alrededor como para concentrarme. Cuando la discusión termina, se miran mutuamente: una mirada hiriente en el rostro de Mark, un gesto incrédulo en el de Sarah. Entonces, ella sacude la cabeza y se aleja.

Miro a Henri.

—¿Qué debo hacer ahora?

—Nada —me dice—. Absolutamente nada.

Mark regresa adonde sus amigos con la cabeza gacha y el ceño fruncido. Algunos miran hacia donde estoy. Veo sonrisitas. Después se encaminan hacia el bosque en una marcha lenta y metódica. Veinticinco hombres disfrazados, perdiéndose en la distancia.

Para matar el tiempo, Henri y yo volvemos al centro del pueblo y cenamos en El Oso Hambriento. Cuando regresamos, el sol se ha puesto ya y el primer remolque lleno de paja, conducido por un tractor verde, se interna en el bosque. La multitud se ha reducido bastante y quedan, sobre todo, adolescentes y adultos de espíritu libre, unos cien en total. Busco a Sarah, pero no la veo. El próximo remolque sale en veinte minutos. Según el folleto, el paseo dura media hora: el tractor recorre el bosque lentamente, creando expectativa, luego se detiene y los paseantes deben bajar y seguir otro camino a pie, y es entonces cuando empiezan los sustos.

Estoy con Henri bajo el pabellón y vuelvo a registrar la larga fila de gente que espera su turno. Pero sigo sin ver a Sarah. Justo en ese momento, el teléfono vibra en mi bolsillo. No puedo recordar la última vez que me recibí una llamada que no fuera de Henri. En la pantalla leo "SARAH HART". La emoción me recorre todo el cuerpo. Debe de haber grabado mi número en su teléfono el mismo día en que grabó el suyo en el mío.

—¿Hola?

—¿John?

—Sí.

—Hola, es Sarah. ¿Todavía estás en el parque? —pregunta, como si el que ella me llame fuera algo normal, como si yo no tuviera que pensar en que tiene mi teléfono aunque no se lo haya dado.

—Sí.

—¡Genial! Regresaré en unos cinco minutos. ¿Ya empezaron los paseos?

—Sí, hace unos minutos.

—Pero no te has ido en ninguno todavía, ¿o sí?

—No.

—¡Ah, bueno! Espérame para que podamos ir juntos.

—Sí, claro —digo—. El segundo está a punto de empezar.

—Perfecto, llegaré a tiempo para el tercero.

—Ahora nos vemos.

Cuelgo, con una sonrisa de oreja a oreja.

—Ten mucho cuidado —me dice Henri.

—Eso haré —hago una pausa y trato de suavizar mi voz—. No tienes que esperarme. Seguro que alguien puede llevarme a casa.

—John, estoy dispuesto a que nos quedemos a vivir en este pueblo. Aunque en vista de lo que ha sucedido hasta el momento, tal vez lo más inteligente sería que nos fuéramos. Pero vas a tener que poner de tu parte en algunos aspectos, y este es uno de ellos. No me gustó para nada la forma como te miraron estos tipos hace un rato.

Asiento.

—Estaré bien.

—No lo dudo. Pero, solo por si acaso, estaré esperándote aquí mismo.

Suspiro.

—De acuerdo.

Sarah aparece cinco minutos después con una amiga muy linda a la que he visto antes pero que no me han presentado.

Sarah se ha cambiado y ahora lleva unos *jeans*, un suéter de lana y una chaqueta negra. Se ha quitado el fantasma blanco que tenía en la mejilla derecha y se ha soltado el pelo, que cae por debajo de sus hombros.

—Hola, tú —dice.

—Hola.

Me rodea con los brazos en una especie de abrazo. Puedo oler el perfume que emana de su cuello. Después se aparta.

—Hola, papá de John —le dice a Henri—. Ella es mi amiga Emily.

—Es un placer conocerlas a las dos —dice Henri—. ¿Conque entonces se van hacia el terror desconocido?

—Así es —responde Sarah—. ¿Se portará bien este muchacho? No quiero que se asuste demasiado —le dice a Henri, señalándome con una sonrisa.

Él sonríe, y noto que Sarah le ha caído bien.

—Será mejor que no lo dejes solo, por si acaso.

Ella mira por encima de su hombro. El tercer remolque está casi lleno.

—Lo cuidaré —dice—. Deberíamos irnos.

—Que se diviertan —dice Henri.

Sarah me sorprende al tomarme de la mano, y los tres corremos hacia el vagón lleno de paja, a unos cien metros del pabellón. Hay una fila de unas treinta personas. Nos ponemos al final y charlamos, aunque yo me siento un poco tímido y más bien las escucho a las dos. Mientras esperamos, veo a Sam merodeando por allí como si estuviera considerando la posibilidad de acercársenos.

—¡Sam! —grito con más entusiasmo del que pretendía. Él se tropieza—. ¿Vienes al paseo con nosotros?

Se encoge de hombros.

—¿Puedo?

—¡Ven! —dice Sarah y le hace un gesto para que se una. Entonces Sam se pone al lado de Emily. Ella le sonríe y él se sonroja enseguida. Y yo estoy contentísimo de que venga con nosotros.

De pronto, se nos acerca un chico con un *walkie-talkie*. Es de los del equipo de fútbol americano.

—Hola, Tommy —le dice Sarah.

—Hola —dice él—. En este vagón hay cuatro puestos libres. ¿Los quieren?

—¿En serio?

—Ajá.

Nos saltamos la cola, subimos al remolque y nos sentamos los cuatro sobre un atado de paja. Me resulta extraño que Tommy no nos haya pedido los tiquetes. Y me pregunto por qué nos habrá dejado saltarnos la fila. Algunos de los que están esperando nos miran enfadados. Y no los culpo.

—Que disfruten el paseo —dice Tommy con una sonrisita, de esas que hace la gente al oír que algo malo le ha sucedido a alguien que no les agrada.

—Qué raro —digo.

Sarah se encoge de hombros.

—A lo mejor le gusta Emily.

—¡Huy, Dios, espero que no! —dice Emily, fingiendo una arcada.

Miro a Tommy desde el atado de paja. El remolque está lleno solo hasta la mitad, y es otra de las cosas que me resultan extrañas, ya que hay tanta gente haciendo fila.

El tractor arranca avanza dando tumbos por el sendero y entra en el bosque, donde unos sonidos espectrales resuenan desde unos altavoces escondidos. Es un bosque frondoso, y no entra ninguna luz aparte de la de los faros del tractor. "En cuanto el tractor se vaya —pienso—, no habrá nada más que oscuridad".

Sarah me toma la mano una vez más. Está fría, pero siento que me inunda una sensación cálida. Se inclina hacia mí y susurra:

—Tengo un poquito de miedo.

Figuras fantasmales cuelgan de las ramas por encima de nosotros. Unos zombis malencarados se recuestan contra uno que otro árbol al borde del camino. El tractor para y apaga las luces. Después, vemos unas luces estroboscópicas que relampaguean durante diez segundos. No producen ningún efecto atemorizante, pero solo cuando se apagan, entiendo su objetivo: nuestros ojos necesitan varios segundos para adaptarse y no podemos ver nada. Un grito atraviesa la noche, y Sarah se tensiona contra mi cuerpo cuando unas figuras se arrastran a nuestro alrededor. Achico los ojos para enfocar la vista y veo que Emily está muy cerca de Sam, que sonríe ampliamente. A decir verdad, yo también tengo un poco de miedo. Rodeo a Sarah con el brazo cuidadosamente. Una mano nos roza la espalda y Sarah se agarra de mi pierna. Algunos de los demás gritan. El tractor se enciende con una sacudida y continúa; bajo su luz no se ve nada más que el contorno de los árboles.

Avanzamos durante unos tres o cuatro minutos. La expectativa crece: el miedo premonitorio de tener que caminar la distancia que acabamos de recorrer. El tractor entra en un claro circular y se detiene.

—Bajen todos —grita el conductor.

Y el tractor se va después de que se baja el último. Su luz se pierde a lo lejos hasta que desaparece, dejando únicamente la noche y ningún otro sonido distinto a los que hacemos nosotros.

—¡Maldición! —dice alguien, y todos nos reímos.

Somos once en total. Un sendero de luces se enciende para indicarnos el camino; después se apaga. Cierro los ojos para concentrarme en la sensación que me producen los dedos de Sarah entrelazados con los míos.

—No tengo ni idea de por qué hago esto todos los años —dice Emily con voz nerviosa, abrazándose a sí misma.

Los demás han empezado a recorrer el camino y los seguimos. El sendero de luces titila de vez en cuando para que no nos desviemos. Los otros van tan adelante que ya no los vemos. Casi ni puedo ver la tierra bajo mis pies. De pronto, tres o cuatro gritos resuenan delante de nosotros.

—Ay, no —dice Sarah, y me aprieta la mano—. Parece que hay problemas esperándonos en el camino.

Justo en ese momento, se nos viene encima algo pesado. Las dos chicas gritan; Sam también. Yo me tropiezo, caigo al suelo y me raspo la rodilla, enredado en lo que sea que haya caído sobre nosotros. ¡Y entonces, me doy cuenta de que es una malla!

—¿Qué diablos es esto? —pregunta Sam.

Abro un hueco entre la malla retorcida, pero apenas logro liberarme, me dan un fuerte empujón por detrás. Alguien me agarra y me arrastra lejos de las chicas y de Sam. Me libero y me levanto, pero vuelven a golpearme por detrás inmediatamente. Esto no hace parte del paseo.

—¡Suéltenme! —grita una de ellas. Un tipo responde con una carcajada. No puedo ver nada. Las voces de Sarah y Emily se alejan.

—¿John? —grita Sarah.

—¿Dónde estás, John? —grita Sam.

Me levanto para ir tras ellos, pero vuelven a golpearme. No, no es cierto. Me embisten. Me quedo sin aire al estrellarme contra el suelo. Me levanto enseguida y trato de recobrar la respiración, apoyándome en un árbol con la mano. Me saco tierra y hojas de la boca.

Me quedo así unos segundos y no oigo nada distinto a mi propia respiración dificultosa. Justo cuando creo que me han dejado solo, alguien me empuja con el hombro y me manda volando contra otro árbol cercano. Choco de cabeza contra el tronco y veo estrellitas por un momento. Me sorprende la fuerza de esta persona. Me toco la frente y siento sangre en las yemas de los dedos. Vuelvo a mirar a mi alrededor, pero no puedo ver nada distinto a las siluetas de los árboles.

Oigo un grito de una de las chicas, seguido por ruidos de lucha. Aprieto los dientes. Estoy temblando. ¿Hay personas metidas entre la muralla de árboles que me rodea? No lo sé. Pero siento un par de ojos clavados en mí, desde alguna parte.

—¡Suéltame! —grita Sarah. Alguien está llevándosela, de eso no hay duda.

—De acuerdo —le digo a la oscuridad, a los árboles. Me invade la ira—. ¿Quieres jugar? —pregunto, ahora en voz alta. Alguien se ríe.

Doy un paso hacia la risa. Alguien me empuja por detrás, pero recupero el equilibrio antes de caer. Lanzo un puñetazo al aire y me rasguño el torso de la mano contra el tronco de un árbol. No tengo otra opción. ¿De qué me sirve tener legados si no puedo usarlos cuando los necesito? Incluso si implica que Henri y yo carguemos la camioneta esta noche y nos larguemos a otro pueblo, al menos habré hecho lo que tenía que hacer.

—¿Es un juego? —grito—. ¡Yo también sé jugar!

Una gota de sangre se me escurre por un lado de la cara. "Muy bien —pienso—, adelante. Pueden hacerme todo lo que quieran, pero no van a tocarle ni un pelo a Sarah. Ni a Sam, ni a Emily".

Respiro profundamente; la adrenalina me recorre el cuerpo de arriba abajo. Una sonrisa maliciosa se dibuja en mi boca y siento el cuerpo más grande, fortalecido. Mis manos se encienden y brillan intensamente con una luz clara que surca la noche. El mundo se ilumina de un momento a otro.

Alzo la vista, alumbro los árboles con mis manos e irrumpo en la noche.

CAPÍTULO CATORCE

KEVIN SALE DE ENTRE LOS ÁRBOLES, DISFRAZADO DE momia. Él fue el que me embistió. Las luces lo paralizan y parece anonadado, tratando de entender de dónde vienen. Lleva gafas de visión nocturna. "Conque así es como pueden vernos —pienso—. ¿De dónde las habrán sacado?".

Arremete contra mí, pero me aparto de su camino en el último segundo y le hago una zancadilla.

—¡Suéltenme! —oigo gritar desde el sendero. Echo un vistazo y alumbro los árboles con mis luces, pero no se mueve nada. No puedo distinguir si es la voz de Emily o la de Sarah. Después, se oye la risa de un hombre.

Kevin trata de levantarse, pero lo pateo por un lado antes de que pueda incorporarse y entonces vuelve a caer al suelo con un "¡Um!". Le arrebato las gafas y las tiro lo más lejos posible. Sé que aterrizarán a más de un kilómetro de distancia, incluso puede que a tres o cinco, pues estoy tan furioso que mi fuerza está descontrolada. Después, salgo disparado por entre los árboles antes de que Kevin pueda incluso sentarse.

El sendero serpentea hacia la izquierda, luego a la derecha. Mis manos brillan solo cuando necesito ver. Siento que estoy cerca. Y entonces veo a Sam adelante, rodeado por los brazos de un zombi. Hay otros tres muy cerca.

El zombi lo suelta.

—Tranquilo, es una broma. No te va a pasar nada si no opones resistencia —le dice a Sam—. Siéntate por ahí.

Enciendo las manos de golpe y les doy con la luz en los ojos para encandilarlos. El que está más cerca camina hacia mí, entonces ataco y lo golpeo en un lado de la cara. Cae al suelo, inmóvil. Las gafas de visión nocturna salen volando y desaparecen entre los matorrales abandonados. El segundo trata de rodearme con los brazos, pero me libero y lo alzo del suelo.

—¿Y esto qué...? —exclama, confundido.

Lo arrojo y se estampa contra un árbol a unos seis metros. El tercero lo ve todo y sale corriendo. Entonces, queda solo el cuarto, el que tenía agarrado a Sam y ahora alza las manos por delante, como si estuviera apuntándole al pecho con una pistola.

—No fue idea mía —dice.

—¿Cuál es el plan?

—Nada, hermano. Solo queríamos hacerles una broma, asustarlos un poco.

—¿Dónde están?

—Soltaron a Emily. Sarah está más adelante.

—Dame tus gafas.

—Ni lo sueñes, hermano. Nos las prestó la Policía. Me metería en problemas.

Me le acerco.

—Está bien —dice. Se las quita y me las pasa, y yo las lanzo con más fuerza aún que las anteriores. Espero que caigan en el próximo pueblo. A ver cómo se lo explican a la Policía.

Me agarro de la camiseta de Sam con la mano derecha. No puedo ver nada si no enciendo mi luz. Y solo en ese momento pienso que debería haberme quedado con los dos pares de gafas para los dos. Pero no lo hice, así que respiro profundamente, enciendo la mano izquierda y empiezo a guiar el camino. Si a Sam le resulta sospechoso, no lo demuestra.

Me detengo para escuchar. Nada. Seguimos avanzando, abriéndonos camino por entre los árboles. Apago la luz.

—¡Sarah! —grito.

Vuelvo a detenerme, aguzando el oído, pero no oigo nada aparte del viento que sopla entre las ramas y la respiración pesada de Sam.

—¿Cuántos están con Mark? —pregunto.

—Unos cinco.

—¿Sabes por dónde se fueron?

—No vi nada.

Seguimos avanzando. No tengo ni la menor idea de hacia dónde vamos. Muy a lo lejos, oigo rugir el motor del tractor. El cuarto paseo está empezando. La desesperación me carcome por dentro y quiero echarme a correr, pero sé que Sam no podría seguirme el ritmo. Ya está respirando pesadamente, y hasta yo estoy sudando, aunque estamos a menos de diez grados. O a lo mejor lo que creo que es sudor es sangre. No lo sé.

Al pasar junto a un árbol grueso, con el tronco lleno de nudos, alguien me ataca por detrás. Sam grita cuando un puño me golpea por detrás de la cabeza y me deja pasmado por un momento, pero después me doy la vuelta y agarro al tipo por la garganta y le doy con la luz en la cara. Trata de apartar mi dedos, pero sin éxito.

—¿Qué está planeando Mark?

—Nada.

—Respuesta incorrecta.

Lo empujo contra el árbol más cercano, a metro y medio de distancia, después vuelvo a agarrarlo por la garganta y lo

levanto unos treinta centímetros del suelo. Patalea violentamente, y me golpea, pero yo tenso los músculos para que sus
patadas no me afecten.

—¿Qué está planeando?

Lo bajo hasta que sus pies tocan suelo firme y aflojo un
poco la mano en torno a su garganta para que pueda hablar.
Puedo sentir la mirada de Sam, absorbiéndolo todo, pero no
puedo hacer nada al respecto.

—Solo queríamos darles un susto —dice con voz entrecortada.

—Te juro que voy a partirte por la mitad si no me dices
la verdad.

—Mark cree que los otros están llevándolos a ustedes
dos a la cascada del Pastor. Allí llevó a Sarah. Quería que ella
viera cómo te hacía papilla. Después iba a dejarlos ir.

—Llévame —le digo.

Él avanza arrastrando los pies, yo apago mi luz. Sam se
agarra de mi camiseta y nos sigue por detrás. Al atravesar un
pequeño claro iluminado por la luz de la luna, puedo ver que
está mirándome las manos.

—Son unos guantes —le digo—. Los tenía Kevin Miller.
Es una especie de accesorio de Halloween.

Sam asiente, pero me doy cuenta de que está aterrado.
Caminamos casi un minuto hasta que oímos el sonido del agua
que corre justo delante de nosotros.

—Dame tus gafas —le digo al que está guiándonos.

Él titubea y yo le tuerzo el brazo. Entonces, se retuerce
de dolor y se las quita enseguida.

—¡Tómalas, tómalas! —grita.

Al ponérmelas, el mundo queda envuelto por un velo
verde. Le doy un fuerte empujón a nuestro guía, que cae al
suelo.

—Vamos —le digo a Sam y continuamos, dejándolo atrás.

Entonces, veo al grupo un poco más adelante. Cuento a ocho tipos, más Sarah.

—Ya puedo verlos. ¿Quieres esperar aquí o venir conmigo? Puede que la cosa se ponga fea.

—Quiero ir —responde Sam. Puedo ver que está asustado, pero no estoy seguro de si es por lo que me ha visto hacer o por los jugadores de fútbol americano que nos esperan.

Recorro el resto del camino lo más sigilosamente posible, Sam avanza en puntillas detrás de mí. Cuando estamos a un par de metros de distancia, una rama se rompe bajo sus pies.

—¿John? —pregunta Sarah. Está sentada en una enorme roca, abrazándose las piernas, con las rodillas pegadas al pecho. Como no tiene gafas de visión nocturna, achica los ojos para vernos.

—Sí —respondo—. Y Sam.

Sonríe.

—Te lo dije —dice, y supongo que está hablándole a Mark.

El agua que oí no es más que un arroyo rumoroso. Mark da un paso al frente.

—Bueno, bueno, bueno —dice.

—Cállate, Mark —le digo—. Una cosa es llenarme de estiércol el casillero, pero ahora ya te pasaste.

—¿Eso crees? Somos ocho contra dos.

—Sam no tiene nada que ver con esto. ¿Tienes miedo de enfrentarme solo? —pregunto—. ¿Qué crees que va a pasar? Ya has tratado de secuestrar a dos personas. ¿De verdad crees que se van a quedar callados?

—Sí, claro. Cuando me vean darte una paliza.

—Estás delirando —le digo. Después me dirijo a los demás—: A los que no quieran ir a parar al agua, les sugiero que se vayan ahora mismo. Mark va para allá, pase lo que pase. Ya perdió su oportunidad de trueque.

Todos se ríen. Uno de ellos pregunta qué quiere decir "trueque".

—Es su última oportunidad —les digo.

Todos se quedan firmes.

—Bueno, pues que así sea —anuncio.

Una emoción nerviosa se planta en el centro de mi pecho. Cuando doy un paso adelante, Mark retrocede, se tropieza con sus propios pies y se cae. Dos de sus amigos vienen hacia mí, los dos son más grandes que yo. Uno intenta pegarme, pero esquivo su puño y hundo el mío en su abdomen. Él se dobla en dos, cogiéndose el estómago con las manos. Entonces empujo al segundo, que sale volando, aterriza con un golpe sordo a un metro y medio de distancia y el impulso lo hace caer en el agua. Se levanta chapoteando. Los otros se quedan como clavados, paralizados. Siento a Sam moviéndose hacia Sarah. Agarro al primero de los tipos y lo arrastro por el suelo. Sus patadas desorientadas surcan el aire pero no dan contra nada. Cuando llegamos a la orilla del arroyo, lo alzo del borde de los pantalones y lo echo al agua. Otro se abalanza contra mí, pero yo me limito a esquivarlo y él cae de bruces en el arroyo. Van tres, faltan cuatro. Me pregunto cuánto alcanzarán a ver Sarah y Sam sin las gafas.

—Están poniéndomelo demasiado fácil, amigos —digo—. ¿Quién sigue?

El más grande del grupo lanza un puñetazo que no alcanza ni a rozarme, pero contraataco tan rápido que su codo choca contra mi cara. La tira de las gafas se revienta y las gafas caen al suelo. Ahora solo puedo ver unas sombras leves. Lanzo un puñetazo y le doy en la mandíbula al tipo, que se desploma como un bulto de papas, sin vida, y temo haberlo golpeado demasiado fuerte. Le arranco las gafas y me las pongo.

—¿Algún voluntario?

Dos de ellos alzan las manos en un gesto de rendición. El tercero está paralizado, mirándome boquiabierto, como un idiota.

—Entonces solo quedas tú, Mark.

Mark se voltea como si pretendiera escapar, pero me abalanzo y lo agarro. Le levanto los brazos en una llave de lucha libre. Él se retuerce, adolorido.

—Esto se acaba ahora mismo, ¿me entiendes? —aprieto con más fuerza. Mark gruñe de dolor—. Lo que sea que tienes contra mí, se acaba ahora. Y esto incluye a Sam y a Sarah, ¿me entiendes? —aprieto aún más fuerte. Temo que voy a dislocarle el hombro si hago más fuerza—. Pregunté que si me entiendes.

—¡Sí!

Lo arrastro hasta donde está Sarah. Ahora Sam está sentado a su lado en la roca.

—Pídele perdón.

—Vamos, hermano. Ya demostraste que tenías la razón.

Aprieto.

—¡Perdón! —grita.

—Dilo en serio.

Respira profundamente.

—Perdón.

—¡Eres un imbécil, Mark! —le dice Sarah y le da una buena bofetada. Él se tensa, pero yo lo tengo agarrado firmemente y no puede hacer nada al respecto.

Lo arrastro hasta el agua. Los demás están paralizados, mirando. El tipo al que dejé inconsciente está sentado, rascándose la cabeza, como tratando de entender qué ha pasado. Respiro aliviado de ver que no está grave.

—No vas a decirle ni una sola palabra de esto a nadie, ¿entendido? —digo con una voz tan baja que solo Mark puede oírme—. Todo lo que ha pasado esta noche muere aquí. Te juro que si llego a oír una sola palabra en el colegio la próxima semana, esto no será nada comparado con lo que te pasará entonces. ¿Me entiendes? Ni una sola palabra.

—¿En serio crees que voy a contar algo?

—Asegúrate de decirles lo mismo a tus amigos. Si llegan a contárselo a una sola persona, será a ti a quien iré a buscar.

—No vamos a decir nada.

Lo suelto, pongo un pie en su trasero y lo empujo de bruces al agua. Sarah está de pie en la roca, con Sam a su lado. Me abraza con fuerza cuando voy a buscarla.

—¿Acaso practicas kung-fu o algo así? —pregunta.

Me río nerviosamente.

—¿Podías ver algo?

—No mucho, pero podía darme cuenta de lo que estaba pasando. ¿Llevas toda la vida entrenando en las montañas, o qué? No entiendo cómo lo hiciste.

—Solo tenía miedo de que te pasara algo, creo yo. Y, pues sí, también cuentan los últimos doce años que pasé en el Himalaya practicando artes marciales.

—Eres impresionante —se ríe—. Salgamos de aquí.

Ninguno de los amigos de Mark dice una sola palabra. Tres metros después, me doy cuenta de que no tengo ni idea de hacia dónde vamos y le doy las gafas a Sarah para que nos guíe.

—No puedo creer esta porquería que nos ha hecho —dice Sarah—. Es que es un imbécil. Y espera a que tenga que explicárselo a la Policía. No voy a dejar que se escape.

—¿De verdad piensas ir a la Policía? Su papá es el jefe, al fin y al cabo —digo.

—¿Cómo no voy a ir a la Policía después de esto? Fue algo muy bajo. El trabajo del papá de Mark es hacer respetar la ley, incluso cuando su hijo la rompa.

Me encojo de hombros en medio de la oscuridad.

—Creo que ya tuvieron su merecido.

Me muerdo el labio, horrorizado ante la idea de que la Policía intervenga. Si esto sucede, tendré que irme, no hay de otra. En cuanto Henri se entere, habremos empacado y abandonado el pueblo en una hora. Suspiro.

—¿No crees? —pregunto—. Es decir, ya perdieron varias gafas y tendrán que responder por eso. Y ni hablar del agua helada.

Sarah no responde. Caminamos en silencio, y yo rezo porque esté considerando las ventajas de dejarlo pasar.

El límite del bosque aparece finalmente ante nuestros ojos. Empezamos a ver las luces del parque. Sarah y Sam me miran cuando me detengo. Sam ha guardado silencio todo el tiempo, y espero que sea porque en realidad no podía ver lo que pasaba, que la oscuridad, por una vez, haya servido como una aliada inesperada, que quizás esté un poco impresionado por todo, nada más.

—Ustedes deciden —digo—, pero yo voto por que nos olvidemos del asunto. En realidad, no quiero tener que hablar de lo que pasó con la Policía.

La luz cae sobre el rostro escéptico de Sarah, que sacude la cabeza.

—Creo que tiene razón —le dice Sam—. No quiero tener que pasar la próxima media hora escribiendo un estúpido informe. Eso me metería en problemas, porque mi mamá cree que me fui a dormir hace una hora.

—¿Vives cerca? —le pregunto.

Él asiente.

—Sí, y tengo que irme antes de que ella vaya a echar un vistazo a mi cuarto. Nos vemos.

Sin decir más, Sam se aleja a toda prisa. Se nota que está nervioso. Probablemente nunca había tenido una pelea y, sin la menor duda, una en la que lo secuestraran y atacaran en el bosque. Intentaré hablar con él mañana. Si en realidad vio algo que no debía, lo convenceré de que fue una ilusión óptica.

Sarah gira mi cara hacia la suya y sigue la línea de mi herida con el pulgar, moviéndolo muy suavemente por mi frente. Después, sigue la línea de mis cejas, mirándome fijamente a los ojos.

—Gracias por esta noche. Sabía que llegarías.

Me encojo de hombros.

—No iba a dejar que te asustara.

Ella sonríe. Puedo ver cómo le brillan los ojos bajo la luz de la luna. Se me acerca, y cuando me doy cuenta de lo que está a punto de suceder, me quedo sin respiración. Sarah presiona sus labios contra los míos, y yo me derrito por dentro. Es un beso suave, lento. Mi primer beso. Luego se aparta y sus ojos me miran detenidamente. No sé qué decir. Un millón de pensamientos diferentes revolotean en mi cabeza. Me tiemblan las piernas; apenas consigo mantenerme en pie.

—Supe que eras especial desde la primera vez que te vi —me dice.

—Yo sentí lo mismo contigo.

Se acerca y vuelve a besarme, presionándome la mejilla ligeramente con la mano. Durante los primeros segundos, me pierdo en la sensación que me producen sus labios sobre los míos, y en la idea de que estoy con esta chica hermosa.

Sarah se aparta y los dos nos sonreímos, sin decir nada, mirándonos fijamente.

—Bueno, creo que lo mejor es que vayamos a ver si Emily sigue por aquí —me dice después de unos diez segundos—. O, si no, me castigarán.

—Seguro que sí.

Caminamos al pabellón cogidos de la mano. No puedo dejar de pensar en nuestros besos. El quinto tractor avanza dando resoplidos. El remolque está lleno, y todavía hay una fila de diez o más personas esperando su turno. Y después de todo lo que acaba de pasar en el bosque, con la cálida mano de Sarah entre la mía, no hay quien me borre la sonrisa de la cara.

CAPÍTULO
QUINCE

LA PRIMERA NEVADA CAE DOS SEMANAS DESPUÉS. SOLO unos cuantos copos, apenas los suficientes para cubrir la camioneta con una finísima capa de nieve. Después de Halloween, tan pronto el cristal loriense extendió mi lumen por todo mi cuerpo, Henri empezó mi verdadero entrenamiento. Entrenamos todos los días, sin falta, bajo el frío y la lluvia y ahora la nieve. Aunque él no lo dice, creo que está impaciente por verme completamente preparado. Primero aparecieron las miradas desconcertadas, las cejas arrugadas mientras se mordía el labio inferior; luego vinieron los suspiros profundos, seguidos por las noches en blanco, las tablas del suelo que crujían bajo sus pies, y yo igualmente desvelado en mi habitación, hasta la situación actual, marcada por una desesperación implícita en la voz forzada de Henri.

Estamos en el jardín de atrás, frente a frente, separados por unos tres metros.

—Hoy no tengo ganas, en serio —le digo.

—Lo sé, pero tenemos que entrenar de todos modos.

Suspiro y miro mi reloj. Son las cuatro.

—Sarah llegará a las seis —le digo.

—Lo sé —dice Henri—, por eso debemos darnos prisa.

Tiene una pelota de tenis en cada mano.

—¿Listo? —pregunta.

—Más listo, imposible.

Lanza la primera pelota al aire, y cuando llega al punto más alto, trato de conjurar un poder en lo profundo de mi ser para que no caiga. No sé cómo tengo que hacerlo, solo que debería *poder* hacerlo, con el tiempo y la práctica, según Henri. Todos los garde desarrollamos la capacidad de mover objetos con la mente. Telequinesis. Y en vez de dejarme descubrirla por mi cuenta —como sucedió con mis manos—, parece empeñado en sacarla de la cueva donde está hibernando.

La pelota cae, igual que las miles de pelotas anteriores, sin la menor interrupción, rebota dos veces, luego se queda inmóvil sobre la hierba cubierta de nieve.

Suelto un suspiro profundo.

—Hoy no estoy sintiéndolo.

—Otra vez —dice Henri.

Lanza la segunda pelota. Trato de moverla, de detenerla, todo en mi interior se esfuerza por hacer que la condenada bola se mueva al menos un centímetro a la derecha o la izquierda, pero no hay suerte. También cae al suelo. Bernie Kosar, que ha estado observándonos, se acerca, la alza y se aleja.

—Ya llegará cuando tenga que llegar —digo.

Henri sacude la cabeza, con los músculos de la mandíbula tensionados. Su malhumor y su impaciencia empiezan a molestarme. Se queda viendo a Bernie Kosar alejarse con la pelota; después suspira.

—¿Qué? —le pregunto.

Vuelve a sacudir la cabeza.

—Sigamos intentándolo.

Recoge la otra pelota y la lanza muy alto. Intento detenerla, pero, por supuesto, cae el suelo.

—Tal vez mañana —digo.

Henri asiente, mirando hacia el suelo.

—Tal vez mañana.

⌐¬

Termino nuestro entrenamiento bañado en mugre, sudor y nieve derretida. Henri me exigió hoy más de lo normal y con una agresividad que solo puede deberse al pánico. Aparte del entrenamiento de la telequinesis, dedicamos la mayor parte de nuestra sesión a las técnicas de combate (mano a mano, lucha libre, artes marciales), seguidas por los elementos de compostura (mantener la calma bajo presión, control mental, cómo detectar el miedo en los ojos de un contrincante y la mejor manera de ponerlo en evidencia). No fue la intensidad del entrenamiento de Henri lo que me afectó, sino su mirada. Una mirada consternada, teñida de miedo, desesperación, desilusión. No sé si solo está preocupado por mi desarrollo o si hay algo más profundo, pero estas sesiones están volviéndose muy agotadoras, emocional y físicamente.

⌐¬

Sarah llega puntualmente. Salgo y le doy un beso cuando sube al porche de la entrada. Le recibo el abrigo y lo cuelgo cuando entramos. Falta una semana para el examen de nuestra clase de cocina, y fue idea suya que ensayáramos la comida antes de que tengamos que prepararla en clase. En cuanto empezamos a cocinar, Henri toma su chaqueta y se va a dar un paseo. Se lleva a Bernie Kosar, y yo agradezco la privacidad. Hacemos pechugas de pollo al horno, papas y vegetales al vapor, y nos queda mucho mejor de lo que esperaba. Cuando todo está listo, nos sentamos los tres y comemos juntos. Henri permanece callado casi todo el tiempo. Sarah y yo rompemos el silencio incómodo hablando de cosas sin importancia, del colegio, del plan de ir a cine el próximo sábado. Henri apenas alza la vista del plato para decir lo buena que está la cena.

Cuando terminamos, Sarah y yo lavamos los platos y pasamos todos al sofá. Ella ha traído una película y la vemos en nuestro pequeño televisor, pero Henri se dedica a mirar por la ventana casi todo el tiempo. Hacia la mitad, se levanta con un suspiro y sale de la casa. Sarah y yo lo vemos irse. Nos tomamos de la mano y ella se recuesta en mí, con la cabeza en mi hombro. Bernie Kosar está a su lado, con la cabeza en su regazo, y una cobija los cubre a los dos. Puede que la noche esté fría y borrascosa por fuera, pero nuestra sala está caliente y acogedora.

—¿Está bien tu papá? —pregunta Sarah.

—No lo sé. Ha estado raro.

—Estuvo muy callado durante la cena.

—Sí, voy a ver cómo está. Ahora vuelvo —le digo y voy a buscar a Henri afuera. Está en el porche, contemplando la oscuridad.

—¿Qué es lo que pasa? —pregunto.

Él alza la vista hacia las estrellas, ensimismado.

—Siento que algo anda mal —dice.

—¿A qué te refieres?

—No te va a gustar.

—Bien. Suéltalo.

—No sé cuánto tiempo más debamos quedarnos aquí. Siento que no es seguro.

El corazón me da un vuelco y me quedo callado.

—Están desesperados, y creo que están acercándose, puedo sentirlo. Creo que no estamos a salvo aquí.

—No quiero irme.

—Sabía que no querrías.

—Nos hemos mantenido escondidos.

Henri me mira con una ceja alzada.

—Sin ánimo de ofender, John, pero no me parece que te hayas mantenido precisamente en la sombra.

—Lo he hecho cuando tocaba.

Él asiente.

—Ya veremos.

Camina hasta el borde del porche y pone las manos en la barandilla. Me paro a su lado. Empiezan a caer nuevos copos de nieve, lentamente; chispitas blancas que centellean en la noche oscura.

—Eso no es todo —dice.

—Me lo imaginaba.

Henri suspira.

—Ya deberías haber desarrollado la telequinesis. Esta viene casi siempre con el primer legado. Muy raras veces llega después, y en ese caso, nunca tarda más de una semana.

Lo miro. La intranquilidad se refleja en sus ojos, y unas arrugas de preocupación le surcan la frente.

—Los legados vienen de Lorien. Siempre ha sido así.

—¿Qué estás tratando de decirme?

—No sé qué tanto podamos esperar de ahora en adelante —responde, luego hace una pausa—. Como ya no estamos en el planeta, no sé si tus demás legados vayan a aparecer después de todo. Y si no aparecen, no tenemos esperanzas de luchar contra los mogadorianos, mucho menos de derrotarlos. Y si no podemos derrotarlos, nunca podremos regresar.

Contemplo la nevada, incapaz de decidir entre si debería sentirme preocupado o aliviado; aliviado porque quizás esto pondría fin a nuestra vida errante y podríamos asentarnos finalmente. Henri señala las estrellas.

—Justo allí —dice—. Justo allí está Lorien.

Por supuesto que sé claramente dónde está, sin necesidad de que me lo digan. Hay una fuerza que atrae a mis ojos hacia el lugar donde, a miles de millones de kilómetros de distancia, está Lorien. Trato de atrapar un copo de nieve con la punta de la lengua, luego cierro los ojos y aspiro el aire frío. Al abrirlos, me volteo y observo a Sarah a través de la ventana. Está sentada sobre sus piernas, con la cabeza de Bernie Kosar aun en su regazo.

—¿Nunca has pensando en la posibilidad de asentarte aquí, de mandar al diablo a Lorien y hacerte una vida aquí en la Tierra? —le pregunto a Henri.

—Nos fuimos cuando eras muy pequeño. Supongo que no recuerdas gran cosa, ¿o sí?

—No mucho. De vez en cuando me vienen como una especie de fragmentos. Pero no estoy seguro de si son cosas que recuerdo o cosas que he visto durante nuestro entrenamiento.

—Creo que no sentirías lo mismo si pudieras recordar.

—Pero no puedo, precisamente, ¿no?

—Tal vez —contesta—. Pero el que quieras o no regresar, no significa que los mogadorianos vayan a dejar de buscarte. Y si nos descuidamos y nos establecemos, puedes estar seguro de que nos encontrarán. Y apenas nos encuentren, nos matarán a los dos. Eso no podemos cambiarlo. Es imposible.

Sé que tiene razón. De alguna manera, al igual que Henri, puedo sentir eso mismo, puedo sentirlo en plena noche, cuando se me erizan los brazos, cuando un ligero escalofrío me sube por la espalda aunque no tenga frío.

—¿Nunca te has arrepentido de quedarte conmigo todo este tiempo?

—¿Arrepentirme? ¿Por qué crees que iba a arrepentirme?

—Porque ya no hay nada que nos espere allá. Tu familia está muerta. Y la mía. En Lorien solo nos espera una vida dedicada a la reconstrucción. Si no fuera por mí, bien podrías crearte una identidad aquí y pasar el resto de tus días haciéndote parte de algún lugar. Podrías tener amigos, hasta podrías volver a enamorarte.

Se ríe.

—Yo ya estoy enamorado. Y lo estaré hasta el día en que me muera. No espero que lo comprendas. Lorien es diferente a la Tierra.

Dejo escapar un suspiro de exasperación.

—Pero aún así podrías ser parte de algún lugar.

—Soy parte de un lugar. Soy parte de Paraíso, Ohio, ahora mismo, contigo.

Sacudo la cabeza.

—Tú sabes lo que quiero decir, Henri.

—¿Y qué crees que echo de menos?

—Una vida.

—Tú eres mi vida, muchacho. Tú y mis recuerdos son mis únicos lazos con el pasado. Sin ti, no tengo nada. Esa es la verdad.

La puerta se abre detrás de nosotros en ese momento. Bernie Kosar sale corriendo por delante de Sarah, que está justo en la entrada, con la mitad del cuerpo adentro y la otra mitad afuera.

—¿En serio van a hacerme ver toda la película solita?

Henri le sonríe.

—Ni en sueños —dice.

Después de la película, Henri y yo llevamos a Sarah a su casa. Al llegar, la acompaño hasta la puerta y nos quedamos en la escalera de la entrada, sonriéndonos mutuamente. Le doy un beso de buenas noches, un beso lento, mientras sostengo sus manos suavemente entre las mías.

—Nos vemos mañana —dice, apretándome las manos.

—Dulces sueños.

Regreso a la camioneta. Salimos por el camino de acceso a la casa de Sarah y nos dirigimos a la nuestra. No puedo dejar de sentir cierto temor al recordar las palabras de Henri cuando me recogió después de mi primer día completo de clases: "Pero no se te olvide que quizás tengamos que irnos de un momento a otro". Tiene razón, y lo sé, pero nunca había sentido esto por ninguna persona. Es como si flotara en el aire cuando estoy con ella, y me atemorizan los momentos en que estamos separados, como ahora, aunque acabamos de pasar juntos el último par de horas. Sarah le da cierto sentido a nuestra vida errante, dedicada a la fuga y a escondernos. Un motivo que trasciende la mera supervivencia. Un motivo para ganar. Y saber que podría poner su vida en peligro por el hecho de estar con ella me aterroriza.

Cuando volvemos, Henri va a su habitación y sale con el cofre en las manos. Lo pone sobre la mesa de la cocina.

—¿En serio? —pregunto.

Él asiente.

—Aquí adentro hay algo que he querido mostrarte desde hace años.

Me muero de ganas de ver qué más hay en el cofre. Abrimos juntos el candado y Henri alza la tapa de una manera que me impide mirar hacia adentro. Saca una bolsa de terciopelo, baja la tapa y vuelve a cerrar el candado.

—Esto no hace parte de tu legado, pero la última vez que abrimos el cofre, lo metí por el mal presentimiento que he tenido últimamente. Si los mogadorianos nos encuentran, nunca podrán abrirlo —dice, señalando el cofre con un gesto.

—¿Y qué hay en la bolsa?

—El sistema solar.

—Si no hace parte de mi legado, ¿por qué no me lo habías mostrado antes?

—Porque tienes que haber desarrollado un legado para poder activarlo.

Henri despeja la mesa de la cocina y se sienta frente a mí, con la bolsa en su regazo. Me sonríe, pues percibe mi entusiasmo. Después, mete la mano en la bolsa y saca siete esferas de cristal de distintos tamaños. Las alza hasta la altura de su cara entre las manos ahuecadas y les sopla. En su interior, aparecen unas chispitas luminosas. Luego las lanza al aire, y de repente, cobran vida y empiezan a flotar sobre la mesa de la cocina. Las bolas de cristal son una réplica de nuestro sistema solar. La más grande es del tamaño de una naranja —el Sol de Lorien— y flota en la mitad, emanando la misma cantidad de luz que una bombilla, y parece como si fuera una esfera de lava. Las otras giran a su alrededor. Las que están más cerca del Sol se mueven más rápido, mientras que las que están más lejos parecen arrastrarse simplemente. Todas giran en sí mismas; los días empiezan y terminan a una velocidad extrema. La cuarta esfera en relación con el Sol es Lorien. Lo vemos moverse, vemos cómo empieza a formarse su superficie. Tiene más o menos el tamaño de una pelota de ráquetbol. La réplica no debe de ser a escala, pues Lorien es mucho más pequeño que nuestro Sol.

—¿Y qué está pasando? —pregunto.

—La bola está tomando la forma exacta de como se ve Lorien en este momento.

—¿Pero cómo puede ser posible?

—Es un lugar especial, John. Una magia antigua reside en su puro centro. De allí vienen los legados. Es lo que da vida y realidad a los objetos de tu herencia.

—Pero acabas de decirme que no hace parte de mi legado.

—No, pero vienen del mismo lugar.

Se forman hendiduras, crecen montañas, unos pliegues profundos surcan la superficie donde sé que alguna vez discurrieron los ríos. Luego para. Busco algún tipo de color, algún movimiento, algún viento que pueda soplar por entre los campos, pero no hay nada. El paisaje entero es una mancha monocromática de gris y negro. No sé qué esperaba ver, que creía que vería. Alguna suerte de movimiento, algún indicio de fertilidad. Esto me desmoraliza. Entonces, la superficie se apaga de manera que podemos ver a través de ella, y en el puro centro de la esfera empieza a formarse un leve brillo. Resplandece, luego se apaga, luego vuelve a resplandecer, como si estuviera reproduciendo el latido de un animal durmiente.

—¿Qué es eso? —pregunto.

—El planeta todavía vive y respira. Se ha replegado en sí mismo para esperar el momento oportuno. Está hibernando, por así decirlo. Pero despertará un día de estos.

—¿Por qué estás tan seguro?

—Este pequeño resplandor —dice—. Allí está la esperanza, John.

Lo observo. Siento un extraño placer viéndolo brillar. Trataron de arrasar con nuestra civilización, con el planeta mismo, y aun así sigue respirando. "Sí —pienso—, siempre hay esperanza, como lo ha dicho Henri todo el tiempo".

—Y esto no es todo.

Henri se levanta y chasquea los dedos, y los planetas se detienen. Acerca el rostro a Lorien, ahueca las manos alrededor de su boca y vuelve a soplarle. Rastros de azul y verde recorren la esfera y empiezan a desvanecerse casi en el mismo instante en que el vaho del aliento de Henri se evapora.

—¿Qué hiciste?

—Alúmbrala con tus manos.

Enciendo mi luz, y al sostener las manos sobre la esfera, el verde y el azul regresan. Y esta vez se mantienen mientras mis manos la alumbran.

—Así era Lorien el día anterior a la invasión. ¿Ves lo hermoso que es todo? A veces hasta se me olvida.

Es hermoso. Todo es azul y verde, fresco y fastuoso. La vegetación parece temblar bajo unas ráfagas de viento que puedo sentir por alguna razón. Unas ondas ligeras aparecen en el agua. El planeta está realmente *vivo*, floreciendo. Pero entonces apago mi luz y todo vuelve a fundirse en sombras de gris.

Henri señala un lugar en la superficie de la esfera.

—Justo de aquí partimos el día de la invasión. —Luego mueve el dedo a un centímetro de ese lugar—. Y justo aquí estaba el Museo Loriense de Exploración.

Asiento y observo el lugar señalado. Más grises.

—¿Y qué tienen que ver los museos? —pregunto y me recuesto en la silla. Es difícil ver todo esto sin entristecerse.

Henri vuelve a mirarme.

—He estado pensado mucho en lo que viste.

—Ajá —le digo, animándolo a que continúe.

—Era un museo enorme, dedicado en su totalidad a la evolución de los viajes espaciales. En una de sus alas, estaban los cohetes antiguos, que tenían miles de años. Cohetes que funcionaban con una especie de combustible conocido únicamente en Lorien —hace una pausa y vuelve a mirar la pequeña bola de cristal que flota a unos cincuenta centímetros sobre la mesa de la cocina—. Si lo que viste sucedió realmente, si una segunda nave logró despegar y escapar de Lorien en plena guerra, entonces tendría que haber estado en el museo espacial. No hay otra explicación. Todavía me cuesta creer que haya funcionado, y aún así, que haya llegado muy lejos.

—Pero si no podría haber llegado muy lejos, ¿por qué sigues pensando en eso?

Henri sacude la cabeza.

—Pues no estoy muy seguro. Tal vez porque ya me he equivocado en otras ocasiones. Tal vez porque espero estar equivocado ahora. Y, bueno, si *hubiera* llegado a algún lado, entonces habría llegado aquí, al planeta capaz de sustentar vida más cercano a Lorien aparte de Mogadore. Y eso suponiendo, para empezar, que había algo de vida en su interior, que no estaba llena de artefactos, o vacía, pensada simplemente como una estrategia para confundir a los mogadorianos. Pero creo que tendría que haber habido al menos un loriense a su cargo porque, como supongo que ya sabes, las naves de ese estilo no podían viajar por sí mismas.

Otra noche de insomnio. Estoy de pie frente al espejo, sin camisa y con las luces de mis manos encendidas. "No sé qué tanto podamos esperar de ahora en adelante", dijo Henri hoy. La luz del núcleo de Lorien sigue brillando, y los objetos que trajimos de allí siguen funcionando, ¿por qué tendría que haberse acabado su magia entonces? ¿Y qué será de los otros? ¿Estarán teniendo los mismos problemas? ¿Seguirán esperando sus legados?

Hago una flexión frente al espejo; luego doy un puñetazo en el aire, con la esperanza de que el espejo se rompa o que se oiga un ruido sordo en el suelo. Pero nada. Solo yo, como un idiota, sin camisa, boxeando conmigo mismo mientras Bernie Kosar me mira desde la cama. Ya casi es medianoche y no siento nada de cansancio. Bernie Kosar baja de la cama con un salto, se sienta a mi lado y contempla mi reflejo. Le sonrío y él menea la cola.

—¿Y tú qué? —le pregunto—. ¿Tienes poderes especiales? ¿Eres un superperro? ¿Debería volver a ponerte la capa para que puedas salir volando por los aires?

Él sigue meneando la cola y toca el suelo con las patas mientras me mira con los ojos alzados. Lo levanto por encima de mi cabeza y lo hago volar por la habitación.

—¡Mira! ¡Es Bernie Kosar, el superperro magnífico!

Trata de liberarse y lo bajo. Se echa de lado y azota el colchón con la cola.

—Pues bien, amigo mío, uno de nosotros debería tener superpoderes. Y no parece que vaya a ser yo. A no ser que volvamos a la Edad de las Tinieblas y pueda darle luz al mundo. Si no, creo que no sirvo para nada.

Bernie Kosar se echa boca arriba y me mira con sus ojos enormes, esperando a que le rasque la panza.

CAPÍTULO
DIECISÉIS

SAM HA ESTADO ELUDIÉNDOME. EN EL COLEGIO, PARECE desaparecer al verme, o siempre se asegura de que estemos con más personas. Ante la insistencia de Henri —que está desesperado por hacerse con la revista de Sam después de rastrear todo lo que hay en Internet y no encontrar nada parecido—, decido caerle de sorpresa en su casa. Henri me lleva después del entrenamiento del día. Sam vive en las afueras, en una casita modesta. Nadie responde cuando toco a la puerta; entonces, intento abrirla. Y como no está cerrada con llave, entro.

El suelo está cubierto por una alfombra color tabaco. Unas fotos familiares de cuando Sam era pequeño cuelgan de las paredes hechas de paneles de madera: él, su mamá y un hombre que supongo que es su padre y que usa unas gafas tan gordas como las de Sam. Entonces, las miro más de cerca. Son idénticas.

Avanzo sigilosamente por el corredor hasta encontrar la que debe de ser la puerta del cuarto de Sam; un letrero que dice "ENTRE BAJO SU PROPIO RIESGO" cuelga de una tachuela. Como está entornada, echo un vistazo hacia adentro. Es una habitación muy limpia, todo está puesto deliberadamente en su lugar. La cama está tendida y cubierta por una colcha negra con un estampado de Saturno. Las fundas de las almohadas hacen juego. Las paredes están llenas de afiches. Hay dos de la NASA, uno de la película *Alien, el octavo pasajero,* uno de *La guerra de las galaxias,* y otro afiche ultravioleta con la cabeza verde de un extraterrestre rodeada de fieltro negro. En la mitad del cuarto, colgando de un hilo transparente, está el sistema solar con sus nueve planetas y el Sol. Me hace pensar en lo que Henri me mostró hace un par de días y pienso que Sam enloquecería si llegara a verlo. Y entonces lo veo, encorvado sobre una mesita de roble, con los audífonos puestos. Empujo la puerta y él mira por encima del hombro. No tiene las gafas puestas, y sin ellas, los ojos se le ven muy pequeños y redondos, casi como de una caricatura.

—¿Cómo andas? —pregunto con toda tranquilidad, como si me la pasara todos los días en su casa.

Sorprendido y asustado, se quita los audífonos de golpe para sacar algo de uno de los cajones. Le echo un vistazo a la mesa y veo que está leyendo un ejemplar de *Ellos caminan entre nosotros.* Cuando vuelvo a alzar la mirada, Sam está apuntándome con una pistola.

—¡Huuuy! —exclamo, alzando las manos por puro instinto—. ¿Qué pasa?

Él se levanta. Le tiemblan las manos. La pistola apunta hacia a mi pecho. Creo que se ha vuelto loco.

—Dime qué eres —dice.

—¿De qué estás hablando?

—Vi lo que hiciste en el bosque. No eres humano.

Ya me lo temía. Que hubiera visto más de lo que esperaba.

—¡Esto es absurdo, Sam! Fue una pelea. Llevo años practicando artes marciales.

—Tus manos alumbraban como si fueran linternas. Y echabas a la gente a volar como si nada. Eso no es normal.

—No seas ridículo —digo, sin bajar las manos aún—. Míralas. ¿Ves alguna luz? Te lo dije, eran unos guantes que tenía Kevin.

—¡Le pregunté a Kevin! ¡Me dijo que no tenía ningunos guantes!

—¿Y crees que él te diría la verdad después de lo que pasó? Baja la pistola.

—¡Respóndeme! ¿Qué eres?

Pongo los ojos en blanco.

—Está bien, Sam, soy un extraterrestre. Vengo de un planeta que está a miles de millones de kilómetros. Tengo superpoderes. ¿Eso es lo que quieres oír? —se queda mirándome. Le siguen temblando las manos—. ¿Te das cuenta de lo estúpido que suena? Deja de ser tan absurdo y baja la pistola.

—¿Es cierto lo que acabas de decir?

—¿Que esto es una estupidez? Sí, es cierto. Estás demasiado obsesionado con este asunto. Ves extraterrestres y conspiraciones extraterrestres en todos los aspectos de tu vida, incluyendo a tu único amigo. Y deja de apuntarme con esa maldita pistola.

Sam sigue mirándome fijamente y puedo ver que está reflexionado acerca de lo que dije. Bajo las manos. Él suspira y baja la pistola.

—Lo siento —me dice.

Respiro profunda y nerviosamente.

—Pues deberías, ¿qué diablos estabas pensando?

—No estaba cargada en realidad.

—Haberlo dicho. ¿Por qué estás tan desesperado por creer en estas cosas?

Sam sacude la cabeza y guarda la pistola en el cajón. Yo necesito un minuto para calmarme y trato de mostrarme tranquilo, como si lo que acaba de pasar no tuviera importancia.

—¿Qué estás leyendo?

Se encoge de hombros.

—Más cosas sobre extraterrestres. Tal vez debería relajarme un poco.

—O interpretarlo como ficción y no como realidad —le digo—. En todo caso, debe de ser muy convincente. ¿Puedo verlo?

Me pasa una edición de *Ellos caminan entre nosotros* y yo me siento tímidamente en el borde de su cama. Creo que ya se ha calmado bastante como para no volver a amenazarme con una pistola, por lo menos. Una vez más, es una mala fotocopia y la impresión no está bien alineada con el papel. No es nada gruesa; unas ocho páginas, máximo doce, impresas en hojas de tamaño oficio. En la parte superior, donde aparece la fecha, dice "NOVIEMBRE". Debe de ser la última edición.

—Esto es muy raro, Sam Goode.

Sonríe.

—A la gente rara le gustan las cosas raras.

—¿De dónde lo sacas?

—Estoy suscrito.

—Lo sé, pero ¿cómo?

Se encoge de hombros.

—No lo sé. Empezó a llegarme un día.

—¿Estás suscrito a alguna otra revista? A lo mejor sacaron tus datos de contacto de allí.

—Una vez fui a un congreso. Creo que me inscribí para algún concurso o algo así mientras estaba allí. No me acuerdo. Siempre supuse que fue allí donde consiguieron mi dirección.

Examino la portada. No aparece ninguna página electrónica en ninguna parte, aunque tampoco esperaba que la hubiera, teniendo en cuenta que Henri ha rebuscado en Internet hasta el cansancio. Leo el titular del artículo principal:

¿SU VECINO ES UN EXTRATERRESTRE?
¡DIEZ MANERAS INFALIBLES DE AVERIGUARLO!

En la mitad del artículo, hay una foto de un hombre con una bolsa de basura en una mano y la tapa del basurero en la otra. Está de pie, al final del camino de acceso a una casa, y debemos suponer que está en proceso de echar la basura en el basurero. Aunque toda la revista es en blanco y negro, hay un cierto brillo en sus ojos. Es una imagen pésima, como si hubieran tomado una foto de un vecino confiable y después le hubieran pintado el borde de los ojos con color. Me hace reír.

—¿Qué? —pregunta Sam.

—Esta foto es malísima. Parece algo sacado de *Godzilla*.

Sam la mira. Luego se encoge de hombros.

—No sé. Podría ser cierto. Como tú mismo dijiste, yo veo extraterrestres por todas partes y en todo.

—Pero yo creía que los extraterrestres eran así —digo señalando con un gesto el afiche ultravioleta.

—No creo que todos sean así —dice—. Y como tú mismo dijiste, eres un extraterrestre con superpoderes, y no eres así.

Los dos nos reímos, y me pregunto cómo voy a hacer para librarme de esta. Espero que nunca descubra que le dije la verdad. Aunque en parte me gustaría poder contarle todo —acerca de mí, de Henri, de Lorien—, y me pregunto cómo reaccionaría. ¿Me creería?

Hojeo la revista en busca de la página de créditos que tienen todas las publicaciones. Pero esta no tiene ninguna, solo más historias y teorías.

—No hay una página con la información editorial.

—¿Cómo así?

—Todos los periódicos y las revistas tienen esa página, donde aparece el personal, los editores, los autores, los datos de donde se imprime y todo eso, ¿no? Donde dice: "Para mayor información, escríbanos a tal y tal". Todas las publicaciones lo tienen, pero esta no.

—Tienen que proteger su anonimato.

—¿De qué?

—De los extraterrestres —dice sonriendo, como reconociendo lo absurda que es la idea.

—¿Tienes la del mes pasado?

La saca del armario. La hojeo rápidamente, con la esperanza de que el artículo sobre los mogadorianos esté en este número y no en uno anterior. Y lo encuentro en la página cuatro.

LA RAZA MOGADORIANA BUSCA APODERARSE DE LA TIERRA

La raza extraterrestre mogadoriana, del planeta Mogadore de la 9ª galaxia, lleva ya diez años en la Tierra. Es una raza despiadada que busca la dominación universal. Se dice que han acabado ya con otro planeta no muy distinto a este y que planean poner en evidencia las debilidades de la Tierra con el fin de habitar nuestro planeta próximamente.

(Continuará en el siguiente número).

Leo el artículo tres veces. Esperaba que hubiera algo más que lo que había dicho Sam, pero no hay suerte. Y la novena galaxia no existe. Me pregunto de dónde lo habrán sacado. Hojeo el último número dos veces. No hay nada sobre los mogadorianos. Lo primero que se me viene a la cabeza es que no hubiera nada más qué decir, ninguna otra noticia qué publicar. Pero dudo que ese fuera el caso. Entonces, pienso que los mogadorianos leyeron la revista y se encargaron del problema, fuera cual fuese.

—¿Me la prestas? —pregunto, sosteniendo la edición del mes pasado.

Sam asiente.

—Pero me la cuidas.

⊏⊐

Tres horas más tarde, a las ocho, la mamá de Sam no ha llegado todavía. Le pregunto dónde está y él se encoge de hombros como si no lo supiera y su ausencia no fuera nada raro. Nos dedicamos a jugar videojuegos y a ver televisión y, para cenar, comemos unas de esas comidas de calentar en microondas. Durante todo el rato que estoy en su casa, Sam no usa las gafas ni una sola vez, y esto me parece extraño, porque nunca lo había visto sin ellas. Ni siquiera se las quitó cuando corrimos los mil seiscientos metros en la clase de educación física. Las tomo del estante superior de la cómoda y me las pongo. El mundo se convierte de repente en un solo manchón y la cabeza empieza a dolerme casi de inmediato.

Miro a Sam. Está sentado en el suelo, con las piernas cruzadas, la espalda apoyada contra la cama y un libro de extraterrestres en el regazo.

—Dios mío, ¿en serio ves tan mal? —pregunto.

Alza la vista del libro.

—Eran de mi papá.

Me las quito.

—¿Ni siquiera necesitas gafas?

Se encoge de hombros.

—Pues en realidad, no.

—¿Y por qué las usas?

—Eran de mi papá.

Vuelvo a ponérmelas.

168

—Uf, ni siquiera sé cómo haces para caminar derecho con estas cosas.

—Mis ojos están acostumbrados.

—Pero sabes que pueden dañarte la vista si sigues usándolas, ¿no?

—Entonces podré ver lo que vio mi papá.

Me las quito y las dejo donde estaban. No termino de entender por qué las usa. ¿Por razones sentimentales? ¿En serio cree que vale la pena?

—Sam, ¿dónde está tu papá?

Alza la vista hacia mí.

—No lo sé.

—¿Cómo así?

—Desapareció cuando yo tenía siete años.

—¿No sabes adónde se fue?

Suspira, baja la cabeza y sigue leyendo. Claramente, no quiere hablar de eso.

—¿Tú crees en algo de esto? —me pregunta, después de unos cuantos minutos de silencio.

—¿En los extraterrestres?

—Ajá.

—Sí, sí creo en los extraterrestres.

—¿Y crees que en realidad abducen a la gente?

—No tengo ni idea. Supongo que no podemos descartarlo. ¿Tú lo crees?

Asiente.

—La mayoría de los días. Pero a veces la idea me parece estúpida.

—Lo entiendo.

Vuelve a mirarme.

—Creo que abdujeron a mi papá.

Sam se tensa en el instante en que las palabras salen de su boca y un aire de vulnerabilidad nubla su rostro. Esto me hace pensar que ya había compartido su teoría pero con alguien cuya respuesta fue cualquier cosa menos amable.

—¿Por qué lo crees?

—Porque desapareció, así no más. Se fue a la tienda a comprar pan y leche y nunca regresó. Su camioneta estaba estacionada justo afuera de la tienda, pero nadie lo vio. Se evaporó, así no más. Y sus gafas estaban en la acera junto a la camioneta —hace una pausa—. Estaba preocupado de que hubieras venido a abducirme.

Es una teoría difícil de creer. ¿Cómo es posible que nadie viera que abducían a su padre si el incidente sucedió en pleno pueblo? A lo mejor tenía sus razones para irse y tramó su propia desaparición. No es difícil desaparecerse; Henri y yo llevamos diez años haciéndolo. En todo caso, el interés de Sam por los extraterrestres adquiere sentido de un momento a otro. Y tal vez solo quiera ver el mundo como lo veía su padre, pero también puede que en el fondo crea realmente que las gafas capturaron lo último que vio, algo que quedó grabado en los lentes de alguna forma. A lo mejor piensa que, si persevera, terminará viéndolo algún día, y que esa última visión de su padre confirmará sus sospechas. O tal vez crea que si busca lo suficiente, algún día se encontrará con un artículo que pruebe que sí lo abdujeron. No solo eso, sino que además es posible salvarlo.

¿Y quién soy yo para decirle que no llegará el día en que encuentre esa prueba?

—Te creo —le digo—. Creo que las abducciones son algo muy posible.

CAPÍTULO
DIECISIETE

AL DÍA SIGUIENTE, ME DESPIERTO MÁS TEMPRANO DE lo normal, me levanto lentamente, salgo de mi cuarto y me encuentro con Henri sentado a la mesa, con el portátil abierto, revisando los periódicos. El sol no ha salido todavía, y la casa está a oscuras. La única luz es la que sale de su computador.

—¿Hay algo?

—Pues no, nada en realidad.

Enciendo la luz de la cocina. Bernie Kosar rasca la puerta de la entrada con la pata. La abro y sale corriendo al jardín para hacer su ronda, como todas las mañanas, con la cabeza en alto, recorriendo el perímetro de la casa en busca de cualquier cosa sospechosa, olfateando en lugares escogidos al azar. En cuanto queda satisfecho con que todo está como debería, sale como una flecha hacia el bosque y desaparece.

Sobre la mesa de la cocina hay dos números de *Ellos caminan entre nosotros*, el original y una fotocopia que Henri ha sacado para guardarla. Hay una lupa entre los dos.

—¿Algo especial en el original? —pregunto.

—No.

—¿Y ahora qué?

—Pues he tenido algo de suerte. Crucé la información de algunos de los otros artículos y encontré un par de pistas, una de las cuales me llevó a la página web personal de un tipo. Le escribí un *e-mail*.

Lo miro fijamente.

—No te preocupes —dice—. No pueden rastrear los *e-mails*. Al menos no de la forma como los envío.

—¿Y cómo los envías?

—Los desvío a través de varios servidores de distintas ciudades del mundo y esto hace que el lugar original se pierda por el camino.

—Impresionante.

Bernie Kosar rasguña la puerta y lo dejo entrar. Son las 5:59 en el reloj del microondas. Faltan dos horas para que empiecen mis clases.

—¿En serio crees que debamos ponernos a investigar este asunto? —pregunto—. ¿Qué tal que sea una trampa? ¿Qué tal que estén tratando de sacarnos de nuestro escondite?

Henri asiente.

—Si en el artículo se hubiera mencionado algo acerca de nosotros, eso me habría dado qué pensar. Pero no fue así. El artículo hablaba de su plan de invadir la Tierra, muy parecido a como lo hicieron con Lorien. Y allí hay demasiadas cosas que no entendemos. Tenías razón cuando hace un par de semanas dijiste que nos derrotaron muy fácilmente. Es cierto. Y no tiene sentido. Todo el asunto de la desaparición de los ancianos tampoco tiene sentido. Hasta el haberlos sacado a ti y a los otros niños de Lorien, cosa que nunca había puesto en duda, resulta extraño. Aunque has visto lo que pasó y yo también he tenido las mismas visiones, hay algo que no me cuadra. Si algún día logramos regresar, creo que es fundamental que comprendamos lo que pasó para que no vuelva a suceder. Ya conoces el dicho: aquel que no comprende la historia está condenado a repetirla. Y cuando se repite, el riesgo es doble.

—Está bien —digo—. Pero según lo que me dijiste el sábado por la noche, las posibilidades de que regresemos parecen más cada vez más escasas. Sabiendo esto, ¿crees que vale la pena?

Se encoge de hombros.

—Todavía hay otros cinco en alguna parte. A lo mejor ya han desarrollado sus legados. Puede que los tuyos estén retrasados, nada más. Creo que lo mejor es ir pensando en todas las posibilidades.

—¿Y qué vas a hacer?

—Solo una llamada. Tengo curiosidad de saber qué sabe este tipo. Me pregunto qué hizo que no escribiera la continuación. Hay dos posibilidades: o no encontró más información y perdió interés en la historia, o alguien lo encontró después de la publicación del artículo.

Suspiro.

—Bueno, pues ten cuidado —le digo.

Me pongo un pantalón y un suéter de sudadera encima de dos camisetas, me amarro los tenis y hago unos estiramientos. Echo en el morral la ropa que pienso ponerme para las clases, junto con una toalla, una barra de jabón y un frasquito de champú para poder ducharme al llegar. De ahora en adelante, voy a correr hasta el colegio todas las mañanas. Henri dice que cree que el ejercicio adicional me ayudará con mi entrenamiento, pero la verdadera razón es que espera que influya en la transición de mi cuerpo y saque del letargo a mis legados, si es que en realidad están dormidos.

Miro a Bernie Kosar.

—¿Listo para correr, muchacho? ¿Eh? ¿Quieres ir a correr?

El perro menea la cola y da vueltas en círculos.

—Nos vemos después de clases —le digo a Henri.

—Que disfrutes el ejercicio —dice él—. Y ten cuidado en la calle.

Al salir, un viento frío viene a nuestro encuentro. Bernie Kosar ladra emocionado un par de veces. Empiezo trotando suavemente por el camino de acceso y la carretera de grava; el perro trota a mi lado, tal como me lo esperaba. Necesito más o menos medio kilómetro para calentarme.

—¿Listo para acelerar un poco, muchacho? —Bernie Kosar no me presta atención y sigue trotando a mi lado, con la lengua afuera y una cara de felicidad absoluta—. Muy bien, aquí vamos.

Acelero y arranco a correr, cada vez más rápido. Dejo rezagado a Bernie Kosar. Miro hacia atrás y lo veo correr lo más rápido posible, pero sigo sacándole ventaja. Puedo sentir el viento entre mi pelo. Los árboles pasan a mi lado como una mancha borrosa. Es genial. De pronto, Bernie Kosar se interna en el bosque y desaparece de mi vista. No sé si debería parar y esperarlo. Pero entonces, me volteo y el perro sale del bosque a unos tres metros por delante de mí.

Bajo la vista hacia él y él alza la suya hacia mí, con la lengua afuera y un aire de júbilo en los ojos.

—Eres un perro extraño, ¿lo sabías?

Cinco minutos después, el colegio aparece ante nuestra vista. Me echo una carrera en el último kilómetro, exigiéndome al máximo, corriendo lo más rápido posible, pues es tan temprano que no hay nadie que pueda verme. Después me quedo un rato con los dedos entrelazados por detrás de la cabeza, recobrando la respiración. Bernie Kosar llega treinta segundos después y se queda mirándome. Me agacho y lo acaricio.

—Buen trabajo, amigo mío. Creo que tenemos un nuevo ritual matutino.

Me quito el morral de los hombros, lo abro, saco una bolsa con unas cuantas tiras de tocino y él se las devora.

—Bueno, muchacho, voy a entrar. Vete a casa. Henri está esperándote.

Él me mira un segundo, después arranca a trotar rumbo a la casa. Su capacidad de comprensión me deja completamente maravillado. Luego me doy media vuelta y entro en el edificio y me dirijo a la ducha.

Soy la segunda persona en entrar en el salón de astronomía. Sam es el primero, sentado ya en su puesto de siempre, al fondo.

—¡Huy! —exclamo—. Sin gafas. ¿Y eso?

Se encoge de hombros.

—Pensé en lo que me dijiste. Puede que sea una estupidez ponérmelas.

Me siento a su lado y sonrío. Me cuesta imaginarme que alguna vez vaya a acostumbrarme a verle los ojos tan pequeños y brillantes. Le devuelvo la edición de *Ellos caminan entre nosotros* y él la guarda en su morral. Hago una pistola con los dedos, le doy un codazo y digo:

—¡Pum!

Él se echa a reír. Y yo también. Ninguno de los dos puede parar. Cada vez que alguno está a punto de parar, el otro empieza otra vez. La gente se queda mirándonos al entrar. Entonces, llega Sarah. Entra sola, se acerca lentamente, con cara de confundida, y se sienta en el puesto a mi lado.

—¿De qué se ríen?

—No lo sé muy bien —le digo, y me río otro rato.

Mark es el último en entrar en el salón. Se sienta en su puesto habitual, pero hay otra chica sentada a su lado. Creo que está en el último curso. Sarah estira la mano por debajo de la mesa y me toma la mía.

—Necesito decirte una cosa —dice.

—¿Qué?

—Sé que es una invitación de última hora, pero mis papás quieren que tú y tu papá vengan mañana a la cena de Acción de Gracias.

—Pues sería maravilloso. Tengo que preguntar, pero sé que no tenemos planes, así que supongo que la respuesta será que sí.

Sarah sonríe.

—Genial.

—Como somos solo los dos, ni siquiera celebramos el día de Acción de Gracias.

—Nosotros solemos pasarlo siempre juntos. Y mis dos hermanos, que están en la universidad, vendrán a casa. Quieren conocerte.

—¿Y por qué saben que existo?

—¿Por qué crees?

La profesora entra y Sarah me hace un guiño; después, empezamos a tomar nota los dos.

Henri está esperándome como siempre, con Bernie Kosar en el asiento del pasajero, meneando la cola, azotando el borde la puerta al verme. Me subo.

—Atenas —dice Henri.

—¿Atenas?

—Atenas, Ohio.

—¿Por qué?

—Allí es donde escriben e imprimen los números de *Ellos caminan entre nosotros.* Desde allí los mandan.

—¿Cómo lo descubriste?

—Tengo mis trucos.

Me quedo mirándolo.

—Bueno, está bien. Necesité tres *e-mails* y cinco llamadas telefónicas, pero ahora tengo el número —me mira—. O sea que se necesitaba solo un esfuercito.

Asiento. Entiendo lo que quiere decir. A los mogadorianos tampoco les habría costado encontrarlos. Y eso significa, por supuesto, que la balanza se inclina ahora a favor de la segunda posibilidad de Henri: que alguien haya encontrado al editor antes de que la historia continuara.

—¿Queda muy lejos Atenas?

—A dos horas en auto.

—¿Vas a ir?

—Espero que no. Voy a llamar primero.

Cuando llegamos a casa, Henri toma el teléfono enseguida y se sienta a la mesa de la cocina. Yo me siento al frente y escucho.

—Hola, estoy llamando para preguntar por un artículo de la edición del mes pasado de *Ellos caminan entre nosotros*.

Una voz profunda responde al otro extremo de la línea. No puedo oír lo que dice.

Henri sonríe.

—Sí.

Hace una pausa.

—No, no estoy suscrito. Pero un amigo mío sí.

Otra pausa.

—No, gracias.

Asiente con la cabeza.

—Pues estoy interesado en el artículo acerca de los mogadorianos. En la edición de este mes, no apareció ninguna continuación, como esperaba.

Me inclino y trato de oír. Tengo el cuerpo tenso y rígido. Al responder, la voz suena nerviosa, agitada. Después se corta.

—¿Hola?

Henri aparta el auricular, lo mira, luego vuelve a acercárselo.

—¿Hola? —repite.

Entonces cuelga y deja el teléfono sobre la mesa. Me mira.

—Dijo: "No vuelva a llamar aquí". Y me colgó.

CAPÍTULO DIECIOCHO

TRAS DISCUTIRLO DURANTE VARIAS HORAS, HENRI SE levanta a la mañana siguiente e imprime las indicaciones de puerta a puerta desde la casa hasta Atenas, Ohio. Dice que regresará a tiempo para que podamos ir a la cena de Acción de Gracias en casa de Sarah y me da un papelito con la dirección y el teléfono del sitio adonde va.

—¿Estás seguro de que vale la pena? —pregunto.

—Tenemos que averiguar qué está pasando.

Suspiro.

—Creo que ambos sabemos lo que está pasando.

—Puede ser —dice, pero con autoridad plena y ningún rastro de la incertidumbre que suele acompañar a la expresión.

—Pero eres consciente de lo que me dirías si los roles estuvieran invertidos, ¿no?

Henri sonríe.

—Sí, John, sé lo que diría. Pero creo que esto nos va a ayudar. Quiero saber qué fue lo que hicieron para asustar tanto a este hombre. Quiero saber si han hablado de nosotros, si están buscándonos por vías en las que no hemos pensado aún. Esto nos ayudará a mantenernos ocultos, y a la delantera. Y si este tipo los ha visto, sabremos qué aspecto tienen.

—Eso ya lo sabemos.

—Sabemos qué aspecto tenían cuando nos atacaron, hace más de diez años, pero pueden haber cambiado. Ya llevan un buen tiempo en la Tierra. Quiero saber cómo están integrándose.

—Pero incluso si sabemos qué aspecto tienen ahora, cuando los veamos en la calle probablemente sea demasiado tarde.

—Puede que sí, puede que no. Si veo uno, trataré de matarlo. Y nada me garantiza que podrá matarme —dice, esta vez con incertidumbre y ningún rastro de autoridad.

Me doy por vencido. No me gusta nada que se vaya a Atenas mientras yo me quedo en casa esperando. Pero sé que mis objeciones seguirán cayendo en oídos sordos.

—¿Seguro que llegarás a tiempo?

—Me voy ahora mismo, de modo que debo estar llegando a Atenas sobre las nueve. Y dudo que vaya a quedarme allí más de una hora, dos como máximo. Debo estar regresando a la una.

—¿Y entonces por qué tengo esto? —le muestro el papelito con la dirección y el teléfono.

Henri se encoge de hombros.

—Pues es que uno nunca sabe.

—Y precisamente por eso creo que no deberías ir.

—*Touché* —dice, poniendo punto final a la discusión. Recoge sus papeles, se levanta de la mesa y empuja la silla.

—Nos vemos esta tarde.

—Bueno —le digo.

Henri sale de la casa y se monta en la camioneta. Bernie Kosar y yo caminamos hasta el porche y lo vemos alejarse. No sé por qué, pero tengo un mal presentimiento. Ojalá regrese.

Es un día largo. Uno de esos días en que el tiempo pasa muy lentamente y cada minuto parece como si fueran diez, y cada hora, veinte. Juego videojuegos y navego por Internet. Busco noticias que puedan estar relacionadas con alguno de los nuestros. No encuentro nada, y eso me alegra. Quiere decir que nos mantenemos fuera del radar.

Reviso mi teléfono periódicamente. Le mando un mensaje de texto a Henri al mediodía. No responde. Almuerzo, le doy de comer a Bernie Kosar y vuelvo a mandar otro mensaje. No hay respuesta. Una sensación de nerviosismo e inquietud empieza a apoderarse de mí. Henri ha respondido a mis mensajes siempre de inmediato. A lo mejor tiene apagado el teléfono. A lo mejor se quedó sin batería. Trato de creerme estas posibilidades, pero sé que ninguna es verdadera.

A las dos, empiezo a preocuparme. Y mucho. Tenemos que estar donde los Hart en una hora. Henri sabe que esta cena es importante para mí y no me quedaría mal nunca. Me meto en la ducha con la esperanza de que, cuando salga, Henri esté sentado a la mesa de la cocina, tomándose un café. Abro el agua lo más caliente posible y ni siquiera toco el grifo de la fría. No siento nada. Todo mi cuerpo es ahora inmune al calor. Siento como si estuviera bañándome con agua tibia y echo de menos la sensación del calor. Me fascinaban las duchas calientes. Quedarme bajo el agua hasta que se enfriara. Cerrar los ojos y disfrutar el chorro golpeándome en la cabeza y bajando por todo mi cuerpo. Me ayudaba a distraerme de mi vida, olvidarme de quién y qué soy durante un rato.

Cuando salgo de la ducha, abro el armario y busco mi mejor ropa, que no es nada especial: un pantalón caqui, una camisa de abotonar, un suéter. Como vivimos al trote, huyendo de un lado para otro, solo tengo zapatos de correr. Y esto es tan ridículo que me hace reír. Es la primera vez que me río en todo el día. Voy a la habitación de Henri y busco en su armario. Tiene unos mocasines que me quedan. Ver toda su ropa allí guardada aumenta mi preocupación y nerviosismo. Quiero pensar que solo está tardando más de lo necesario, pero en ese caso se habría puesto en contacto conmigo. Algo tiene que andar mal.

Voy hasta la puerta de entrada y allí está Bernie Kosar, mirando por la ventana. Alza la vista hacia mí y aúlla. Le doy una palmadita en la cabeza y regreso a mi cuarto. Miro el reloj. Las tres y pico. Reviso el teléfono. Ninguna llamada, ningún mensaje. Decido irme adonde Sarah, y si a las cinco sigo sin noticias de Henri, me inventaré algún plan entonces. Tal vez les diga que Henri está enfermo y que yo tampoco me estoy sintiendo bien. O que se le varó la camioneta y tengo que ir a ayudarle. Pero espero que aparezca y que podamos tener una agradable cena de Acción de Gracias. Sería nuestra primera cena de Acción de Gracias. Si no, me inventaré algo. Tengo que hacerlo.

Como no está la camioneta, decido ir corriendo. Es probable que no sude ni una sola gota. Además llegaré más rápido que si fuera en auto, y como es festivo, las calles deben de estar vacías. Me despido de Bernie Kosar, le digo que volveré más tarde y arranco. Corro por el borde de los campos, entre los bosques. Me sienta bien quemar energías. Apacigua mi ansiedad. Varias veces llego casi a mi velocidad máxima, que ronda los cien kilómetros por hora. La sensación del viento frío contra mi cara es maravillosa, así como el sonido que produce, el mismo que oigo al sacar la cabeza por la ventanilla de la camioneta cuando vamos por una autopista. Me pregunto qué velocidad podré alcanzar cuando tenga veinte o veinticinco años.

Cuando faltan unos cien metros para llegar a la casa de Sarah, dejo de correr. Respiro sin ninguna dificultad. Mientras avanzo por el camino de acceso, veo que Sarah echa un vistazo por la ventana. Sonríe, me saluda con la mano y abre la puerta apenas pongo un pie en el porche.

—Hola, guapo.

Me volteo y miro por encima del hombro, como si estuviera hablando con otra persona. Después, vuelvo a girarme hacia ella y le pregunto si está hablando conmigo. Se ríe.

—Tonto —dice, dándome un golpe en el brazo; luego me atrae hacia sí para darme un beso lento, prolongado. Yo respiro profundo, puedo oler la comida: el pavo y el relleno, las batatas, las coles de Bruselas, el pastel de calabaza.

—Huele delicioso —digo.

—Mi mamá lleva todo el día cocinando.

—¡Qué ganas de comer!

—¿Dónde está tu papá?

—Anda un poco enredado en un asunto. Llegará dentro de un rato.

—¿Está bien?

—Sí, no es nada grave.

Entramos y me muestra la casa, que es sensacional. Una casa familiar clásica, con las habitaciones en el segundo piso, un desván donde uno de los hermanos tiene su cuarto, y todos los espacios sociales —el salón, el comedor, la cocina y la sala de estar— en el primero. Cuando llegamos a su cuarto, Sarah cierra la puerta y me besa. Estoy sorprendido, pero emocionado.

—Llevo todo el día esperando poder hacer esto —dice dulcemente al apartarse. Cuando camina hacia la puerta, vuelvo a atraerla hacia mí para besarla de nuevo.

—Y yo espero poder volver a besarte más tarde —susurro. Ella sonríe y me da otro golpe en el brazo.

Bajamos y me lleva a la sala de estar, donde sus dos hermanos mayores, que han venido de la universidad a pasar el fin de semana en casa, están viendo un partido de fútbol americano con su padre. Me quedo con ellos mientras Sarah va a la cocina a ayudar a su mamá y a su hermana menor con la cena. Nunca me ha gustado mucho el fútbol americano. Supongo que, dado el estilo de vida que llevamos con Henri, nunca me he interesado realmente por nada distinto a nuestra vida. Mis intereses siempre se han limitado a tratar de integrarme dondequiera que estemos para después prepararme para marcharnos. Los hermanos de Sarah y su padre jugaron fútbol en el colegio. Les encantaba. Y en el partido de hoy, el padre y uno de los hermanos van por un equipo mientras que el otro va por el otro. Discuten entre sí, se burlan unos de otros, celebran y reniegan, dependiendo de lo que pase en el partido. Se nota que es algo que han hecho desde hace años, probablemente desde siempre, y se nota que están pasándola bien. Me hace desear que Henri y yo tuviéramos algo, aparte de mi entrenamiento y nuestro eterno trote de un lado para otro en busca de un nuevo escondite, algo que nos gustara a ambos y que pudiéramos disfrutar juntos. Me hace desear tener un padre y hermanos de verdad con quienes divertirme.

En el medio tiempo, la madre de Sarah nos llama a comer. Reviso mi teléfono. Nada. Antes de sentarnos, voy al baño e intento llamar a Henri, pero el buzón de mensajes contesta enseguida. Son casi las cinco y estoy al borde del pánico. Cuando regreso, ya están todos sentados. La mesa se ve increíble. Hay unas flores en la mitad, e individuales, platos y cubiertos meticulosamente acomodados frente a cada silla. Las bandejas con los acompañamientos están dispuestas por todo el centro de la mesa, y el pavo está frente al puesto del señor Hart. En cuanto me siento, la señora Hart entra en la habitación. Se ha quitado el delantal y luce una falda preciosa y un suéter.

—¿Has sabido algo de tu papá? —pregunta.

—Acabo de llamarlo. Está un poco retrasado y, eh, dice que no lo esperemos. Les pide disculpas por las molestias.

El señor Hart empieza a cortar el pavo. Sarah me sonríe desde el otro lado de la mesa y eso me hace sentir mejor durante medio segundo, más o menos. Empiezan a pasar la comida y me sirvo porciones pequeñas de cada cosa. Creo que no voy a ser capaz de comer mucho. Mantengo el teléfono sobre las piernas, en modo discreto para que vibre si entra una llamada o un mensaje. Pero con cada segundo que pasa estoy cada vez más seguro de que no va a entrar nada y no voy a volver a ver a Henri. La idea de tener que vivir solo —con mis legados desarrollándose, sin nadie que me los explique o que me entrene, de tener que huir solo, esconderme solo, encontrar mi propio camino, luchar contra los mogadorianos, combatirlos hasta la victoria o la muerte— me aterroriza.

La cena se me hace infinita. El tiempo vuelve a pasar muy despacio. Y toda la familia de Sarah me acribilla a preguntas. Nunca había estado en una situación donde tantas personas me preguntaran tantas cosas en tan poco tiempo. Me preguntan por mi pasado, por los lugares donde he vivido, por Henri, por mi madre; de quien, como siempre, digo que murió cuando era muy pequeño. Es la única respuesta que tiene una mínima pizca de verdad, y no tengo ni idea de si mis respuestas tendrán algún sentido. El teléfono, en mis piernas, se siente como si pesara quinientos kilos. Pero no vibra, solo está allí, inmóvil.

Después de comer, y antes del postre, Sarah nos pide a todos que salgamos al jardín para tomar unas fotos. Cuando salimos, me pregunta si pasa algo. Le digo que estoy preocupado por Henri. Ella trata de tranquilizarme y me dice que todo está bien, pero no funciona. Es más, me hace sentir peor. Trato de imaginarme dónde está y qué está haciendo, y la única imagen que viene a mi mente es la de Henri frente a un mogadoriano, aterrorizado y consciente de que está a punto de morir.

Cuando nos juntamos para las fotos, empieza a invadirme el pánico. ¿Cómo podría ir a Atenas? Podría correr, pero sería difícil encontrar el camino, sobre todo porque tendría que mantenerme alejado del tráfico y de las autopistas principales. Podría ir en autobús, pero tardaría demasiado. Podría decirle a Sarah, pero eso implicaría un montón de explicaciones; entre ellas, contarle que soy un extraterrestre y que creo que unos extraterrestres hostiles que están buscándome para matarme han capturado o matado a Henri. No es muy buena idea en realidad.

Mientras posamos, siento unas ganas desesperadas de irme, pero tengo que hacerlo de un modo que no vaya a molestar a Sarah y a su familia. Entonces, me concentro en la cámara, mirándola fija y directamente mientras trato de inventarme una excusa que genere la menor cantidad de preguntas. El pánico me carcome ahora. Empiezan a temblarme las manos. Las siento calientes. Me las miro para asegurarme de que no estén brillando. Y no brillan, pero al alzar la vista veo que la cámara de Sarah está temblando entre sus manos. Sé que es obra mía, de alguna manera, pero no sé cómo ni qué hacer para que pare. Un escalofrío me recorre la espalda. Me quedo sin respiración, y al mismo tiempo, el lente de la cámara se rompe en pedazos. Sarah grita, después suelta la cámara y se queda mirándola, confundida, con la boca abierta y los ojos anegados en lágrimas.

Sus padres corren hacia ella para ver si está bien. Yo me quedo inmóvil, impresionado. No sé qué hacer. Me siento mal por su cámara, y de que ella se sienta mal por eso, pero también estoy emocionado porque mi telequinesis ha llegado, claramente. ¿Podré controlarla? Henri estará en éxtasis cuando se entere. Henri. Vuelve el pánico. Aprieto los puños. Tengo que salir de aquí. Si lo capturaron los mogadorianos —y espero que no sea el caso—, los mataré a todos para liberarlo.

Pensando a toda velocidad, me acerco a Sarah y la aparto de sus padres, que están examinando la cámara, tratando de entender lo que acaba de suceder.

—Acabo de recibir un mensaje de Henri. Lo siento muchísimo, pero tengo que irme.

Sarah está trastornada, evidentemente. Me mira a mí, luego a sus padres.

—¿Pero está bien?

—Sí, pero tengo que irme... Me necesita.

Ella asiente y nos besamos suavemente. Espero que no sea la última vez.

Les doy las gracias a sus padres, a sus hermanos y a su hermana, y me marcho antes de que puedan hacerme demasiadas preguntas. Atravieso la casa, y en cuanto salgo por la puerta principal, empiezo a correr. Regreso por la misma ruta por donde vine, lejos de las vías principales, corriendo entre los bosques. Llego a casa en cuestión de minutos. Y al correr a toda velocidad por el camino de acceso, oigo a Bernie Kosar rasguñando la puerta. Se nota que está ansioso, como si él también sintiera que algo anda mal.

Voy directo a mi cuarto y saco de la maleta el papelito con el teléfono y la dirección que Henri me dio antes de irse. Marco el número. Contesta una grabación: "El teléfono al que usted está llamando ha sido desconectado o no se encuentra en servicio". Miro el papelito y vuelvo a marcar el número. La misma grabación.

—¡Maldita sea! —grito. Pateo una silla, y esta sale volando por la cocina y aterriza en la sala.

Entro en mi habitación. Salgo. Vuelvo a entrar. Miro fijamente al espejo. Tengo los ojos rojos. Se asoman unas lágrimas, pero no cae ninguna. Tengo las manos temblorosas. La cólera y un temor espantoso de que Henri esté muerto me carcomen. Cierro los ojos con fuerza y concentro toda la furia en la boca del estómago. Y en un estallido repentino, grito y abro los ojos y estiro las manos hacia el espejo… y este se hace añicos aun cuando estoy casi a medio metro de distancia. Me quedo mirándolo. La mayor parte del espejo sigue pegada a la pared. Lo que sucedió donde Sarah no fue una casualidad.

Contemplo las esquirlas en el suelo. Alzo una mano delante de mí, me concentro en una esquirla en particular e intento moverla. Respiro acompasadamente, pero todo el miedo y la ira permanecen en mi interior. Miedo es una palabra demasiado ingenua. *Terror*. Eso es lo que siento.

La esquirla no se mueve al principio, pero después de unos quince segundos, empieza a temblar. Despacio primero, luego rápido. Y entonces lo recuerdo. Henri dijo que suelen ser las emociones las que desencadenan los legados. Seguro que eso es lo que está sucediendo ahora. Me esfuerzo por levantar la esquirla. Gotas de sudor me cubren la frente. Me concentro con todo lo que tengo y todo lo que soy, a pesar de todo lo que está sucediendo. Me cuesta respirar. La esquirla empieza a elevarse muy lentamente. Un centímetro. Diez centímetros. Ahora está casi a medio metro del suelo, y sigue subiendo. Mi brazo derecho, estirado, se mueve al tiempo con la esquiarla hasta llegar a la altura de mis ojos. La sostengo allí. "Si Henri pudiera ver esto", pienso. Y en un instante, a pesar de la emoción que me produce la felicidad recién descubierta, vuelve el pánico. Observo la esquirla, la manera como refleja el panel de madera de la pared, que se ve frágil y viejo en el vidrio. Frágil y viejo. Los ojos se me abren como nunca se me habían abierto en toda la vida en ese momento.

¡El cofre!

"Solo los dos podemos abrirlo juntos. A no ser que me muera, entonces podrás abrirlo solo", dijo Henri.

Dejo caer la esquirla y corro de mi cuarto al de Henri. El cofre está en el suelo junto a su cama. Lo agarro, corro a la cocina y lo dejo caer en la mesa. El candado en forma del emblema loriense me mira fijamente.

Me siento a la mesa y contemplo el candado. Me tiembla el labio. Trato de apaciguar mi respiración, pero es inútil; el corazón me late como si acabara de correr quince kilómetros. Tengo miedo de sentir el clic entre mis dedos. Respiro profundo y cierro los ojos.

—No te abras, por favor —digo.

Tomo el candado. Lo aprieto lo más fuerte posible. Contengo la respiración. Se me nubla la vista. Tengo los músculos del antebrazo tensos como cuerdas, esperando el clic. Sostengo el candado y espero.

Pero no hay clic.

Entonces lo suelto y me desgonzo en la silla, con la cabeza entre las manos. Un rayito de esperanza. Me paso las manos por el pelo y me levanto. En una repisa, a metro y medio de distancia, hay una cuchara sucia. Me concentro en ella, alargo una mano y la cuchara sale a volar. Henri estaría tan feliz. "Henri —pienso—, ¿dónde estás? En algún lado, y vivo. Y voy a ir a buscarte".

Marco el teléfono de Sam, el único amigo que tengo aquí en Paraíso, aparte de Sarah. El único amigo que he tenido, a decir verdad. Contesta después del segundo timbre.

—¿Hola?

Cierro los ojos y me aprieto el puente de la nariz. Respiro profundo. Estoy temblando otra vez, si es que he dejado de temblar en algún momento.

—¿Hola? —vuelve a decir.

—Sam.

—Oye, suenas fatal —dice—. ¿Estás bien?

—No, necesito tu ayuda.

—¿Eh? ¿Qué pasó?

—¿Será que tu mamá puede traerte a mi casa?

—No está aquí. Está de turno en el hospital, porque los festivos le pagan el doble. ¿Qué pasa?

—Las cosas andan mal, Sam. Y necesito ayuda.

Silencio. Luego dice:

—Llegaré lo más rápido posible.

—¿Seguro?

—Nos vemos en un rato.

Cuelgo y dejo caer la cabeza sobre la mesa. Atenas, Ohio. Allí es donde está Henri. De algún modo, como sea, allí es adonde tengo ir.

Y tengo que darme prisa.

CAPÍTULO
DIECINUEVE

MIENTRAS ESPERO A SAM, CAMINO POR LA CASA, ALZANDO objetos inanimados sin tocarlos: una manzana que está sobre la alacena, un tenedor que estaba en el fregadero, una planta en una maceta junto a la ventana. Solo puedo levantar cosas pequeñas, y estas se elevan con cierta timidez. Cuando intento alzar algo más pesado —una silla, una mesa—, no pasa nada.

Las tres pelotas de tenis que usamos en los entrenamientos están en una canasta al otro lado de la sala. Traigo una de ellas hacia mí, y Bernie Kosar se pone en posición de firmes cuando esta atraviesa su campo visual. Entonces la lanzo sin tocarla y él corre tras ella, pero antes de que pueda alcanzarla, vuelvo a traerla. Y cuando logra tomarla, se la saco de la boca. Todo esto desde el sillón de la sala. Así no pienso en Henri ni en el mal que pueda haberle sucedido, ni en la culpa por todas las mentiras que tendré que decirle a mi amigo.

Sam tarda veinticinco minutos en recorrer en bicicleta los seis kilómetros y medio que hay entre su casa y la mía. Lo oigo pedalear por el camino de acceso. Se baja de un brinco y la bicicleta cae al suelo mientras Sam atraviesa la puerta sin tocar, jadeando. Tiene la cara bañada en sudor. Mira a su alrededor y examina la escena.

—¿Y entonces? —pregunta.

—Esto va a sonarte absurdo —digo—. Pero tienes que prometerme que me vas a tomar en serio.

—¿De qué estás hablando?

"¿De qué estoy hablando? Estoy hablando de Henri, que ha desaparecido por falta de cuidado, la misma falta de cuidado contra la que vivía predicando. Estoy hablando del hecho de que cuando me apuntaste con una pistola, te dije la verdad. Soy un extraterrestre. Henri y yo vinimos a la Tierra hace diez años y nos persigue una raza de extraterrestres hostiles. Estoy hablando de Henri, que creía que, de alguna manera, podríamos eludirlos al comprenderlos un poco más. Y ahora ha desaparecido. De eso estoy hablando, Sam. ¿Me entiendes?".

Pero no, no puedo decirle nada de esto.

—Capturaron a mi papá, Sam. No sé muy bien quién, ni qué estarán haciéndole. Pero ha pasado algo, y creo que lo tienen secuestrado. O algo peor.

Una sonrisa se dibuja en su rostro.

—No me creas tan idiota—dice.

Sacudo la cabeza y cierro los ojos. La gravedad de la situación hace que otra vez me cueste respirar. Miro a Sam con ojos suplicantes, llenos de lágrimas.

—No es un chiste —le digo.

La sonrisa de Sam se convierte en una mueca de preocupación.

—¿Cómo así? ¿Y quién lo capturó? ¿Dónde está?

—Pues él se puso a rastrear a uno de los que escriben los artículos de tu revista y descubrió que estaba en Atenas, Ohio, y se fue hoy para allá. Se fue y no ha regresado. Y tiene el teléfono apagado. Algo le pasó. Algo malo.

Sam se muestra aún más confundido.

—¿Cómo? ¿Pero por qué? Hay algo que no entiendo. Si es solo una estúpida revista.

—No lo sé, Sam. Pero él es como tú... Le fascinan los extraterrestres y las teorías conspirativas y todas esas cosas —le digo, pensando a toda velocidad—. Es un pasatiempo estúpido que ha tenido siempre. Uno de los artículos le picó la curiosidad y quería averiguar más, y entonces le dio por ir.

—¿Fue el artículo sobre los mogadorianos?

Asiento.

—¿Cómo sabes?

—Porque me miró como si hubiera visto a un fantasma cuando le hablé de eso el día del Halloween —me dice y sacude la cabeza—. ¿Pero por qué iba a importarle a alguien que preguntara por un estúpido artículo?

—No lo sé. A ver, supongo que no son los seres más cuerdos del planeta. Probablemente, son unos paranoicos que viven delirando. A lo mejor pensaron que era un extraterrestre, por la misma razón que tú me apuntaste con una pistola. Debía haber regresado antes de la una y tiene el teléfono apagado. Es todo lo que puedo decirte.

Me levanto y camino hasta la mesa de la cocina. Tomo el papelito con la dirección y el teléfono del sitio.

—Esta es la dirección adonde fue. ¿Sabes dónde queda?

Sam mira el papelito; después a mí.

—¿Quieres ir allí?

—No sé qué más hacer.

—¿Y por qué no llamas a la Policía y les dices lo que pasó?

Me siento en el sofá, pensando en la mejor manera de responder. Quisiera poder contarle la verdad, explicarle que la intervención de la Policía implicaría que Henri y yo tendríamos que marcharnos, en el mejor de los casos. En el peor, Henri terminaría siendo interrogado, con las huellas dactilares fichadas y envuelto en la flemática burocracia, lo cual les daría una ventaja a los mogadorianos. Y en cuanto nos hayan encontrado, la muerte será inminente.

—¿A qué Policía? ¿A la de Paraíso? ¿Qué crees que harían si les cuento la verdad? Tardarían días en tomarme en serio, y no tengo tanto tiempo.

Sam se encoge de hombros.

—Puede que te tomen en serio. ¿Y si está retrasado o se le dañó el teléfono? Podría estar viniendo en este momento.

—Puede ser, pero no lo creo. Tengo un mal presentimiento, y tengo que ir allí lo más pronto posible. Tendría que haber vuelto hace horas.

—Tal vez tuvo un accidente.

Niego con la cabeza.

—Puede que tengas razón, pero no creo. Y si le están haciendo daño, estamos perdiendo tiempo.

Sam mira el papelito. Se muerde el labio y se queda callado unos segundos.

—Bueno, pues yo sé más o menos cómo llegar a Atenas. Pero no tengo ni idea de cómo llegar a esta dirección en cuanto estemos allí.

—Puedo imprimir las indicaciones de Internet. Eso es lo de menos. Lo que me preocupa es el transporte. Tengo ciento veinte dólares en mi cuarto. Puedo pagarle a alguien para que nos lleve, pero no tengo ni la menor idea de quién podría ser, pues no es que haya muchos taxis en Paraíso, Ohio.

—Podemos ir en nuestra camioneta.

—¿Cuál camioneta?

—Quiero decir, la camioneta de mi papá. Todavía la tenemos. Está en el garaje. No la hemos tocado desde que desapareció.

Me quedo mirándolo.

—¿En serio?

Él asiente con la cabeza.

—¿Y eso hace cuánto fue? ¿Todavía anda?

—Hace ocho años. ¿Y por qué no iba a andar? Estaba casi nueva cuando la compró.

—Espera, a ver si estoy entendiendo: ¿estás proponiendo que conduzcamos nosotros, tú y yo, dos horas, hasta Atenas?

En la cara de Sam se dibuja una sonrisa taimada.

—Eso es exactamente lo que estoy proponiendo.

Me inclino hacia delante, sentado en el sofá. Tampoco puedo evitar una sonrisa.

—Eres consciente de que estaremos bien jodidos si nos atrapan, ¿cierto? Ninguno de los dos tiene licencia de conducir.

Sam asiente.

—Mi mamá me mataría, y probablemente te mataría a ti también. Y además está la ley. Pero sí, si en serio crees que tu papá necesita ayuda, ¿qué otra opción tenemos? Si fuera al revés, y fuera mi papá el que necesitara ayuda, iría enseguida.

Me quedo mirándolo. Su rostro no refleja ni un mínimo atisbo de duda al proponerme que conduzcamos ilegalmente hasta un pueblo que queda a dos horas, y eso sin mencionar que ninguno de los dos sabe conducir y que no tenemos ni idea de qué esperar en cuanto lleguemos allí. Y, aun así, está dispuesto. Es más, fue idea suya.

—Muy bien, vamos a Atenas entonces —le digo.

Echo el teléfono en el morral y me aseguro de que todo esté bien guardado y en orden. Después recorro la casa, observando cada cosa como si fuera la última vez que lo veo todo. Es una actitud tonta y puramente sentimental, pero estoy nervioso y esto me produce una especie de sensación calmante. Alzo las cosas, luego vuelvo a dejarlas en su lugar. Después de cinco minutos, estoy listo.

—Vamos —le digo a Sam.

—¿Quieres que te lleve en mi bici?

—Ve tú, yo puedo correr a tu lado.

—¿Y tu asma?

—Creo que puedo lograrlo.

Salimos. Sam se monta en su bici. Trata de ir lo más rápido posible, pero no está en muy buena forma que digamos. Yo corro detrás de él y finjo quedarme sin aliento. Bernie nos sigue también. Para cuando llegamos a su casa, Sam está sudando a chorros. Entra corriendo en su habitación y sale con un morral en la mano. Lo deja en el aparador de la cocina y va a cambiarse de ropa. Yo echo un vistazo en su morral: hay un crucifijo, unos dientes de ajo, una estaca de madera, un martillo, un poco de masilla y una navaja.

—Sabes que estos tipos no son vampiros, ¿no? —le digo cuando regresa.

—Sí, pero uno nunca sabe. Puede que estén locos, como dijiste.

—E incluso si fuéramos a cazar vampiros, ¿para qué la masilla?

Se encoge de hombros.

—Solo quiero estar preparado.

Le sirvo un cuenco de agua a Bernie Kosar, que se la bebe a lengüetazos de inmediato. Me cambio de ropa en el baño y saco del morral las indicaciones de cómo llegar. Luego atravieso la casa y entro en el garaje. Está oscuro y huele a combustible y a hierba cortada hace tiempo. Sam enciende la luz. De los tableros que recubren la pared, cuelgan varias herramientas oxidadas por falta de uso. La camioneta está en la mitad, cubierta por una larga lona azul que, a su vez, está cubierta por una gruesa capa de polvo.

—¿Hace cuánto que no quitan esta lona?

—Pues desde que desapareció mi papá.

Tomo una punta, él la otra, y juntos la descorremos y la dejamos en un rincón. Sam se queda contemplando la camioneta con los ojos bien abiertos y una sonrisa.

Es una camioneta pequeña color azul oscuro, con espacio para dos personas únicamente, o quizás una tercera si no le importa ir incómoda en el puesto de la mitad, que será perfecto para Bernie Kosar. Ni una sola mota del polvo de los últimos ocho años ha logrado entrar en la camioneta, que resplandece como si acabaran de encerarla. Echo mi morral en el platón.

—La camioneta de mi papá —dice Sam, orgulloso—. Todos estos años y está igualita.

—Nuestra carroza de oro —digo—. ¿Tienes las llaves?

Sam agarra un juego de llaves que están colgadas en un gancho en la pared. Yo le quito el cerrojo a la puerta del garaje y la abro.

—¿Quieres que decidamos quién conduce con un piedra, papel o tijera? —pregunto.

—No —responde Sam; luego abre la puerta del conductor y se sienta detrás del volante. El motor hace unos ruidos extraños hasta que arranca. Sam abre la ventanilla.

—Creo que mi papá estaría orgulloso de verme conduciéndola —dice.

Sonrío.

—Yo también lo creo. Sácala, yo cierro la puerta.

Sam respira profundamente, pone la camioneta en marcha y la saca del garaje, lenta, tímidamente. Pisa el freno demasiado fuerte y muy rápido, y la camioneta se detiene abruptamente.

—Todavía no has terminado de salir —le digo.

Entonces quita el pie del freno con suavidad y termina de salir lentamente. Yo cierro la puerta del garaje detrás de él. Bernie Kosar sube de un brinco, por su propia voluntad, y me siento a su lado. Sam se aferra de ambos lados del timón con tal fuerza, que tiene los nudillos pálidos.

—¿Estás nervioso? —pregunto.

—Aterrado.

—Tú puedes —le digo—. Ambos hemos visto mil veces cómo se hace.

Asiente.

—Bien. ¿Hacia dónde cruzo?

—¿En serio vamos a hacer esto?

—Sí.

—Entonces a la derecha —le indico—, y dirígete hacia la salida del pueblo.

Los dos nos abrochamos los cinturones de seguridad. Abro la ventanilla lo suficiente como para que Bernie Kosar pueda sacar la cabeza, lo cual hace inmediatamente, con la patas traseras en mi regazo.

—Estoy más que cagado del susto —dice Sam.

—Yo también.

Inspira profundo, aguanta el aire en los pulmones y después lo suelta lentamente.

—Y... aquí... vamos... —dice y quita el pie del freno con la última palabra.

La camioneta avanza a trompicones por el camino de acceso. Sam vuelve a pisar el freno y la camioneta se detiene después de un patinazo. Después vuelve a arrancar y sigue avanzando, esta vez más despacio, hasta detenerse al final del camino de acceso para mirar hacia ambos lados y salir a la calle. Despacio primero, luego va acelerando. Está tenso, inclinado hacia delante, pero después de un kilómetro, una sonrisa empieza a dibujarse en su cara y se recuesta hacia atrás.

—No es tan difícil.

—Esto es lo tuyo.

Sam mantiene la camioneta muy cerca de la línea pintada al borde de la calle y se tensa cada vez que pasa un auto en la dirección opuesta. Pero después de un rato, se relaja y les presta poca atención a los otros vehículos. Hace un cruce, después otro, y en veinticinco minutos ya estamos entrando en la autopista.

—No puedo creer que estemos haciendo esto —dice finalmente—. Es lo más loco que haya hecho en mi vida.

—Yo igual.

—¿Tienes algún plan para cuando lleguemos?

—Ni medio. Espero que podamos echarle una ojeada al sitio y ahí vemos qué hacemos. No sé si es una casa o una oficina o qué. Ni siquiera sé si Henri está allí.

Sam asiente.

—¿Pero crees que él está bien?

—Ni idea —respondo.

Respiro profundamente. Falta una hora y media. Entonces llegaremos a Atenas.

Y entonces encontraremos a Henri.

CAPÍTULO VEINTE

AVANZAMOS HACIA EL SUR HASTA QUE, ENCLAVADA EN las estribaciones de los montes Apalaches, Atenas aparece en nuestro panorama: una ciudad pequeña que surge entre los árboles. Bajo la luz tenue, puedo ver un río que serpentea apaciblemente alrededor, acunándola y delimitándola por el oriente, el sur y el occidente, mientras que al norte hay árboles y colinas. Hace un clima relativamente cálido para la época. Pasamos por el estadio universitario de fútbol americano. Un poco más allá hay un coliseo blanco cubierto.

—Toma esta salida —le digo.

Sam conduce hacia la salida de la autopista y gira a la derecha para entrar en Richland Avenue. Los dos estamos eufóricos de haberlo logrado sanos y salvos y sin que nos descubrieran.

—Conque así es una ciudad universitaria.

—Supongo que sí —dice Sam.

Hay edificios y residencias a cada lado. La hierba es verde y está cortada con meticulosidad, aunque estamos en noviembre. Subimos por una loma empinada.

—Arriba, al final, está Court Street. Tenemos que doblar a la derecha.

—¿Falta mucho?

—Menos de un kilómetro.

—¿Quieres que pasemos primero con la camioneta?

—No. Creo que deberíamos estacionarnos en cuanto podamos y caminar.

Avanzamos por Court Street, la calle principal del centro de la ciudad. Como es festivo, está cerrado todo. Librerías, cafés, bares. Y, de pronto, allí está, brillando como una joya.

—¡Para! —grito.

Sam pisa el freno de golpe.

—¡¿Qué?!

El auto de atrás toca la bocina.

—Nada, nada. Sigue. Estacionemos.

Avanzamos otra cuadra hasta que encontramos un estacionamiento. Calculo que estamos a unos cinco minutos, a pie, de la dirección.

—¿Qué fue eso? Casi me matas del susto.

—La camioneta de Henri está allá atrás.

Él asiente.

—¿Por qué le dices Henri a veces?

—No lo sé, porque sí. Es como una broma entre los dos —le digo y miro a Bernie Kosar—. ¿Crees que deberíamos llevarlo con nosotros?

Se encoge de hombros.

—Podría ser un estorbo.

Le doy un par de galletas al perro y lo dejo en la camioneta, con la ventanilla entreabierta. Esto no le gusta nada y se pone a aullar y rasguñar la puerta, pero creo que no vamos a demorarnos. Sam y yo caminamos de regreso por Court Street. Llevo el morral en mis hombros; Sam lleva el suyo en la mano. Ha sacado la masilla y la amasa como si fuera una de esas bolas de espuma para el estrés. Llegamos hasta la camioneta de Henri. Las puertas están cerradas con seguro. No hay nada importante en los asientos ni en el tablero.

—Esto significa dos cosas —digo—. Henri sigue aquí, y quienquiera que lo haya capturado no ha descubierto aun la camioneta, y eso quiere decir que no ha abierto la boca. Claro que no la abriría nunca.

—¿Y qué iba a decir si la abriera?

Por un momento, olvidé que Sam no tiene ni idea del verdadero motivo por el que Henri está aquí. Y además ya metí la pata refiriéndome a él como Henri. Tengo que ser más cuidadoso de no soltar nada más.

—No sé —respondo—. Pero quién sabe qué clase de preguntas estarán haciéndole esos bichos raros.

—Bueno, ¿y ahora?

Saco el mapa con la dirección que Henri me dio esta mañana.

—Sigamos.

Regresamos por donde vinimos. Los edificios terminan y empiezan las casas, descuidadas y sucias. En un abrir y cerrar de ojos, llegamos a la dirección y nos detenemos.

Miro el papelito, luego la casa. Respiro profundamente.

—Hemos llegado —digo.

Nos quedamos contemplando la casa de dos pisos con paredes revestidas de vinilo gris. El camino de entrada lleva a un porche sin pintar, con un columpio roto y caído de un lado. La hierba está crecida y abandonada. Parece deshabitada, pero hay un auto en la entrada trasera. No sé qué hacer. Saco mi teléfono. Las 11:12. Llamo a Henri, aunque sé que no va a contestar. Lo hago para poner mis ideas en orden, para inventarme un plan. No había pensado qué hacer llegado este momento, y ahora que la realidad está aquí, tengo la mente en blanco. Contesta el buzón de voz.

—Voy a tocar a la puerta —dice Sam.

—¿Y decir qué?

—No sé, lo que se me ocurra.

Pero no alcanza hacerlo, pues en ese instante sale un hombre de la casa. Es enorme. De unos dos metros y más de cien kilos. Barbita de chivo y cabeza rapada. Lleva botas de trabajo, *jeans* y una camisa negra remangada hasta los codos. Tiene un tatuaje en el antebrazo derecho, pero estoy demasiado lejos para poder ver qué es. Escupe en el jardín, después da media vuelta, cierra con llave y baja del porche, dirigiéndose hacia nosotros. El tatuaje es un extraterrestre que tiene un ramo de tulipanes en una mano y pareciera ofrecérselo a una entidad invisible. El tipo pasa de largo junto a nosotros sin decir una sola palabra. Sam y yo nos volteamos y lo vemos alejarse.

—¿Le viste el tatuaje? —pregunto.

—Ajá. Y hasta aquí llegó el estereotipo de que los aficionados a los extraterrestres son unos ñoños flacuchentos. Ese tipo es enorme, y tiene cara de malo.

—Toma mi teléfono, Sam.

—¿Qué? ¿Por qué?

—Tienes que seguirlo. Toma mi teléfono. Voy a entrar en la casa. Es obvio que no hay nadie, si no, no habría cerrado con llave. Puede que Henri esté adentro. Te llamaré apenas pueda.

—¿Y cómo vas a llamarme?

—No sé. Ya veré. Toma.

Sam agarra el teléfono a regañadientes.

—¿Y si Henri no está allí?

—Por eso quiero que sigas al tipo. Podría estar yendo adonde está Henri en este momento.

—¿Y si regresa?

—Ya veremos. Pero tienes que irte ya. Prometo que te llamaré apenas pueda.

Sam se voltea y mira al hombre. Está a cincuenta metros de nosotros. Después vuelve a mirarme.

—Está bien, pero ten cuidado allí adentro.

—Tú también. No lo pierdas de vista y no dejes que te vea.

—Ni en sueños.

Da media vuelta y se apresura a seguir al tipo. Los veo alejarse, y cuando desaparecen de mi vista, camino hacia la casa. Las ventanas están oscuras, todas cubiertas por persianas blancas. No puedo ver hacia adentro. Rodeo la casa y camino hacia la parte trasera. Hay un pequeño patio de cemento que lleva a una puerta de atrás, cerrada con llave. Termino de darle la vuelta a la casa. Matorrales y malezas que han quedado del verano. Intento abrir una ventana. Cerrada. Todas están cerradas con cerrojo. ¿Debería romper una? Busco piedras entre los matorrales, y tan pronto veo una y la alzo con la mente, se me ocurre una idea, una idea tan loca que hasta podría funcionar.

Dejo caer la piedra y regreso a la puerta trasera. Tiene un cerrojo sencillo, sin cerradura de seguridad. Respiro profundo, cierro los ojos para concentrarme y tomo el pomo. Lo sacudo. Mis pensamientos bajan de la cabeza al corazón y de ahí hasta el estómago; todo está concentrado allí. Mientras intento imaginarme el mecanismo interno, agarro el pomo con más fuerza, conteniendo la respiración ante la expectativa. Entonces oigo y siento un clic en el pomo. Una sonrisa se dibuja en mi rostro. Giro el pomo y la puerta se abre. No puedo creer que pueda abrir puertas con solo imaginarme lo que hay en su interior.

La cocina está sorprendentemente limpia, las superficies lustradas, el fregadero libre de platos sucios. Hay una tajada de pan fresco sobre el mesón. Un corredor angosto me lleva a una sala con pancartas y afiches deportivos en las paredes y un televisor de pantalla gigante en un rincón. Al lado izquierdo, está la puerta de un dormitorio. Asomo la cabeza. Un desorden total. Las cobijas revueltas en la cama. La cómoda atiborrada de cosas. Un olor nauseabundo a ropa sucia y bañada en sudor aún húmedo.

En la entrada de la casa, junto a la puerta, unas escaleras llevan al segundo piso. Empiezo a subir. El tercer escalón cruje bajo mi pie.

—¿Hola? —grita una voz desde arriba.

Me quedo paralizado, conteniendo la respiración.

—¿Eres tú, Frank?

Guardo silencio. Oigo que alguien se levanta de una silla. El crujido de pisadas en las tablas del suelo, que se acercan. Un hombre aparece en lo alto de las escaleras. Pelo oscuro y enmarañado, cara sin afeitar y con patillas. No es tan grande como el que salió hace un rato, pero tampoco es que sea pequeño.

—¿Quién diablos *eres*? —pregunta.

—Estoy buscando a un amigo.

Tuerce la cara en una mueca, desaparece y reaparece cinco segundos después con un bate de madera en la mano.

—¿Cómo entraste? —pregunta.

—Yo dejaría a un lado el bate si fuera tú.

—¿Cómo entraste?

—Soy más rápido que tú y mucho más fuerte.

—Sí, cómo no.

—Estoy buscando a un amigo. Vino esta mañana. Quiero saber dónde está.

—Eres uno de ellos, ¿cierto?

—No sé de quién estás hablando.

—¡Eres uno de ellos! —grita. Toma el bate como lo haría un jugador de béisbol, con las manos aferradas a la base delgada, listo para atacar. Un miedo genuino en sus ojos. La mandíbula apretada con fuerza—. ¡Eres uno de ellos! ¡¿Por qué no nos dejan en paz de una buena vez por todas?!

—No soy uno de ellos. Vengo por mi amigo. Dime dónde está.

—¡Tu amigo es uno de ellos!

—No, no lo es.

—¿Entonces sabes de quién estoy hablando?

—Sí.

Baja un escalón.

—Te lo advierto —le digo—. Suelta el bate y dime dónde está.

Las manos me tiemblan por la incertidumbre de la situación, por el hecho de que el tipo tiene un bate mientras yo no tengo más que mis propias capacidades. El miedo de sus ojos me pone nervioso. Baja otro escalón. Solo quedan seis escalones entre los dos.

—Voy a quitarte la cabeza. Así les enviaré un mensaje a tus amigos.

—No son amigos míos. Y te aseguro que les harías un favor si me hicieras daño.

—Ya veremos.

El hombre baja las escaleras a toda velocidad. No me queda más alternativa que reaccionar. Él blande el bate, yo me agacho, y entonces golpea la pared con un ruido sordo y abre un hueco enorme en el panel de madera. Voy a su encuentro, lo alzo en el aire cogiéndolo de la garganta con una mano y de la axila con la otra, y lo subo por las escaleras. Él se sacude y logra darme algunas patadas en las piernas y en la ingle. El bate cae de sus manos, rebota huecamente escaleras abajo y oigo que una de las ventanas se rompe a mis espaldas.

El segundo piso es un desván abierto de par en par. Oscuro. Las paredes están forradas con números de *Ellos caminan entre nosotros*, y donde terminan las revistas empieza la parafernalia alienígena. A diferencia de los afiches de Sam, los de aquí son fotografías tomadas a lo largo de los años, ampliadas y granuladas, por lo que es difícil distinguir las imágenes, compuestas en su mayor parte de manchas blancas sobre fondos negros. En el rincón hay un extraterrestre de juguete con una soga al cuello. Alguien le ha puesto un sombrero mexicano en la cabeza. El techo está lleno de estrellitas que brillan en la oscuridad. Parecen como fuera de lugar, como algo que uno encontraría en el cuarto de una niña de diez años.

Tiro al hombre al suelo. Él se aleja de mí a toda prisa y se levanta. En ese momento, concentro todo mi poder en la boca del estómago y hago un movimiento hacia él como empujándolo. El tipo sale volando hacia atrás y se estampa contra la pared.

—¿Dónde está? —pregunto.

—No te lo diré nunca. Es uno de ustedes.

—Yo no soy quien crees que soy.

—¡No lo van a lograr nunca! ¡Dejen en paz a la Tierra!

Alzo la mano y lo asfixio. Puedo sentir los tendones tensionados bajo mi mano aunque no estoy tocándolo. No puede respirar y se pone rojo. Lo suelto.

—Voy a preguntarte de nuevo.

—No.

Vuelvo a asfixiarlo, pero esta vez aprieto con más fuerza cuando se pone rojo. El tipo empieza a llorar cuando lo suelto, y esto me hace sentir mal. Pero él sabe dónde está Henri, le ha hecho algo, y mi compasión desaparece casi en el instante en que apareció.

Entonces, recupera la respiración, y entre sollozos, dice:

—Está abajo.

—¿Dónde? No lo vi.

—En el sótano. La puerta está detrás de la pancarta de los *Steelers,* en la sala.

Marco mi número desde el teléfono que está encima del escritorio. Sam no responde. Entonces arranco de la pared el teléfono y lo rompo por la mitad.

—Dame tu celular —le digo.

—No tengo.

Me acerco al muñeco extraterrestre y le quito la soga del cuello.

—Por favor, hermano —me ruega.

—Cállate. Secuestraste a mi amigo y lo tienes apresado contra su voluntad. Tienes suerte de que lo único que voy a hacer es atarte.

Pongo sus brazos por detrás de su espalda y los amarro con la soga; después lo amarro a una de las sillas, aunque no creo que vaya a retenerlo por mucho tiempo. Le tapo la boca con cinta adhesiva para que no pueda gritar y bajo disparado por las escaleras. Cuando arranco la pancarta de los *Steelers* de la pared, me encuentro con una puerta negra cerrada con llave. La abro tal como hice con la otra. Unas escaleras de madera bajan a una oscuridad absoluta.

El olor a moho me llega a la nariz. Enciendo la luz y empiezo a bajar lentamente, aterrorizado por lo que pueda encontrar. Las vigas están cubiertas de telarañas. Llego hasta abajo y de inmediato siento la presencia de alguien más. Hay alguien allí abajo conmigo. Me tenso, respiro profundo y me doy la vuelta.

Allí, en el rincón del sótano, está Henri.

━

—¡Henri!

Me mira achicando los ojos, acostumbrándose a la luz. Tiene un trozo de cinta adhesiva sobre la boca, las manos atadas por detrás y los tobillos amarrados a las patas de la silla. Está todo despeinado y una raya de sangre seca, casi negra, le cruza la parte derecha de la cara. La sola imagen me pone furioso.

Corro hacia él y le quito el trozo de cinta de la boca. Respira profundamente.

—Gracias a Dios —dice con voz débil—. Tenías razón, John. Fue una estupidez haber venido. Lo siento. Debí haberte hecho caso.

—*Shh.*

Me agacho y empiezo a desatarle los tobillos. Huele a orines.

—Me tendieron una emboscada.

—¿Cuántos son?

—Tres.

—Amarré a uno de ellos arriba —le digo.

Le libero los tobillos. Estira las piernas y suspira aliviado.

—Llevo todo el maldito día en esta silla.

Empiezo a desatarle las manos.

—¿Cómo diablos viniste?

—Con Sam, él me trajo.

—¿Estás hablando en serio?

—No tenía otra opción.

—¿Y cómo se vinieron?

—En la camioneta vieja de su papá.

Henri guarda silencio un minuto mientras reflexiona sobre lo que eso significa.

—No sabe nada —le digo—. Le dije que eres un aficionado a los extraterrestres, nada más.

Asiente.

—Pues me alegra que lo hayan logrado. ¿Dónde está Sam ahora?

—Siguiendo a uno de ellos. No sé adónde se fueron.

Las tablas de madera crujen por encima de nosotros. Me levanto. Todavía no he terminado de desatarle las manos a Henri.

—¿Oíste eso? —susurro.

Alzamos la vista hacia la puerta, conteniendo la respiración. Un pie pisa el escalón superior, luego otro, y de repente aparece el hombre enorme con el que me crucé antes, al que estaba siguiendo Sam.

—Se acabó la fiesta, amigos —dice apuntándome a la cara con una pistola—. Ahora, apártate.

Alzo las manos por delante de mí y doy un paso atrás. Pienso en usar mis poderes para quitarle la pistola, pero ¿y si hago que se dispare por accidente? Todavía no estoy tan seguro de mis capacidades. Es demasiado arriesgado.

—Nos dijeron que vendrían. Que parecerían humanos. Que ustedes son el verdadero enemigo —dice el hombre.

—¿De qué estás hablando? —pregunto.

—Deliran —dice Henri—. Creen que somos el enemigo.

—¡Cállate! —grita el tipo y da tres pasos hacia mí. Después mueve la pistola y apunta directo a Henri.

—Un paso tuyo en falso y le disparo. ¿Entendido?

—Sí.

—Ahora, atrapa esto —agarra un rollo de cinta del estante que está a su lado y me lo lanza. Mientras vuela por el aire, lo detengo y lo sostengo a unos dos metros y medio del suelo y a medio camino entre los dos. Después lo hago girar a toda velocidad. El tipo se queda mirándolo, confundido.

—¿Qué demonios…?

Mientras está distraído, alargo el brazo hacia él como lanzando algo y el rollo de cinta se devuelve y le da en la nariz. Le empieza a salir sangre a chorros. Y cuando se lleva la mano a la cara, suelta la pistola, que cae al suelo y se dispara. Yo dirijo la mano hacia la bala y la detengo, y oigo a Henri reírse detrás de mí. Entonces, muevo la bala hasta que queda colgando frente a la cara del tipo.

—Oye, gordinflón —le digo.

Él abre los ojos y ve la bala flotando en el aire frente a su cara.

—Vas a tener que traer refuerzos.

Dejo que la bala caiga a sus pies. Él se voltea para salir corriendo, pero lo traigo de vuelta y lo estampo contra una columna gruesa. El tipo queda inconsciente y se desploma en el suelo. Entonces, voy por la cinta y lo amarro a la columna. Después de asegurarme de que está bien amarrado, vuelvo adonde Henri y termino de liberarlo.

—John, creo que esta es la mejor sorpresa de mi vida —me dice en un susurro. Su voz suena tan aliviada que pienso que va a ponerse a llorar.

Sonrío orgulloso.

—Gracias. Apareció en la cena.

—Siento habérmela perdido.

—Les dije que estabas enredado en algo.

Sonríe.

—Gracias a Dios que apareció el legado —dice, y me doy cuenta de que la angustia por la aparición de mis legados, o el miedo de que no aparecieran, estaba afectándolo mucho más de lo que creía.

—¿Y qué fue lo que pasó entonces? —pregunto.

—Toqué a la puerta. Estaban los tres. Cuando entré, uno me dio un porrazo detrás de la cabeza. Después, me desperté en esta silla.

Sacude la cabeza y suelta una retahíla de palabras en loriense que sé que son groserías. Cuando termino de desatarlo, se levanta y estira las piernas.

—Tenemos que largarnos de aquí —dice.

—Tenemos que encontrar a Sam.

Y entonces lo oímos.

—John, ¿estás allí abajo?

CAPÍTULO
VEINTIUNO

TODO PASA MUY LENTAMENTE. VEO A UNA SEGUNDA PER-
sona en lo alto de las escaleras. Sam da un grito, sorprendido.
Me volteo hacia él. El silencio inunda mis oídos con ese mur-
mullo discordante que acompaña a la cámara lenta. El hombre
que está detrás de Sam le da un empellón que hace que sus
pies se despeguen del suelo… y cuando caiga, será al final de
las escaleras, donde lo espera el cemento. Lo veo surcando el
aire, agitando los brazos, con una mirada de terror en su rostro angustiado, y sin pensarlo ni solo un instante, mi instinto
toma las riendas, alzo las manos en el último segundo y lo
atrapo cuando su cabeza está a unos cuantos centímetros del
suelo, donde lo acuesto suavemente.

—¡Carajo! —dice Henri.

Sam se incorpora y se arrastra hacia atrás como un can-
grejo hasta chocar contra la pared de hormigón. Tiene los ojos
abiertos de par en par, clavados en las escaleras. Su boca se
mueve, pero no sale ninguna palabra. La persona que lo empu-
jó está en lo alto de la escalera, tratando de entender, al igual
que Sam, lo que acaba de pasar. Debe de ser el tercer tipo.

—Sam, yo traté de… —digo.

El hombre de arriba se da la vuelta para salir corriendo, pero yo lo hago bajar dos escalones. Sam mira al hombre

sostenido por una fuerza invisible, después mira mi brazo extendido. Está horrorizado y mudo.

Agarro la cinta adhesiva, alzo al tipo y lo llevo hasta el segundo piso, sosteniéndolo todo el tiempo en el aire. Mientras lo amarro a una silla con la cinta, él me grita toda clase de obscenidades, pero no oigo nada porque tengo la mente ocupada pensando en lo que le diremos a Sam sobre lo que acaba de pasar.

—Cállate —le digo.

Me suelta otra sarta de maldiciones y entonces decido que ya es suficiente, le tapo la boca con cinta y regreso al sótano. Henri está de pie junto a Sam, que sigue sentado en el suelo, con la misma mirada de desconcierto.

—No lo entiendo —dice—. ¿Qué acaba de suceder?

Henri y yo nos miramos. Me encojo de hombros.

—Dime qué está pasando —dice Sam con una voz suplicante y teñida de desesperación por saber la verdad, saber que no está loco y que lo que acaba de ver no fue fruto de su imaginación.

Henri suspira y sacude la cabeza.

—¿Qué más da? —dice.

—¿Qué más da qué? —pregunto.

No me responde, sino que se voltea hacia Sam, frunce la boca, mira al hombre desplomado contra la columna para asegurarse de que sigue inconsciente; después a Sam.

—No somos quienes crees que somos —dice; luego hace una pausa.

Sam sigue callado, mirando a Henri fijamente. No puedo leer su rostro. Y no sé qué le va a decir Henri, si será otra historia rebuscada o la verdad, y espero sinceramente que sea la segunda. Henri me mira, yo hago en un gesto de asentimiento.

—Hace diez años, vinimos a la Tierra desde un planeta llamado Lorien. Vinimos porque los habitantes de otro planeta, llamado Mogadore, lo destruyeron. Lo destruyeron por sus recursos, pues habían convertido su propio planeta en una cloaca. Entonces vinimos aquí para escondernos hasta que podamos regresar a Lorien, pues algún día regresaremos. Pero los mogadorianos nos siguieron. Y están buscándonos. Creo que han venido a apoderarse de la Tierra, y por eso vine hoy aquí, para averiguar un poco más.

Sam se queda mudo. Si se lo hubiera dicho yo, estoy seguro de que no me habría creído y se habría puesto furioso. Pero fue Henri quien se lo dijo, y Henri tiene una integridad que he percibido siempre, y estoy seguro de que Sam también la percibe. Entonces me mira.

—Tenía razón: eres un extraterrestre. Y estabas hablando en serio cuando lo reconociste.

—Sí, tenías razón.

Vuelve a mirar a Henri.

—¿Y los cuentos que me contaste en Halloween?

—Eso no —responde Henri—, esos eran solo historias ridículas que me hicieron reír cuando me topé con ellas en Internet, nada más. Pero lo que acabo de decirte es la verdad sincera.

—Bueno… —dice Sam, luego se queda callado, buscando las palabras—. ¿Y lo que acaba de pasar ahora?

Henri hace un gesto, señalándome con la cabeza.

—John está en proceso de desarrollar ciertos poderes. La telequinesis es uno de ellos. Cuando te empujaron, él te salvó.

Sam sigue mirándome, sonriendo. Cuando lo miro, me hace un guiño.

—Sabía que eras diferente.

—Sobra decir —dice Henri, mirando a Sam— que tendrás que guardar silencio al respecto —después me mira—.

Necesitamos información, y tenemos que largarnos de aquí. Puede que estén cerca.

—Y puede que los tipos de arriba sí estén conscientes.

—Vamos a hablar con ellos.

Henri recoge la pistola del suelo y le saca el cargador. Está lleno. Le quita todas las balas y las deja en un estante cercano; luego vuelve a ponerle el cargador y se la acomoda en la pretina del pantalón. Ayudo a Sam a levantarse y subimos al segundo piso. El tipo al que subí mediante la telequinesis sigue forcejeando; el otro está quieto. Henri se le acerca.

—Te lo advertí —le dice.

El hombre asiente.

—Ahora vas a desembuchar —le dice Henri y le despega la cinta de la boca—. Si no... —le quita el seguro a la pistola y le apunta al pecho—. ¿Quién vino a visitarlos?

—Eran tres.

—Y nosotros somos tres. ¿Eso qué importa? Continúa.

—Me dijeron que si ustedes venían y yo les decía algo, me matarían. No voy a decirles nada más.

Henri pone el cañón de la pistola en la frente del tipo. Pero esto me hace sentir incómodo, así que me acerco y bajo la pistola para que apunte solo hacia el suelo. Henri me mira con curiosidad.

—Hay otras maneras —le digo.

Henri se encoge de hombros y guarda la pistola.

—Todo tuyo —me dice.

Estoy a un metro y medio del tipo, que me mira atemorizado. Es un hombre pesado, pero después de haber atrapado a Sam cuando salió volando, sé que puedo con él. Entonces, extiendo los brazos, esforzándome por concentrarme con todo el cuerpo. Al principio no pasa nada, hasta que el hombre empieza a separarse del suelo muy lentamente. Forcejea, pero está atado a la silla con cinta industrial y no puede hacer nada. Aunque me concentro con todas mis fuerzas, puedo ver con el rabillo del ojo que Henri sonríe orgulloso, y Sam también. Ayer no podía ni con una pelota de tenis, ahora estoy alzando una silla con un tipo de unos cien kilos sentado en ella. Qué rápido se ha desarrollado el legado.

Cuando lo he alzado hasta la altura de mi cara, volteo la silla para que quede colgando boca abajo.

—¡Por favor! —grita.

—¡Dinos!

—¡No! Dijeron que me matarían.

Entonces suelto la silla y esta cae. El tipo grita, pero lo agarro antes de que toque el suelo y vuelvo a alzarlo.

—¡Eran tres! —grita, hablando rápidamente—. Aparecieron el mismo día en que enviamos las revistas. Esa misma noche.

—¿Y qué aspecto tenían? —pregunta Henri.

—Como de fantasmas. Eran pálidos, casi como albinos. Usaban gafas de sol, pero como no les decíamos nada, dos de ellos se las quitaron. Tenían los ojos negros y los dientes afilados, pero no parecían naturales como los de un animal, sino como si se los hubieran roto y después limado. Todos llevaban abrigos largos y sombreros, como sacados de una vieja película de espías. ¿Qué más diablos quieren?

—¿Por qué vinieron?

—Querían saber cuál era la fuente de nuestro artículo. Y se los dijimos. Un día llamó un tipo, dijo que nos tenía una exclusiva y se soltó a hablar enardecido acerca de un grupo de extraterrestres que quería destruir nuestra civilización. Pero llamó justo el día en que estábamos imprimiendo, entonces, en vez de escribir el artículo completo, pusimos un breve adelanto y dijimos que continuaría al mes siguiente. Hablaba tan rápido que apenas pudimos entender lo que decía. Pensábamos llamarlo a la noche siguiente, pero eso no sucedió, pues aparecieron los mogadorianos.

—¿Y cómo supieron que eran mogadorianos?

—¿Qué más diablos podían haber sido? Escribimos un artículo sobre la raza extraterrestre mogadoriana, y nada más y nada menos que un grupo de extraterrestres toca a nuestra puerta ese mismo día, preguntándonos de dónde sacamos la información. No era difícil imaginárselo.

El hombre pesa; me cuesta sostenerlo. Tengo la frente bañada en sudor y respiro con dificultad. Entonces lo enderezo y empiezo a bajarlo. Lo dejo caer cuando está a menos de medio metro del suelo. Él aterriza con un "¡Ay!", y yo me doblo en dos, con las manos en las rodillas, tratando de recuperar el aliento.

—¿Cuál es tu problema, hermano? Si estoy respondiendo a tus preguntas.

—Lo siento —le digo—. Pesas demasiado.

—¿Y esa fue la única vez que vinieron? —pregunta Henri.

El tipo niega con la cabeza.

—Volvieron.

—¿Por qué?

—Para asegurarse de que no fuéramos a imprimir nada más. Creo que no confiaban en nosotros, pero el tipo que llamó no volvió a contestar el teléfono, así que no teníamos nada más qué imprimir.

—¿Y qué le pasó?

—¿Tú qué crees?

Henri asiente.

—¿Ellos sabían dónde vivía?

—Tenían el número al que quedamos de llamarlo. No dudo hayan tardado en averiguarlo.

—¿Y los amenazaron?

—Pues claro. Nos destrozaron la oficina y me jodieron la cabeza. No he vuelto a ser el mismo desde entonces.

—¿Y qué le hicieron a tu cabeza?

El tipo cierra los ojos y vuelve a respirar profundo.

—Ni siquiera parecían de verdad. Es decir, de un momento a otro, teníamos a estos tres tipos delante de nosotros, hablando con una voz profunda y áspera, vestidos todos con gabardina, sombrero y gafas oscuras aunque era de noche. Parecían como disfrazados para una fiesta de Halloween o algo así. Entonces me parecieron graciosos y fuera de lugar, y me reí de ellos al principio... —hace una pausa—. Pero en el instante en que me reí, supe que había sido un error. Dos de ellos se quitaron las gafas y se me acercaron. Intenté apartar la mirada, pero no pude. Esos ojos. Tenía que mirarlos, como si algo me atrajera hacia ellos. Y fue como ver la muerte. Mi propia muerte y la de todas las personas a las que conozco y quiero. La cosa ya no tenía ninguna gracia. Y no solo tuve que presenciar las muertes, sino que pude sentirlas. La incertidumbre. El dolor. El horror absoluto. Ya no estaba en la misma habitación. Después aparecieron mis temores de infancia. Imágenes de muñecos de peluche que cobraban vida, con dientes afilados en vez de bocas, y cuchillas en vez de garras. Las típicas cosas a las que les tienen miedo los niños. Hombres lobo. Payasos diabólicos. Arañas gigantes. Todo eso lo vi con los ojos de un niño y quedé completamente aterrorizado. Y cada vez que una cosa de esas me mordía, podía sentir sus dientes desgarrándome la carne y la sangre brotando de las heridas. No podía dejar de gritar.

—¿No intentaste defenderte?

—Tenían dos mamarrachos que parecían unas comadrejas pequeñas y gordas, con las patas cortas, no más grandes que un perro. Y echaban espuma por la boca. Uno de los tipos las tenía agarradas con una correa, pero se notaba que querían comernos. Y dijeron que las soltarían si nos resistíamos. Te lo digo en serio, hermano, esas cosas no eran de la Tierra. Si hubieran sido perros, pues bueno, nos habríamos defendido, pero creo que esos bichos nos habrían comido enteros a pesar de nuestro tamaño. Y tiraban de la correa, gruñendo, tratando de atacarnos.

—Entonces ustedes les dijeron todo.

—Sí.

—¿Y cuándo regresaron?

—La noche antes de que enviáramos el último número, hace un poco más de una semana.

Henri me lanza una mirada de preocupación. Hace solo una semana los mogadorianos estuvieron a menos de doscientos kilómetros de donde vivimos. Podrían estar por aquí todavía, incluso podrían estar vigilando la revista. Tal vez sea por eso que Henri ha sentido su presencia últimamente. Sam está de pie a mi lado, absorbiéndolo todo.

—¿Y por qué no los mataron, como lo hicieron con su fuente?

—¿Cómo diablos voy a saberlo? Tal vez porque publicamos una revista respetable.

—¿Y cómo supo de la existencia de los mogadorianos el tipo que llamó?

—Dijo que había capturado y torturado a uno.

—¿Dónde?

—No lo sé. Su número telefónico tenía el código de la zona de Columbus. Es decir, al norte de aquí. A unos noventa o ciento veinte kilómetros al norte.

—¿Tú hablaste con él?

—Sí. Y no sabía si estaba loco o no, pero ya habíamos oído rumores acerca de algo parecido. Se puso a hablar de que querían acabar con la civilización tal como la conocemos, y a veces hablaba tan rápido que era difícil encontrarle algún sentido a lo que decía. Una cosa que repetía todo el tiempo era que habían venido en busca de algo, o de alguien. Después se soltó a decir números.

Abro los ojos de par en par.

—¿Qué números? ¿Qué significaban?

—No tengo ni idea. Como les dije, hablaba tan rápido que apenas pudimos tomar nota de lo que decía.

—¿Tomaron nota mientras hablaba? —pregunta Henri.

—Pues claro. Somos periodistas —dice con tono de incredulidad—. ¿Crees que nos inventamos los artículos que escribimos?

—Sí, eso creo —responde Henri.

—¿Todavía tienes las notas que tomaste? —pregunto.

Él me mira y asiente.

—Pero no sirven de nada, en serio. La mayoría de las cosas que escribí son garabatos de su plan para acabar con la raza humana.

—¡Necesito verlas! —digo casi con un grito—. ¿Dónde... dónde están?

Él señala con un gesto un escritorio que está contra una de las paredes.

—En el escritorio. En notas autoadhesivas.

Voy al escritorio, que está cubierto de papeles, y empiezo a revisar las notas. Encuentro unas anotaciones muy vagas sobre la esperanza de los mogadorianos por conquistar la Tierra. Nada en concreto, sin planes ni detalles, solo unas cuantas palabras poco precisas.

Sobrepoblación

Recursos de la Tierra

¿Guerra biológica?

El planeta Mogadore

Llego a la nota que estoy buscando. La leo detenidamente unas tres o cuatro veces.

¿PLANETA LORIEN? ¿LOS LORIENSES?
1–3 MUERTOS
¿4?
7 RASTRO EN ESPAÑA
9 A LA FUGA EN AS
(¿DE QUÉ ESTÁ HABLANDO? ¿QUÉ TIENEN
QUE VER ESTOS NÚMEROS CON LA INVASIÓN
DE LA TIERRA?)

—¿Por qué está entre signos de interrogación el número 4? —pregunto.

—Porque dijo algo al respecto, pero hablaba demasiado rápido y no le entendí.

—¿Es un chiste?

El tipo niega con la cabeza. Suspiro. "Vaya suerte la mía, pienso. Lo único que dijo acerca de mí es lo único que no quedó escrito".

—¿Qué significa "AS"? —pregunto.

—América del Sur.

—¿Y dijo en qué parte de América del Sur?

—No.

Asiento, mirando el papelito. Quisiera haber podido oír la conversación, haber hecho mis preguntas. ¿Sabrán realmente los mogadorianos dónde está Siete? ¿Estarán siguiéndolo (o siguiéndola) en realidad? En ese caso, el hechizo loriense sigue funcionando. Doblo las notas y me las guardo en el bolsillo trasero.

—¿Sabes qué significan los números? —pregunta.

Sacudo la cabeza.

—Ni idea.

—No te creo —dice.

—Cierra el pico —le dice Sam y le da un golpe en la barriga con el lado grueso del bate.

—¿Hay algo más que puedas decirme? —pregunto.

Lo piensa un momento; después responde:

—Creo que les molesta la luz fuerte. Parecía producirles dolor cuando se quitaron las gafas.

Oímos un ruido abajo. Como si alguien estuviera tratando de abrir la puerta lentamente. Nos miramos. Después miro al tipo sentado en el asiento.

—¿Quién es? —pregunto en voz baja.

—Ellos.

—¿Qué?

—Dijeron que estarían vigilándonos. Que sabían que alguien vendría.

Sentimos unas pisadas silenciosas en el primer piso.

Henri y Sam se miran mutuamente, horrorizados.

—¿Por qué no nos lo dijiste?

—Dijeron que me matarían. Y a mi familia.

Corro a la ventana, miro hacia la parte trasera. Estamos en el segundo piso. Es una caída de seis metros hasta el suelo. Hay una cerca alrededor del patio. Unas tablas de madera, de unos dos metros y medio de altura. Regreso rápidamente a las escaleras y echo un vistazo hacia abajo. Veo tres figuras enormes, con largas gabardinas negras, sombreros negros y gafas de sol. Llevan unas espadas largas y brillantes. Es imposible bajar por las escaleras. Mis legados están más fuertes, pero no lo suficiente como para poder contra tres mogadorianos. La única salida es a través de las ventanas o por la pequeña terraza que queda al frente de la habitación. Las ventanas son más pequeñas, pero el patio nos permitiría escapar sin ser vistos. Si salimos por el frente, lo más probable es que nos vean. Oigo un ruido que viene del sótano, y a los mogadorianos hablando entre sí en un idioma gutural espantoso. Dos de ellos se dirigen hacia el sótano; el tercero se encamina a las escaleras que suben hacia nosotros.

Tengo uno o dos segundos para actuar. Las ventanas se romperán si salimos a través de ellas. Nuestra única oportunidad está en las puertas que llevan a la terraza. Las abro por medio de la telequinesis. Está oscuro afuera. Oigo pasos subiendo por las escaleras. Agarro a Sam y a Henri y me echo a cada uno en un hombro, cual bultos de papas.

—¿Qué estás haciendo? —susurra Henri.

—No tengo ni idea —digo—, pero espero que funcione.

Tan pronto veo la copa del sombrero del primer mogadoriano, salgo disparado hacia las puertas, y justo antes del antepecho de la terraza, salto. Volamos por el cielo nocturno, flotando durante dos o tres segundos. Veo los autos que pasan por la calle debajo de nosotros. Veo gente en la acera. No sé dónde vamos a ir a parar, o si mi cuerpo soportará todo el peso que llevo cuando caigamos. Cuando aterrizamos en el tejado de una casa al otro lado de la calle, me desplomo, con Sam y Henri encima de mí. Me quedo sin aire y siento como si me hubiera roto las piernas. Sam empieza a levantarse, pero Henri lo mantiene agachado y después me lleva hasta el extremo del tejado y me pregunta si puedo usar mi telequinesis para bajarlos a los dos hasta el suelo. Puedo y lo hago. Entonces me dice que tengo que saltar, y yo me sostengo sobre mis piernas aun temblorosas y adoloridas. Justo antes de bajar, me volteo y veo a los tres mogadorianos en la terraza al otro lado de la calle, con caras desconcertadas. Sus espadas resplandecen. Alcanzamos a irnos sin que nos vieran, justo en el último minuto.

Caminamos hasta la camioneta de Sam; él y Henri tienen que ayudarme, y Bernie está allí, esperándonos. Decidimos dejar la camioneta de Henri porque es muy probable que ellos sepan cómo es y puedan rastrearla. Y así, dejamos atrás a Atenas y nos dirigimos a Paraíso, que hace gran honor a su nombre después de la noche que hemos tenido.

Henri empieza desde el principio y le cuenta todo a Sam, y no termina sino cuando llegamos a la casa. Todavía está oscuro. Sam me mira.

—Increíble —dice con una sonrisa—. Es lo más genial que haya oído en toda mi vida.

Yo lo miro y veo la validación que ha estado buscando durante toda su vida, la confirmación de que todo el tiempo que dedicó a los periodicuchos conspirativos, buscando pistas sobre la desaparición de su padre, no fue en vano.

—¿En serio eres resistente al fuego?

—Sí.

—¡Impresionante!

—Gracias, Sam.

—¿Puedes volar? —pregunta. Primero creo que está bromeando, pero después me doy cuenta de que no.

—No, no puedo volar. Soy resistente al fuego y puedo alumbrar con las manos. Y tengo la habilidad de la telequinesis, que apenas aprendí a utilizar ayer. Se supone que pronto aparecerán más legados. Eso creemos, en todo caso, pero no sé cuáles serán hasta que se desarrollen.

—Espero que aprendas a volverte invisible.

—Mi abuelo podía, y cualquier cosa que tocara también se volvía invisible.

—¿En serio?

—Sí.

Empieza a reírse.

—Todavía no puedo creer que hayan ido hasta Atenas por su cuenta —dice Henri—. Son cosa seria, ustedes dos. Cuando paramos para echar combustible, vi que la placa se venció hace cuatro años. En serio, no sé cómo lograron llegar sin que los detuvieran.

—Bueno, pues pueden contar conmigo de ahora en adelante —dice Sam—. Haré lo que sea por ayudarles a detenerlos. Sobre todo porque creo que fueron ellos los que se llevaron a mi papá.

—Gracias, Sam —dice Henri—. Lo más importante que puedes hacer es guardar nuestro secreto. Si alguien más nos descubre, eso podría significar nuestra muerte.

—No te preocupes. No se lo diré a nadie. No quiero que John vaya a usar sus poderes en mi contra.

Nos reímos y volvemos a darle las gracias, y él se marcha. Henri y yo entramos en la casa. Aunque dormí durante el viaje de regreso, sigo agotado. Me echo en el sofá. Henri se sienta en un sillón frente a mí.

—Sam no va a abrir la boca —le digo.

Él no responde, se queda mirando el suelo fijamente.

—No saben que estamos aquí —digo.

Henri me mira.

—No, no lo saben —insisto—. Si lo supieran, estarían siguiéndonos en este momento.

Henri sigue callado y no puedo soportarlo.

—No voy a irme de Ohio por una simple especulación.

Ahora se pone de pie y dice:

—Me alegra que tengas un amigo. Y Sarah me parece fantástica. Pero no podemos quedarnos. Voy a empezar a empacar.

—No.

—Cuando hayamos empacado, iré al pueblo a comprar una nueva camioneta. Tenemos que largarnos de aquí. Puede que no nos hayan seguido, pero saben que estuvieron a punto de atraparnos y que es probable que sigamos estando cerca. Creo que el tipo que llamó a la revista efectivamente capturó a uno de ellos. Esa era su historia, que capturó y torturó a uno hasta hacerlo hablar y después lo mató. No sabemos qué tipo de tecnología usarán para rastrearnos, pero no creo que tarden mucho en encontrarnos. Y cuando esto suceda, moriremos. Tus legados están apareciendo, y tu fuerza está aumentando, pero no estás preparado en absoluto para combatirlos.

Henri se va de la sala. Yo me incorporo. No quiero irme. Por primera vez en la vida, tengo un amigo de verdad. Un amigo que sabe lo que soy y no me tiene miedo ni piensa que soy un bicho raro. Un amigo que está dispuesto a luchar a mi lado, y a correr peligros conmigo. Y tengo una novia. Alguien que quiere estar conmigo, aun sin saber quién soy. Alguien que me hace feliz, alguien por quien lucharía o correría peligro. Todavía no han aparecido todos mis legados, pero sí los suficientes. Hoy pude con tres hombres hechos y derechos. Ellos no tenían ninguna posibilidad contra mí. Fue como luchar con unos niños pequeños. Podía hacerles lo que quisiera. Además, sabemos que los humanos también pueden combatir y capturar y herir y matar a los mogadorianos. Y si ellos pueden, yo también, sin duda alguna. No quiero irme. Tengo un amigo, y una novia. Y no pienso irme.

Henri sale de su habitación cargando el cofre loriense, nuestro bien más preciado.

—Henri.

—¿Sí?

—No nos vamos.

—Sí nos vamos.

—Puedes irte tú, si quieres, pero entonces me iré a vivir con Sam. No pienso irme.

—La decisión no está en tus manos.

—¿Ah, no? Creía que era a mí al que perseguían. Creía que era yo quien estaba en peligro. Tú podrías largarte ahora mismo y los mogadorianos no te buscarían nunca. Podrías vivir una vida larga y normal. Podrías hacer lo que quisieras. Yo no. A mí, en cambio, van a perseguirme siempre. Van a tratar de encontrarme y matarme, siempre. Tengo quince años y ya no soy un niño. La decisión sí está en mis manos.

Se queda mirándome durante un minuto.

—Estuvo bueno el discurso, pero no cambia nada. Empaca tus cosas. Nos vamos.

Alzo una mano y la dirijo hacia él y lo levanto del suelo. Está tan impresionado que no dice nada. Me pongo de pie y lo muevo hasta el rincón de la habitación, cerca del techo.

—Nos quedamos —le digo.

—Bájame, John.

—Te bajaré cuando aceptes que nos quedamos.

—Es demasiado peligroso.

—No lo sabemos. Ellos no están en Paraíso. Es más, puede que no tengan ni la menor idea de dónde estamos.

—Bájame.

—Solo cuando aceptes que nos quedamos.

—¡¡Bájame!!

No contesto nada. Lo dejo allí, simplemente. Él forcejea, tratando de empujarse con el techo y la pared, pero no puede moverse. Mis poderes lo mantienen en el mismo lugar. Y me siento fuerte haciendo esto. Más fuerte que nunca. No voy a irme. No voy a seguir huyendo. Me encanta mi vida en Paraíso. Me encanta tener un amigo de verdad, y amo a mi novia.

Estoy listo para luchar por lo que quiero, ya sea contra los mogadorianos o contra Henri.

—Sabes que no vas a bajar hasta que te baje.

—Estás actuando como un niño.

—No, estoy actuando como alguien que está empezando a darse cuenta de quién es y qué puede hacer.

—¿Y en serio piensas dejarme aquí arriba?

—Hasta que me canse o me duerma, pero volveré a subirte en cuanto haya descansado.

—Está bien. Podemos quedarnos. Con unas condiciones.

—¿Cuáles?

—Bájame y hablaremos.

Lo bajo y lo pongo en el suelo. Él me abraza, y eso me sorprende, pues esperaba que estuviera furioso. Después me suelta y nos sentamos en el sofá.

—Estoy orgulloso de todo lo que has logrado. Llevo años esperando y preparándome para que esto sucediera, para que aparecieran tus legados. Tú sabes que mi vida entera está dedicada a protegerte y fortalecerte. No me perdonaría nunca si algo llegara a sucederte. Si llegaras a morir bajo mi guardia, no sé cómo podría seguir adelante. Los mogadorianos van a encontrarnos, tarde o temprano. Quiero estar preparado para cuando lleguen. Y no creo que tú lo estés aún, aunque así lo creas. Todavía te falta mucho. Podemos quedarnos, por ahora, si aceptas que el entrenamiento es lo primero. Antes que Sarah, antes que Sam, antes que todo. Y ante la primera señal de que están cerca, o siguiéndonos la pista, nos iremos, sin preguntar y sin discutir, y sin ponerme a levitar en el techo.

—Trato hecho —le digo, y sonrío.

CAPÍTULO VEINTIDÓS

EL INVIERNO LLEGA TEMPRANO Y CON TODAS SUS FUER-
zas a Paraíso, Ohio. Primero el viento, luego el frío, luego la
nieve. Primero caen unos pocos copos de nieve, después sopla una tormenta que sepulta la tierra de tal forma que los
quitanieves y sus chirridos se vuelven tan constantes como el
viento, dejando todo cubierto por una capa de sal. El colegio
se cierra durante dos días, y la nieve que bordea las calles pasa
del blanco a un negro sucio hasta que finalmente se derrite
en unos charcos fangosos que se niegan a secarse. Henri y yo
ocupamos todo mi tiempo libre entrenando, adentro y afuera.
Ahora ya puedo hacer malabarismos con tres pelotas sin tocarlas, y esto significa que también puedo alzar más de una cosa
a la vez. Ya he superado los objetos más grandes y pesados,
como la mesa de la cocina, el soplanieve que Henri compró
la semana pasada y la nueva camioneta, que es idéntica a la
anterior, y a los millones de camionetas que se ven por todo
el país. Si puedo alzarla físicamente, entonces también puedo
alzarla con la mente. Henri cree que con el tiempo la fuerza de
mi mente superará a la de mi cuerpo.

Los árboles del jardín de atrás montan guardia a nuestro
alrededor. Ramas congeladas, cual figurillas de cristal hueco,
cubiertas por dos centímetros de un delicado polvo banco. La

nieve nos llega hasta las rodillas por todas partes, salvo en el pequeño claro que Henri ha despejado. Bernie Kosar nos observa desde el porche trasero; ni siquiera él quiere tener nada que ver con la nieve.

—¿Estás seguro de esto? —pregunto.

—Tienes que aprender a integrarlo —dice Henri.

A su lado, observando con una curiosidad morbosa, está Sam. Es la primera vez que viene a verme entrenar.

—¿Cuánto tiempo arderá? —pregunto.

—No lo sé.

Tengo puesto un traje altamente inflamable, hecho de fibras naturales empapadas en aceites, algunos de los cuales arden despacio, otros no. Y quiero prenderle fuego de una buena vez solo para liberarme de los olores que me hacen llorar los ojos. Respiro profundamente.

—¿Listo? —pregunta Henri.

—Más listo, imposible.

—No respires. No eres inmune al humo ni a los gases y se te quemarán los órganos.

—Esto me parece absurdo.

—Es parte de tu entrenamiento. Mantener la calma bajo presión. Tienes que aprender a hacer varias cosas mientras ardes en llamas.

—¿Pero por qué?

—Porque cuando empiece la batalla, ellos serán muchísimos más que nosotros. Y el fuego será uno de tus mejores aliados en la guerra. Tienes que aprender a luchar mientras ardes.

—*Pfft.*

—Si pasa algo, tírate a la nieve y échate a rodar.

Miro a Sam, que sonríe de oreja a oreja. Tiene un extintor rojo en la mano, por si acaso.

—Ya lo sé —le digo.

Todos guardamos silencio mientras Henri juguetea con los fósforos.

—Te pareces al Abominable Hombre de las Nieves con ese traje —dice Sam.

—Cierra el pico, Sam —digo.

—Aquí vamos —dice Henri.

Y justo antes de que toque el traje con un fósforo, respiro profundo. El fuego envuelve todo mi cuerpo. Me parece poco natural mantener los ojos abiertos, pero eso hago. Miro hacia arriba. El fuego se alza unos dos metros y medio por encima de mí. El mundo entero queda envuelto en velos de amarillo, rojo y naranja que bailotean en mi campo visual. Puedo sentir el calor, pero solo un poco, como se sienten los rayos de sol en un día de verano. Nada más.

—¡Ya! —grita Henri.

Entonces estiro los brazos hacia los lados, con los ojos abiertos de par en par y la respiración contenida. Siento como si flotara. Me interno en la nieve profunda, y esta empieza a chisporrotear y derretirse bajo mis pies, dejando una tenue estela de vapor tras de mí. Extiendo la mano derecha hacia delante y alzo un ladrillo de cemento, que se siente más pesado de lo normal. ¿Será porque no estoy respirando? ¿O por la tensión producida por el fuego?

—¡No pierdas tiempo! —grita Henri.

Arrojo el ladrillo con todas mis fuerzas contra un árbol muerto, a quince metros de distancia. El golpe hace que el ladrillo se rompa en mil pedazos y que deje una hendidura en el árbol. Después alzo tres pelotas de tenis empapadas en combustible y juego con ellas en el aire. Luego las acerco a mi cuerpo para que se prendan y sigo jugueteando con ellas mientras alzo un palo de escoba largo y delgado. Cierro los ojos. Tengo el cuerpo caliente. Me pregunto si estaré sudando. Si es así, el sudor debe de estar evaporándose en el instante en que llega a la superficie de mi piel.

Aprieto los dientes, abro los ojos, lanzo el cuerpo hacia delante y concentro todos mis poderes en el centro del palo, que explota en mil pedazos. Pero no dejo que caiga ninguno al suelo, sino que los mantengo suspendidos, como una nube de polvo que flota en el aire. Entonces los atraigo hacia mí, para que se enciendan. La madera crepita entre el rumor destellante de las llamas y vuelvo a unir los pedazos en una lanza compacta de fuego que parece salida directamente de las profundidades del infierno.

—¡Perfecto! —grita Henri.

Ha pasado un minuto. Los pulmones empiezan a arderme por el fuego, por la respiración aún contenida. Concentro todo mi ser en la lanza y la arrojo con tanta fuerza que atraviesa el aire como una bala y choca contra el árbol. Miles de fueguitos diminutos se esparcen por sus alrededores y se extinguen casi de inmediato. Esperaba que el árbol muerto ardiera en llamas, pero no es así. Y además he dejado caer las pelotas de tenis, que chisporrotean entre la nieve a un metro y medio de donde estoy.

—¡Olvídate de las pelotas! —grita Henri—. ¡El árbol! ¡El árbol!

El árbol muerto tiene un aspecto espectral, con sus miembros artríticos que se perfilan contra el blanco mundo a sus espaldas. Cierro los ojos. No podré contener la respiración por mucho más. La frustración y la ira empiezan a crecer en mi interior, avivadas por el fuego y la incomodidad del traje y las labores inconclusas. Me concentro en la larga rama que sale del tronco y trato de arrancarla, pero no se rompe. Aprieto los dientes y frunzo el ceño hasta que un fuerte chasquido resuena en el aire como la detonación de una escopeta y la rama viene disparada a mi encuentro. La atrapo y la sostengo justo por encima de mí. "Que arda", pienso. Debe de medir más de cinco metros. Cuando finalmente se prende, la alzo a unos quince metros sobre mi cabeza y, sin tocarla, la clavo en el suelo cual espadachín antiguo que reivindica sus derechos en lo alto de una montaña después de ganar la guerra. La rama se tambalea, humeante; las llamas bailan alrededor de la parte superior. Entonces abro la boca y respiro, por puro instinto, y las llamas entran a toda velocidad. Un ardor instantáneo se extiende por todo mi cuerpo. Estoy tan impresionado y me duele tanto, que no sé qué hacer.

—¡La nieve! ¡La nieve! —grita Henri.

Me zambullo de cabeza y me echo a rodar. El fuego se apaga casi de inmediato, pero yo sigo rodando y no oigo nada más que el chisporroteo de la nieve en contacto con el traje destrozado, mientras despido volutas de humo y vapor. En ese momento, Sam le quita el seguro al extintor y me baña con un polvo denso que me dificulta aún más la respiración.

—¡No! —grito, y él apaga el extintor.

Me quedo echado en la nieve, tratando de recobrar el aliento, pero cada inhalación me produce un dolor en los pulmones que repercute por todo mi cuerpo.

—Maldición, John. No tenías que respirar —dice Henri, que se alza por encima de mí.

—No pude evitarlo.

—¿Estás bien? —pregunta Sam.

—Me arden los pulmones.

Todo está borroso, pero el mundo vuelve a hacerse nítido lentamente. Me quedo allí echado, contemplando los copos de nieve que caen suavemente del cielo gris y cerrado.

—¿Cómo estuve?

—Nada mal para ser el primer intento.

—Vamos a hacerlo otra vez, ¿no? —pregunto.

—Dentro de un tiempo, sí.

—Estuvo increíble —dice Sam.

Suspiro, después respiro profundamente y con dificultad.

—Fue una porquería.

—Para ser tu primera vez, lo hiciste bien —dice Henri—. No puedes esperar que todo se dé fácilmente.

Asiento con la cabeza, aún echado en el suelo. Y me quedo allí uno o dos minutos, hasta que Henri me tiende la mano y me ayuda a levantarme, poniendo punto final al entrenamiento del día.

～

Dos días después, me despierto en plena noche: 2:57 en el reloj. Puedo oír a Henri trabajando en la mesa de la cocina. Salgo de la cama y de la habitación. Está encorvado sobre un documento, con los bifocales puestos y sosteniendo una especie de estampilla entre unas pinzas. Alza la mirada.

—¿Qué haces? —pregunto.

—Formularios, para ti.

—¿Para qué?

—Estuve pensando en el viaje tuyo con Sam para buscarme. Y creo que es una tontería que sigamos usando tu verdadera edad cuando podemos cambiarla fácilmente según nuestras necesidades.

Alzo el certificado de nacimiento que acaba de terminar. El nombre que aparece es James Hughes. Según la fecha de nacimiento, tendría un año más, es decir dieciséis y, por tanto, podría conducir. Me inclino y observo el que está fabricando en este momento. Jobie Frey, dieciocho años, mayor de edad.

—¿Por qué no se nos había ocurrido antes? —pregunto.

—No lo habíamos necesitado.

La mesa está cubierta de papeles de diferentes formas, tamaños y gramajes, con una impresora grande a un lado. Y frascos con tinta, sellos de plástico y notariales, placas metálicas y diversas herramientas que parecen como de un consultorio odontológico. El proceso de creación de documentos siempre me ha sido ajeno.

—¿Y vas a cambiarme la edad ahora?

Henri niega con la cabeza.

—Es demasiado tarde para cambiar tu edad en Paraíso. Estos son más que nada para el futuro. Quién sabe qué pueda pasar que te haga necesitarlos.

La idea de mudarnos en el futuro me da náuseas. Preferiría quedarme de quince años para siempre y sin poder conducir, que tener que volver a mudarnos.

Sarah regresa de Colorado una semana antes de Navidad. Llevo ocho días sin verla, pero siento como si hubiera sido un mes. La furgoneta las deja a todas en el colegio, y una de sus amigas la trae directamente a mi casa, sin pasar por la suya. Al oír las ruedas en el camino de acceso, salgo a recibirla con un beso y un abrazo, la alzo del suelo y la hago dar vueltas en el aire. Lleva diez horas viajando en avión y en auto, y está vestida con pantalón deportivo y sin maquillaje y con el pelo recogido en una cola de caballo, y aun así es la chica más hermosa que haya visto en mi vida y no quiero soltarla. Nos miramos fijamente, bajo la luz de la luna, y ninguno de los dos puede hacer nada distinto a sonreír.

—¿Me echaste de menos? —pregunta.

—Cada segundo de cada día.

Me da un beso en la punta de la nariz.

—Yo también te eché de menos.

—¿Y ya tienen un nuevo refugio los animales? —pregunto.

—¡Ay, John, fue increíble! Cómo me hubiera gustado que estuvieras allí. Había unas treinta personas ayudando todo el tiempo, a todas horas. El edificio creció rapidísimo y quedó muchísimo mejor que el de antes. En un rincón, hicimos un gimnasio para los gatos y, te lo juro, todo el tiempo que estuvimos allí, había gatos jugando en él.

Sonrío.

—Suena genial. A mí también me habría gustado estar allí.

Tomo su maleta y entramos juntos en la casa.

—¿Dónde está Henri?

—Haciendo las compras. Se fue hace unos diez minutos.

Sarah atraviesa la sala y cuelga el abrigo en el respaldar de un sillón de camino a mi habitación. Se sienta en el borde de mi cama y se quita los zapatos.

—¿Qué hacemos? —pregunta.

Me quedo de pie, mirándola. Tiene un suéter rojo con capucha y cremallera, cerrada solo hasta la mitad. Sonríe y me mira con los ojos alzados.

—Ven aquí —dice, tendiéndome la mano.

Me acerco. Ella me toma la mano, alza la mirada hacia mí y entrecierra los ojos por la luz del techo. Chasqueo los dedos de la mano libre y la luz se apaga.

—¿Cómo lo hiciste?

—Magia.

Me siento a su lado. Ella se acomoda un mechón de pelo suelto detrás de la oreja, se inclina y me da un beso en la mejilla. Después me toma la barbilla con una mano, acerca mi cara a la suya y me besa otra vez, suave, delicadamente. Siento un cosquilleo por todo el cuerpo. Luego se aparta, pero sin quitarme la mano de la mejilla. Dibuja una de mis cejas con el pulgar.

—Te eché de menos en serio —dice.

—Yo también.

Se hace un silencio entre los dos. Sarah se muerde el labio inferior.

—Me moría de ganas de volver —dice—. Todo el tiempo que estuve en Colorado, solo podía pensar en ti. Hasta cuando estaba jugando con los animales, no podía dejar de desear que estuvieras allí conmigo, jugando con ellos. Y cuando finalmente arrancamos esta mañana, el viaje entero fue una pesadilla aunque sabía que con cada kilómetro que recorríamos estaba un kilómetro más cerca de ti.

Sarah sonríe, especialmente con los ojos. Sus labios son una medialuna que esconde sus dientes. Me da otro beso, un beso que empieza despacio y después se intensifica. Los dos estamos sentados en el borde de la cama. Su mano en mi mejilla, la mía en la parte baja de su espalda. Puedo sentir sus curvas ceñidas bajo las yemas de mis dedos, puedo saborear su protector labial de fresa. La atraigo hacia mí. Siento como si no pudiera estar lo bastante cerca de ella aunque nuestros cuerpos están fuertemente estrechados. Paso mi mano por su espalda, sintiendo su piel suave como la porcelana; ella pasa sus manos por mi pelo. Los dos respiramos pesadamente. Nos dejamos caer en la cama, de lado. Tenemos los ojos cerrados, pero yo abro los míos constantemente para verla. La habitación está a oscuras, salvo por la luz de la luna que entra por la ventana. Ella se da cuenta de que estoy mirándola y dejamos de besarnos. Pone su frente en la mía y me mira fijamente.

Luego pone una mano en mi nuca, me atrae hacia sí y empezamos a besarnos de nuevo. Abrazados. Entrelazados. Tengo la mente despejada de todas las plagas que suelen visitarla y de cualquier pensamiento acerca de otros planetas; liberada de la caza y la persecución de los mogadorianos. Sarah y yo en la cama, besándonos, enamorándonos. No importa nada, absolutamente nada más.

Y entonces se abre la puerta de la sala y los dos nos sentamos de un brinco.

—Llegó Henri —digo.

Nos levantamos y alisamos las arrugas de nuestra ropa, sonriendo. Un secreto compartido que nos hace sonreír al salir de la habitación cogidos de la mano. Henri está poniendo algunas bolsas de las compras en la mesa de la cocina.

—Hola, Henri —dice Sarah.

Él le sonríe. Ella me suelta la mano, se le acerca, lo abraza y se ponen a hablar del viaje a Colorado. Yo salgo a buscar el resto de las bolsas. Respiro el aire frío, trato de sacudirme del cuerpo la tensión de lo que acaba de pasar, y la decepción de que Henri llegara justo en ese momento. Cuando alzo el resto de las bolsas y las entro en la casa, sigo respirando pesadamente. Sarah está hablándole a Henri acerca de algunos de los gatos del refugio.

—¿Y no nos trajiste ninguno?

—Ay, Henri, tú sabes que me habría encantado traerte uno si me lo hubieras dicho —dice Sarah, con los brazos cruzados y la cadera ladeada.

Él le sonríe.

—Lo sé.

Henri guarda las compras y Sarah y yo salimos al viento gélido para dar un paseo antes de que su mamá venga a recogerla. Bernie Kosar, que sale con nosotros, toma la delantera y se echa a correr. Sarah y yo caminamos por el jardín cogidos de la mano. La temperatura está casi bajo cero. La nieve se derrite, la tierra está húmeda y fangosa. Bernie Kosar desaparece un rato entre el bosque y después reaparece, corriendo hacia nosotros. Tiene la parte inferior del cuerpo toda sucia.

—¿A qué horas viene tu mamá? —pregunto.

Sarah mira su reloj.

—Dentro de veinte minutos.

Asiento.

—Estoy tan feliz de que hayas vuelto.

—Yo también.

Vamos hasta el bosque, pero está demasiado oscuro como para adentrarnos. Entonces caminamos por el borde del jardín, cogidos de la mano, deteniéndonos de vez en cuando para besarnos, con la luna y las estrellas como testigos. Ninguno habla de lo que acaba de pasar, pero es obvio que ambos pensamos en eso. Cuando terminamos la primera vuelta, la mamá de Sarah se estaciona en la entrada. Llega con diez minutos de anticipación. Sarah corre a su encuentro y la abraza. Yo entro en la casa y saco su maleta. Después de despedirnos, camino hasta la carretera y veo cómo se pierden en la distancia las luces del auto. Me quedo un rato allí afuera; después, entro en la casa con Bernie Kosar. Mientras Henri prepara la cena, yo baño al perro. Cuando termino, la comida está lista.

Nos sentamos a la mesa y comemos sin intercambiar palabra. No puedo dejar de pensar en Sarah y me quedo contemplando el plato con la mirada vacía. No tengo hambre, pero me obligo a comer de todos modos. Logro tragar un par de bocados, después aparto el plato y me quedo en silencio.

—¿No vas a contarme? —pregunta Henri.

—¿Contarte qué?

—Lo que estás pensando.

Me encojo de hombros.

—No sé.

Él asiente, sigue comiendo. Yo cierro los ojos. Todavía puedo sentir el olor de Sarah en el cuello de mi camisa, puedo sentir su mano en mi mejilla. Sus labios contra los míos, la textura de su pelo al recorrerlo con mis manos. Solo puedo pensar en qué estará haciendo ahora y en cómo quisiera que estuviera aquí.

—¿Crees que es posible que nos amen? —pregunto.

—¿De qué estás hablando?

—Los humanos. ¿Crees que es posible que nos amen de verdad, verdad?

—Creo que pueden amarnos como se aman entre sí, sobre todo si no saben lo que somos, pero no creo que sea posible amar a una humana como amarías a una loriense.

—¿Por qué?

—Porque, en el fondo, somos distintos a ellos y amamos de otra manera. Uno de los regalos que nos dio nuestro planeta es la capacidad de amar completamente. Sin celos ni inseguridades ni temores. Sin mezquindades. Sin iras. Puede que lo que sientes por Sarah sea muy fuerte, pero no es lo que sentirías por una loriense.

—Pues no es que haya muchas lorienses disponibles para mí.

—Razón de más para tener cuidado con Sarah. En un momento dado, si duramos lo suficiente, tendremos que regenerar nuestra raza y repoblar el planeta. Es evidente que todavía estás muy lejos de ese momento, pero yo no contaría con Sarah como tu posible pareja.

—¿Y qué pasa si tratamos de tener hijos con los humanos?

—Ha sucedido muchas veces. Y, por lo general, el resultado es un humano extraordinario y talentoso. Algunos de los personajes más importantes de la historia de la Tierra eran, en realidad, producto de la unión entre un loriense y un humano, como Buda, Aristóteles, Julio César, Alejandro Magno, Gengis Kan, Leonardo da Vinci, Isaac Newton, Thomas Jefferson y Albert Einstein. Muchos de los dioses griegos, quienes son considerados mitológicos, eran en realidad hijos de humanos y lorienses, sobre todo porque en aquel entonces solíamos venir mucho más a este planeta y les ayudamos a desarrollar las civilizaciones. Afrodita, Apolo, Hermes y Zeus eran todos reales, y eran mitad humanos, mitad lorienses.

—Entonces sí es posible.

—Era posible. En nuestra situación actual, es imprudente y nada práctico. Es más, aunque no sé cuál es su número ni sé dónde está, una de las chicas que vino a la Tierra con nosotros era la hija de los mejores amigos de tus padres, y ellos solían bromear con que ustedes dos estaban destinados a terminar juntos. Y a lo mejor tenían razón.

—¿Qué debo hacer entonces?

—Disfruta tu tiempo con Sarah, pero no te apegues demasiado, y no dejes que ella se apegue demasiado.

—¿De verdad?

—Confía en mí, John. Así no vuelvas a creerme ni una sola palabra, créeme lo que acabo de decirte.

—Yo te creo todo lo que me dices, aunque no quiera.

—Bien —dice Henri, haciéndome un guiño.

Me voy a mi cuarto y llamo a Sarah. Primero pienso en lo que dijo Henri, pero no puedo evitarlo. Estoy apegado a ella. Creo que estoy enamorado de ella. Hablamos dos horas. Ya es medianoche cuando colgamos. Después, me quedo acostado en la cama, sonriendo entre la oscuridad.

CAPÍTULO VEINTITRÉS

HA CAÍDO LA NOCHE. UNA NOCHE CÁLIDA EN LA QUE SO-
pla un viento suave. El cielo está sembrado de destellos intermitentes y las nubes adquieren brillantes colores azules, rojos
y verdes. Fuegos artificiales primero. Unos fuegos artificiales
que se convierten en algo más, algo que suena más fuerte, más
amenazante, los *ohs* y *ahs* se convierten en gritos y chillidos.
Estalla el caos. La gente corre, los niños lloran. Y yo en medio
de todo, observando pero sin poder hacer nada para ayudar.
Los soldados y las bestias llegan en tropel y desde todas partes, como ya lo he visto antes. Siguen cayendo las bombas tan
estrepitosas que me hieren los oídos y retumban en la boca de
mi estómago, tan ensordecedoras que me hacen doler los dientes. Y entonces, los lorienses contraatacan con tal intensidad,
tal valentía, que me siento orgulloso de estar entre ellos, de ser
uno de ellos.

Luego me voy, volando por los aires a una velocidad que
hace que el mundo de abajo se desdibuje de tal forma que no
puedo enfocar la vista en absolutamente nada. Cuando me
detengo, estoy en la pista de un aeródromo. A unos cuatro o
cinco metros de distancia, hay una aeronave plateada y unas
cuarenta personas en la rampa que conduce a la entrada. Ya
hay dos adentro, de pie junto a la puerta, con los ojos alzados

al cielo, una niña pequeña y una mujer de la edad de Henri. Y entonces, me veo a mí mismo, de cuatro años, llorando, con los hombros caídos y un Henri muchísimo más joven detrás de mí. Él también está contemplando el cielo. Delante de mí está mi abuela, apoyada en una rodilla, agarrándome de los hombros. Mi abuelo está detrás de ella, con el rostro endurecido, trastornado; los lentes de sus gafas recogen la luz del cielo.

—Tienes que regresar a nosotros, ¿me oyes? Tienes que regresar —dice mi abuela y termina de hablar.

Ojalá hubiera podido oír lo que dijo antes. Hasta ahora, nunca había recordado ninguna de las palabras que me dijeron esa noche. Pero ahora tengo algo. Mi yo de cuatro años no responde. Mi yo de cuatro años está demasiado asustado. No entiende lo que está pasando, no entiende el porqué de la prisa y el temor en los ojos de todos los que lo rodean. Mi abuela me atrae hacia sí, después me suelta, se levanta y me da la espalda para que no la vea llorar. Mi yo de cuatro años sabe que está llorando, pero no sabe por qué.

Después, sigue mi abuelo, que está empapado en sudor, sangre y suciedad. Es evidente que ha estado luchando, y tiene el rostro crispado, como si estuviera listo para seguir luchando, para dar todo de sí en la lucha por la supervivencia. La suya y la del planeta. Se apoya en una rodilla, tal como hizo mi abuela antes que él. Por primera vez, miro a mi alrededor. Trozos retorcidos de metal, pedazos de cemento, unos huecos enormes en el suelo donde han caído las bombas. Fuegos dispersos, vidrios rotos, árboles astillados. Y en medio de todo esto, una sola aeronave, intacta, a la que estamos subiendo.

—¡Tenemos que irnos! —grita alguien. Un hombre de pelo y ojos oscuros. No sé quién es. Henri lo mira y asiente.

Los niños subimos por la rampa. Mi abuelo me mira fijamente. Abre la boca para decir algo, pero antes de que salgan las palabras, vuelvo a volar por los aires y el mundo vuelve a convertirse en un manchón que pasa por debajo. Trato de enfocar la vista, pero voy demasiado rápido. Lo único que alcanzo a distinguir son las bombas, que caen continuamente. Un inmenso despliegue de fuego de todos los colores que surca el cielo nocturno, seguido por las explosiones permanentes.

Luego vuelvo a detenerme.

Estoy dentro de un edificio grande y amplio que no había visto nunca, silencioso, con techo abovedado. El suelo es una gran placa de cemento del tamaño de un campo de fútbol americano. No hay ventanas, pero el estallido de las bombas penetra y retumba entre las paredes que me rodean. Y justo en el centro del recinto, un cohete alto, orgulloso y solitario se alza hasta el punto más alto de la cúpula.

De pronto, una puerta se abre en el rincón más lejano. Volteo la cabeza rápidamente. Entran dos hombres, frenéticos, hablando a toda prisa y a todo volumen. Y de un momento a otro, una manada de animales irrumpe por detrás. Son unos quince, y cambian de forma constantemente. Algunos vuelan, otros corren; primero en dos patas, luego en cuatro. De último, arreando a la manada, entra un tercer hombre. La puerta se cierra. El primero se acerca al cohete, abre una especie de escotilla en la parte inferior y empieza a hacer entrar a los animales.

—¡Vamos! ¡Vamos! ¡Arriba y adentro! ¡Arriba y adentro! —grita.

Los animales avanzan, cambiando de forma para poder entrar. Uno de los hombres sube después del último animal. Los otros dos empiezan a lanzarle bolsas y cajas. Tardan por lo menos diez minutos en subir todo. Luego, los tres se dispersan alrededor del cohete para prepararlo. Los tres sudan y se mueven frenéticamente hasta que todo está listo. Y justo antes de que suban, alguien llega corriendo y cargando un bulto que parece un niño envuelto, pero no puedo ver lo bastante bien como para distinguirlo. Ellos lo reciben y entran en la nave. La puerta se cierra detrás de ellos. Pasan los minutos. Las bombas deben de estar ahora justo del otro lado de las paredes. De pronto, como salida de la nada, hay una explosión dentro del edificio y veo el fuego que empieza a salir del fondo del cohete, un fuego que crece rápidamente, un fuego que consume todo lo que hay en el interior del recinto. Un fuego que me consume incluso a mí.

Abro los ojos de golpe. Estoy de nuevo en la casa, en Ohio, en la cama. La habitación está oscura, pero siento que no estoy solo. Una figura se mueve, su sombra se proyecta sobre la cama. Yo me tenso al verla, listo para encender las luces de mis manos y arrojarla contra la pared.

—Estabas hablando —dice Henri—. Dormido. Estabas hablando dormido hace un segundo.

Enciendo mis luces. Henri está de pie junto a la cama, en pijama. Está despeinado y tiene los ojos rojos de sueño.

—¿Qué estaba diciendo?

—"Arriba y adentro, arriba y adentro". ¿Qué estaba pasando?

—Estaba en Lorien.

—¿En un sueño?

—Creo que no. Estaba allí, como las otras veces.

—¿Y qué viste?

Me incorporo en la cama y me recuesto contra la pared.

—A los animales.

—¿Cuáles animales?

—En el cohete que había visto antes. El cohete viejo, en el museo. El que salió después de nosotros. Vi cómo subían en él a unos animales. No eran muchos. Unos quince. Con otros tres lorienses. No creo que fueran garde. Y algo más. Un bulto que parecía un bebé, pero no alcancé a verlo bien.

—¿Por qué crees que no eran garde?

—Cargaron la nave con provisiones, unas cincuenta cajas y bolsas, pero sin usar telequinesis.

—¿En el cohete, adentro del museo?

—Creo que era el museo. Era un edificio grande y abovedado, y no había nada aparte del cohete. Por eso, supongo que era el museo.

Henri asiente.

—Si trabajaban en el museo, entonces eran cêpan.

—Cargando animales —digo—. Unos animales que podían cambiar de forma.

—*Chimæras* —dice Henri.

—¿Qué?

—*Chimæras*. Animales de Lorien que podían cambiar de forma. Se llamaban *chimæras*.

—¿Eso era Hadley? —pregunto al recordar la visión que tuve hace unas semanas, aquella en la que estaba jugando en el jardín de mis abuelos, cuando el hombre del traje azul y plata me alzó en el aire.

Henri sonríe.

—¿Te acuerdas de Hadley?

Asiento.

—Lo he visto como he visto todo lo demás.

—¿Y estás teniendo las visiones incluso cuando no estamos entrenando?

—A veces.

—¿Con cuánta frecuencia?

—Henri, ¿qué importan las visiones? ¿Por qué estaban cargando animales en un cohete? ¿Y por qué llevaban a un bebé? ¿Y era realmente un bebé? ¿Y a dónde fueron? ¿Qué propósito podían tener?

Henri se queda pensando un rato. Cambia el peso de su cuerpo de una pierna a la otra.

—Probablemente el mismo que nosotros. Piénsalo, John, ¿cómo más podrían los animales repoblar Lorien? Ellos también tendrían que irse a alguna especie de santuario. Todo quedó aniquilado. No solo la gente, sino también los animales y toda la vida vegetal. A lo mejor el bulto era otro animal. Uno frágil, o tal vez muy joven.

—¿Y a dónde irían? ¿Qué otro santuario hay aparte de la Tierra?

—Creo que se fueron a una de las estaciones espaciales. Un cohete con combustible loriense solo habría alcanzado a llegar hasta allí. A lo mejor pensaron que la invasión duraría poco y que podrían esperar a que pasara. Quiero decir que podrían haber vivido en la estación hasta que se les acabaran las provisiones.

—¿Hay estaciones espaciales cerca de Lorien?

—Sí, dos. Bueno, *había*. Sé con certeza que la más grande la destruyeron durante la invasión, pues perdimos contacto con ella menos de dos minutos después de que cayera la primera bomba.

—¿Por qué no me lo habías contado antes, cuando te hablé del cohete por primera vez?

—Supuse que estaba vacío, que lo habían lanzado a manera de señuelo. Y si destruyeron una de las estaciones, supongo que también acabaron con la otra. Por desgracia, es probable que su viaje haya sido en vano, fuera cual fuese su objetivo.

—¿Y si regresaron cuando se les acabaron las provisiones? ¿Crees que podrían sobrevivir en Lorien? —es una pregunta desesperada, y ya conozco la respuesta; pero aunque ya sé lo que va a decirme Henri, pregunto de todos modos, para poder aferrarme a una suerte de esperanza de que no estamos solos en todo esto, que a lo mejor, en algún lugar remoto, hay otros como nosotros, esperando, vigilando el planeta para también poder regresar algún día, y entonces no seremos los únicos.

—No. Ya no hay agua. Tú mismo lo has visto. No es más que una tierra baldía. Y sin agua, no puede sobrevivir nada.

Suspiro y vuelvo a meterme entre las cobijas. Dejo caer la cabeza en la almohada. ¿Qué sentido tiene discutirlo? Tiene razón, y lo sé. Lo he visto con mis propios ojos. Si podemos confiar en las esferas que Henri sacó del cofre, entonces Lorien no es más que eso, una tierra baldía, un vertedero. El planeta sigue vivo, pero no hay nada en su superficie. No hay agua. Ni plantas. Ni animales. Nada más que tierra y piedras y los escombros de una civilización desaparecida.

—¿Viste algo más?

—A nosotros, en el día en que nos fuimos. A todos nosotros, en la nave, justo antes de que despegáramos.

—Fue un día triste.

Asiento. Henri cruza los brazos y mira por la ventana, perdido en sus pensamientos. Yo respiro profundamente.

—¿Dónde estaba tu familia durante todo eso? —pregunto.

Aunque apagué mis manos hace dos o tres minutos, puedo ver el blanco de sus ojos mirándome fijamente.

—No estaba conmigo ese día.

Guardamos silencio un rato, hasta que Henri cambia el peso de su cuerpo una vez más.

—Bueno, mejor vuelvo a la cama —dice, poniendo punto final a la conversación—. Duerme un poco.

Después de que se ha ido, me quedo acostado, pensando en los animales, en el cohete, en la familia de Henri y en que estoy seguro de que no pudo despedirse de ellos. Sé que no podré volver a dormirme. Nunca logro dormirme cuando me visitan las imágenes, cuando siento la tristeza de Henri. Debe ser un pensamiento que nunca lo abandona, como le pasaría a cualquiera que se marchara bajo las mismas circunstancias, dejando atrás el único hogar que ha conocido y sabiendo que nunca volverá a ver a sus seres queridos.

Tomo mi celular y le mando un mensaje a Sarah. Siempre le escribo cuando no puedo dormirme, o ella me escribe cuando no puede dormirse, y hablamos todo el tiempo necesario para sentirnos cansados. Sarah me llama veinte segundos después de haber oprimido el botón de enviar.

—Hola, tú —contesto.

—¿No puedes dormir?

—No.

—¿Qué te pasa? —pregunta. Bosteza al otro lado de la línea.

—Que me hacías falta, nada más. Llevo una hora acostado, mirando al techo.

—Eres un tonto, si me viste hace como seis horas.

—Quisiera que todavía estuvieras aquí —le digo. Ella suelta un gemido. Puedo oír su sonrisa entre la oscuridad. Me echo de lado y sostengo el teléfono entre la oreja y la almohada.

—Pues yo también quisiera estar allí.

Hablamos durante veinte minutos. Los últimos diez nos quedamos oyéndonos respirar el uno al otro. Me siento mejor después de haber hablado con ella, pero me cuesta aún más volver a dormirme.

CAPÍTULO VEINTICUATRO

POR UNA VEZ, DESDE QUE LLEGAMOS A OHIO, LAS CO-
sas parecen apaciguarse durante un tiempo. Las clases terminan tranquilamente y tenemos once días de vacaciones de invierno. Sam y su madre pasan casi todo el tiempo visitando
a su tía en Illinois. Sarah se queda en casa. Pasamos juntos la
Navidad y nos besamos cuando dan las doce en Nochevieja. A
pesar del frío y la nieve, o incluso como represalia en su contra, damos largos paseos por el bosque que está detrás de mi
casa, cogidos de la mano, besándonos, respirando el aire frío
bajo los cielos cerrados y grises del invierno. Pasamos cada
vez más tiempo juntos. No pasa un solo día de las vacaciones
en que no nos veamos al menos una vez.

Vamos caminando cogidos de la mano, bajo una sombri-
lla blanca de nieve apilada en las ramas de los árboles. Sarah
lleva su cámara y se detiene de tanto en tanto para tomar fotos.
Casi toda la nieve en el suelo permanece impoluta salvo por
los senderos que hemos dibujado en nuestro paseo. Ahora los
recorremos de regreso, con Bernie Kosar a la cabeza, entrando
y saliendo de los matorrales como una flecha, persiguiendo a
los conejos que se esconden en los bosquecillos y arbustos es-
pinosos, y a las ardillas que trepan por los árboles. Sarah lleva
unas orejeras negras. Tiene la punta de la nariz y las mejillas

rojas por el frío, y esto hace que sus ojos se vean más azules. Me quedo mirándola.

—¿Qué? —pregunta, sonriendo.

—Solo estaba admirando el paisaje —le digo, y ella pone los ojos en blanco.

Es un bosque tupido en su mayor parte, salvo por unos claros aislados con los que nos topamos constantemente. No estoy seguro de hasta dónde se extenderá, pero aún no hemos llegado hasta ningún límite en ninguno de nuestros paseos.

—Supongo que será hermoso en verano —dice Sarah—. Probablemente, podremos hacer picnics en los claros.

Siento un dolor en el pecho. Todavía faltan cinco meses para que llegue el verano, y si Henri y yo seguimos aquí en mayo, habremos logrado pasar siete meses en Ohio. Y eso es casi el tiempo más largo que hemos pasado en un mismo lugar.

—Ajá —asiento.

Sarah me mira.

—¿Qué?

La miro con ojos interrogantes.

—¿Qué de qué?

—No sonaste muy convencido —dice.

Una bandada de cuervos vuela en lo alto, graznando ruidosamente.

—Es que quisiera que estuviéramos ya en verano.

—Yo también. No puedo creer que tengamos que volver al colegio mañana.

—Uf, ni me lo recuerdes.

Entramos en otro claro, más grande que los otros; es un círculo casi perfecto de unos treinta metros de diámetro. Sarah me suelta la mano, corre hasta el centro y se deja caer sobre la nieve, riendo. Se pone de espaldas y empieza a dibujar un ángel con su cuerpo. Yo me echo a su lado y hago lo mismo.

Las puntas de nuestros dedos apenas se tocan al hacer las alas. Nos levantamos.

—Es como si estuviéramos cogidos de las alas —dice Sarah.

—¿Acaso es posible? —pregunto—. ¿Cómo podríamos volar si estamos cogidos de las alas?

—Claro que es posible. Los ángeles pueden hacer cualquier cosa.

Después se voltea y se acurruca contra mi cuerpo. Su cara fría contra mi nuca me hace retorcerme y alejarme de ella.

—¡Ay! Tienes la cara helada.

Ella se ríe.

—Pues caliéntame.

Entonces la abrazo y la beso bajo el cielo abierto. Estamos rodeados por los árboles. Solo se oyen los pájaros y la nieve acumulada en las ramas que cae de vez en cuando. Dos caras frías apretadas una contra la otra. Bernie Kosar corre a nuestro encuentro, sin aliento, con la lengua afuera y meneando la cola. Ladra y se sienta en la nieve, mirándonos con la cabeza ladeada.

—¡Bernie Kosar! ¿Estabas persiguiendo conejos? —pregunta Sarah.

Él ladra dos veces y le brinca encima. Luego vuelve a ladrar y se aparta y nos mira con ojos expectantes. Sarah busca un palo, le sacude la nieve y lo arroja entre los árboles. El perro sale corriendo y desaparece, para reaparecer de entre los árboles diez segundos después, pero en vez de regresar por donde salió, aparece por el lado opuesto. Los dos nos damos la vuelta para verlo.

—¿Cómo lo hizo? —pregunta Sarah.

—No sé —respondo—. Es un perro peculiar.

—¿Oíste eso, Bernie Kosar? ¡Acaba de decir que eres peculiar!

Él suelta el palo a sus pies y regresamos a la casa, cogidos de la mano. El día se acerca a la noche. Bernie Kosar trota a nuestro lado todo el camino, girando la cabeza como si estuviera guiándonos, manteniéndonos a salvo de lo que pudiera o no acechar entre los troncos que se extienden más allá de nuestro campo visual.

Hay cinco periódicos amontonados sobre la mesa de la cocina. Henri está sentado frente al portátil, con la luz del techo encendida.

—¿Hay algo? —pregunto por pura costumbre, nada más. No ha habido ninguna historia prometedora en meses, y eso es bueno, pero no puedo dejar de esperar que haya algo cada vez que pregunto.

—Pues a decir verdad, sí, creo que sí.

Eso me anima, entonces bordeo la mesa y miro la pantalla del computador por encima del hombro de Henri.

—¿Qué?

—Anoche hubo un terremoto en Argentina. Una chica de dieciséis años sacó a un anciano que estaba bajo una montaña de escombros en un pueblito cerca de la costa.

—¿Nueve?

—Pues sí creo que es uno de nosotros, pero que sea o no sea Nueve está por verse.

—¿Por qué? Sacar a una persona de entre los escombros no es nada extraordinario en realidad.

—Mira —dice Henri y retrocede hasta el principio del artículo, donde se ve una foto de una enorme losa de cemento, de al menos treinta centímetros de grueso por dos metros y medio de ancho y largo—. Esto fue lo que alzó para salvarlo. Debe de pesar unas cinco toneladas. Y mira esto...

Henri regresa al final de la página y resalta la última oración, que dice: "Nadie pudo encontrar a Sofía García para entrevistarla".

Leo la frase tres veces.

—No pudieron encontrarla —digo.

—Exacto. No dicen que se haya *negado*, sino que no pudieron encontrarla, simple y llanamente.

—¿Y cómo supieron cómo se llamaba?

—Es un pueblo pequeño, menos de un tercio de Paraíso. Casi todo el mundo debía de saber cómo se llamaba.

—Se fue, ¿cierto?

Henri asiente.

—Eso creo. Puede que incluso antes de que imprimieran el periódico. Esa es la desventaja de los pueblitos. Es imposible pasar desapercibido.

Suspiro.

—También para los mogadorianos.

—Precisamente.

—Pues lo siento por ella —digo antes de levantarme—. Quién sabe qué habrá tenido que dejar atrás.

Henri me lanza una mirada escéptica, abre la boca para decir algo, pero lo piensa mejor y vuelve al computador. Yo vuelvo a mi cuarto. Meto una muda limpia y los libros en el morral. De regreso al colegio. No me produce ninguna emoción, pero será divertido volver a ver a Sam, a quien no he visto en casi dos semanas.

—Bueno, me voy —digo.

—Que tengas un buen día. Cuídate.

—Nos vemos esta tarde.

Bernie Kosar sale de la casa a toda velocidad delante de mí. Es una bola de energía esta mañana. Creo que ha llegado a esperar con emoción nuestro ejercicio matutino, y el hecho de que llevemos una semana y media sin correr lo tiene impaciente por retomar nuestro ritual. Me sigue el ritmo casi todo el trayecto. Cuando llegamos, lo acaricio un buen rato y le rasco detrás de las orejas.

—Muy bien, muchacho, ahora regresa.

Él se voltea y empieza a trotar rumbo a la casa.

Me ducho con calma. Cuando termino, ya han empezado a llegar otros estudiantes. Recorro el pasillo, paso por mi casillero y luego voy al de Sam. Le doy una palmada en la espalda y él se sobresalta. Después, me muestra una enorme sonrisa dentada cuando ve que soy yo.

—Por un instante pensé que iba a tener que darle una paliza a alguien —me dice.

—Soy solo yo, amigo mío. ¿Cómo estuvo Illinois?

—¡Bah! —exclama, poniendo los ojos en blanco—. Mi tía me hizo tomar té y ver repeticiones de *La familia Ingalls* casi todos los días.

Me río.

—Suena espantoso.

—Lo fue, créeme —dice mientras saca algo del morral—. Esto estaba esperándome en el correo cuando regresamos.

Me pasa el último número de *Ellos caminan entre nosotros* y empiezo a hojearlo.

—No hay nada sobre nosotros o los mogadorianos —me dice.

—Bien —le digo—. Deben de tenernos miedo después de que los visitaste.

—Sí, claro.

Por encima del hombro de Sam, veo que Sarah viene hacia nosotros. Mark James la detiene en la mitad del pasillo y le pasa unas hojas anaranjadas. Sarah continúa su camino.

—Hola, preciosa —le digo cuando se acerca. Ella se empina para darme un beso. Sus labios saben a protector labial de fresa.

—Hola, Sam, ¿cómo estás?

—Bien, ¿y tú? —pregunta él.

Ahora se le ve relajado cuando está con ella. Antes del incidente con Henri, que fue hace un mes y medio, Sam se ponía incómodo cuando estaba con Sarah, no era capaz de mirarla a los ojos ni sabía qué hacer con las manos. Pero ahora la mira, le sonríe y habla con seguridad.

—Bien. Me pidieron que le diera una de estas a cada uno —dice Sarah y nos pasa las hojas anaranjadas que Mark James acaba de darle. Es una invitación a la fiesta del próximo sábado, en su casa.

—¿Estoy invitado? —pregunta Sam.

Sarah asiente.

—Los tres.

—¿Quieres ir? —le pregunto a ella.

—Por qué no.

Asiento.

—¿Te suena, Sam?

Él mira más allá de nosotros. Me volteo para ver qué está mirando, o más bien a quién. Frente al casillero del otro lado del pasillo está Emily, la chica que fue con nosotros al paseo embrujado y por quien Sam suspira desde entonces. Al pasar por nuestro lado, ve que Sam está mirándola y le sonríe cortésmente.

—¿Emily? —le digo a Sam.

—¿Emily qué? —pregunta Sam, volviendo a mirarme.

Miro a Sarah.

—Creo que a Sam le gusta Emily Knapp.

—No es cierto —dice él.

—Puedo decirle que venga a la fiesta con nosotros —dice Sarah.

—¿Crees que vendría? —pregunta Sam.

Sarah me mira.

—Pues creo que no debería invitarla, a Sam no le gusta.

Él sonríe.

—Bueno, está bien. Pero es que… No sé.

—Me ha preguntado mil veces por qué no la llamaste después del paseo embrujado. Parece que le gustas.

—Eso es verdad —digo—. Yo la he oído decirlo.

—¿Por qué no me lo contaste? —pregunta Sam.

—Nunca me preguntaste.

Sam baja la vista hacia la invitación.

—¿Entonces es este sábado?

—Sí.

Luego alza la vista hacia mí.

—Pues vamos.

Yo me encojo de hombros.

—Cuenten conmigo.

Cuando suena la última campana, Henri está esperándome en la camioneta. Como siempre, Bernie Kosar está en el puesto del pasajero y, al verme, empieza a menear la cola a cien kilómetros por hora. Me subo, Henri arranca, y nos alejamos.

—Hubo una continuación del artículo sobre la chica de Argentina —me dice.

—¿Y?

—Es un artículo corto sobre su desaparición. El alcalde del pueblo ofrece una modesta recompensa por cualquier información acerca de su paradero. Es como si pensaran que la han secuestrado.

—¿Te preocupa que los mogadorianos la hayan encontrado primero?

—Si es Nueve, como lo indica la nota que encontramos, y los mogadorianos estaban siguiéndole la pista, es bueno que se haya esfumado. Y si la capturaron, no pueden matarla, ni siquiera pueden hacerle daño. Eso nos da esperanzas. Y lo bueno, aparte de la noticia en sí, es que supongo que todos los mogadorianos que están en la Tierra se habrán ido a Argentina en desbandada.

—A propósito, Sam tenía el último número de *Ellos caminan entre nosotros*.

—¿Y había algo?

—Nada.

—Eso supuse. Tu truco de levitación pareció afectarlos profundamente.

Cuando llegamos a la casa, me cambio de ropa y me reúno con Henri en el jardín de atrás para nuestro entrenamiento. Trabajar envuelto en llamas se me da más fácil ahora. Ya no me pongo tan nervioso como el primer día. Ahora puedo contener la respiración más tiempo, casi cuatro minutos, controlo mejor los objetos que alzo y puedo levantar más objetos al mismo tiempo. Poco a poco, la mirada de preocupación que había en el rostro de Henri los primeros días se ha ido disipando. Ahora asiente más. Sonríe más. Y en los días en que sale realmente bien, me mira con ojos de loco y alza los brazos y grita "¡Bien!" lo más fuerte posible. Así voy ganando seguridad en mis legados. Los demás están por venir, pero no creo que falte demasiado. Y también el más importante, sea cual sea. Esa expectativa me desvela casi todas las noches. Quiero luchar. No veo la hora de que un mogadoriano aparezca en nuestro jardín para poder vengarme finalmente.

Hoy es un día fácil. Sin fuego. Alzar cosas y manipularlas mientras flotan en el aire, básicamente. Durante los últimos veinte minutos, Henri se dedica a lanzarme objetos. Yo los dejo caer al suelo unas veces; otras, los desvío al estilo de un búmeran para que giren en el aire y regresen a él zumbando. En un momento dado, un ablandador de carne vuela tan rápido que Henri tiene que tirarse de narices en la nieve para evitar el golpe. Me río. Él no. Bernie Kosar nos mira todo el tiempo desde el suelo, como dándonos ánimos. Cuando terminamos, me ducho, hago las tareas y me siento a la mesa de la cocina para cenar.

—Voy a ir a una fiesta este sábado.

Henri se queda mirándome; deja de masticar.

—¿Una fiesta de quién?

—De Mark James.

Se muestra sorprendido.

—Eso ya es historia —digo antes de que pueda oponerse.

—Pues tú sabrás. Pero no se te olvide lo que está en juego.

CAPÍTULO VEINTICINCO

Y, DE PRONTO, SUBEN LAS TEMPERATURAS. DESPUÉS DE las ventiscas, el frío que cala los huesos y la constante aguanieve, llegan unos cielos azules y temperaturas de diez grados. La nieve se derrite. El camino de acceso y el jardín se llenan de charcos al principio y la calle queda empapada en los sonidos de las ruedas que salpican. Pero después de un día, toda el agua se filtra y se evapora, y los autos vuelven a pasar como en un día cualquiera. Un paréntesis. Unos días de gracia antes de que el señor invierno vuelva a asumir su reinado.

Sentado en el porche, esperando a Sarah, contemplo el cielo nocturno sembrado de estrellas titilantes. Hay luna llena, y una nube fina como una navaja la corta en dos para luego desaparecer a toda prisa. Entonces, oigo el crujido de la grava bajo las ruedas, después aparecen los faros y el auto entra en el camino. Sarah sale por el lado del conductor. Lleva un pantalón acampanado color gris oscuro y un suéter azul marino bajo una chaqueta *beige*. La camisa azul que asoma por donde termina la cremallera de la chaqueta acentúa el azul de sus ojos. Su pelo rubio cae por debajo de sus hombros. Sonríe con una timidez coqueta y me hace ojitos al acercarse. Siento mariposas en el estómago. Llevamos casi tres meses juntos y todavía me pongo nervioso al verla. Y me cuesta imaginar que el tiempo vaya a disipar este nerviosismo.

—Estás hermosa —le digo.

—Muchas gracias —dice, haciendo una reverencia—. Tú tampoco estás nada mal.

Le doy un beso en la mejilla. Henri sale de la casa y saluda, agitando la mano a la mamá de Sarah, que está sentada en el asiento del pasajero.

—Me llaman cuando quieran que los recoja, ¿no? —pregunta.

—Sí —respondo.

Subimos al auto. Sarah se sienta al timón, yo en la parte de atrás. Hace unos pocos meses que tiene la licencia de aprendizaje, lo que significa que puede conducir siempre y cuando un conductor autorizado vaya a su lado en el puesto del pasajero. Tiene el examen el lunes, dentro de dos días, y ha estado inquieta desde que le dieron la cita, durante las vacaciones de invierno. Da marcha atrás por el camino de acceso y en algún momento baja el retrovisor para sonreírme a través del espejo. Le sonrío de vuelta.

—¿Y cómo estuvo tu día, John? —su madre se voltea y me pregunta. Charlamos un rato. Ella me cuenta que las dos fueron al centro comercial y que Sarah condujo. Yo le cuento que estuve jugando con Bernie Kosar en el jardín y que después corrimos un rato. Pero *no* le cuento que después de correr, tuvimos tres horas de entrenamiento en el jardín de atrás, ni cómo partí por la mitad el tronco del árbol muerto mediante la telequinesis, ni que Henri estuvo lanzándome cuchillos para que yo los desviara hacia un saco de arena a quince metros de distancia. Tampoco le cuento que ardí en llamas ni le hablo de los objetos que alcé y aplasté y destrocé. Otro secreto guardado. Otra verdad a medias, que se siente como una mentira. Me gustaría contarle todo a Sarah. Siento que de alguna manera estoy traicionándola al mantenerme oculto, y la carga ha empezado a pesarme realmente durante las últimas semanas. Pero también sé que no tengo alternativa. No a estas alturas, por lo menos.

—Es aquí, ¿cierto? —pregunta.

—Sí —respondo.

Sarah conduce el auto por el camino de acceso a la casa de Sam, que se pasea de un lado a otro, vestido con *jeans* y un suéter de lana, y nos mira con ojos de liebre encandilada. Está muy peinado. Nunca antes lo había visto con gel en el pelo. Se acerca al auto, abre la puerta y se sienta a mi lado.

—Hola, Sam —dice Sarah y le presenta a su madre. Después da marcha atrás y saca el auto a la calle.

Sam planta ambas manos con firmeza sobre el asiento. Está nervioso. Sarah dobla por una calle que no he visto nunca y después gira a la derecha por un camino en curva. Hay unos treinta autos estacionados por el borde, y al final, rodeada de árboles, hay una casa grande, de dos pisos. Podemos oír la música mucho antes de llegar a la casa.

—Uf, qué casa —dice Sam.

—Pórtense bien —dice la mamá de Sarah—. Y mucho cuidado. Llámenme si necesitan algo, o si no pueden comunicarse con tu padre —dice, mirándome.

—Eso haremos, señora Hart —le digo.

Bajamos del auto y nos encaminamos hacia la puerta principal. Dos perros vienen a nuestro encuentro desde un costado de la casa; un labrador y un bulldog. Menean la cola y me olfatean el pantalón con emoción, por el olor de Bernie Kosar. El bulldog lleva un palo en la boca. Forcejeo para quitárselo, lo lanzo al otro lado del jardín y los dos salen disparados a recogerlo.

—Dozer y Abby —dice Sarah.

—Supongo que Dozer es el bulldog, ¿no?

Ella asiente y me sonríe, como disculpándose. La situación me recuerda lo bien que debe de conocer esta casa. Me pregunto si será raro para ella volver aquí, conmigo.

—Es una idea fatal —dice Sam, mirándome—. Apenas ahora vengo a caer en la cuenta.

—¿Por qué piensas eso?

—Porque hace solo tres meses el tipo que vive aquí nos llenó de estiércol ambos casilleros y me dio en la nuca con una albóndiga durante el almuerzo. Y ahora estamos aquí.

—Apuesto a que Emily ya llegó —le digo y le doy un codazo.

La puerta se abre al vestíbulo. Los perros entran a toda velocidad y desaparecen en la cocina, que está justo al frente. Puedo ver que ahora es Abby la que tiene el palo. Al entrar, nos recibe una música estridente que nos obliga a gritar para hacernos oír. Hay gente bailando en la sala. Casi todos tienen una lata de cerveza en la mano, unos pocos beben agua embotellada o soda. Por lo visto, los padres de Mark están de viaje. Todo el equipo de fútbol americano está en la cocina; la mitad con su chaqueta del equipo. Mark se acerca y abraza a Sarah. Después me da la mano, me sostiene la mirada un segundo y luego la aparta. No le da la mano a Sam. Ni siquiera lo mira. Tal vez él tenga razón. Puede que esto haya sido un error.

—Me alegra que pudieran venir. Pasen. La cerveza está en la cocina.

Emily está en el rincón más alejado, hablando con otras personas. Sam mira hacia allá, después le pregunta a Mark dónde está el baño. Él le indica el camino.

—Ya vuelvo —me dice.

La mayoría de los del equipo están alrededor del mueble que hay en el centro de la cocina. Todos me miran cuando entro con Sarah. Yo los miro uno por uno, después saco una botella de agua de la hielera. Mark le pasa una cerveza a Sarah y se la abre. Su forma de mirarla me hace caer en la cuenta, una vez más, de lo poco que confío en él. Y además me doy cuenta de lo extraña que es toda la situación. Yo, en esta casa, con Sarah, su exnovia. Me alegra que Sam esté conmigo.

Me agacho y juego con los perros hasta que Sam sale del baño. Para entonces, Sarah se ha abierto camino hasta el rincón de la sala y está hablando con Emily. Sam se tensa a mi lado al darse cuenta de que lo único que podemos hacer es ir hasta allá y saludar. Respira profundamente. En la cocina, dos de los del equipo le han prendido fuego a la punta de una página de periódico sin otro motivo que para verla arder.

—Tienes que decirle algo agradable a Emily —le digo a Sam mientras nos acercamos. Él asiente con la cabeza.

—¡Por fin! —dice Sarah—. Pensé que me habían dejado solita y desamparada.

—Ni en sueños —le digo—. Hola, Emily. ¿Cómo estás?

—Bien —me dice, y después a Sam—: Me gusta tu peinado.

Él se queda mirándola. Le doy un codazo. Entonces sonríe.

—Gracias —dice—. Estás muy bonita.

Sarah me lanza una mirada de complicidad. Me encojo de hombros y le doy un beso en la mejilla. La música suena aún más fuerte. Sam habla con Emily, con cierto nerviosismo, pero ella se ríe y él se relaja después de un rato.

—Y tú, ¿estás bien? —me pregunta Sarah.

—Por supuesto. Estoy con la chica más linda de la fiesta, ¿qué más puedo pedir?

—Ay, cállate —me dice y me da un codazo en el estómago.

Los cuatro bailamos durante una hora, más o menos. Los del equipo siguen bebiendo. Alguno aparece con una botella de vodka. No mucho después, otro —no sé cuál— vomita en el baño y el olor a vómito inunda toda la planta baja. Otro se desmaya en el sofá y algunos de los otros le pintan la cara con un marcador. La gente entra y sale todo el tiempo por la puerta que lleva al sótano. No tengo ni la menor idea de qué estará pasando allá abajo. Y no he visto a Sarah en los últimos diez minutos. Dejo a Sam, me paseo por la sala y la cocina y después subo las escaleras. La alfombra es gruesa y blanca, las paredes están forradas con cuadros y fotos familiares. Algunas de las puertas de las habitaciones están abiertas. Otras cerradas. No veo a Sarah. Vuelvo a bajar. Sam está solo en el rincón, con gesto taciturno. Me le acerco.

—¿Y esa cara tan larga?

Él sacude la cabeza.

—No me hagas alzarte en el aire y ponerte de cabeza como al tipo de Atenas.

Sonrío, pero Sam no.

—Alex David acaba de arrinconarme.

Alex es otro del séquito de Mark James, un receptor del equipo. Está en tercer año, y es alto y delgado. Nunca he hablado con él, y tampoco sé mucho de él.

—¿Cómo así que te "arrinconó"?

—Solo hablamos un rato. Él vio que había estado hablando con Emily. Supongo que estuvieron saliendo durante el verano.

—¿Y? ¿Qué importa?

Se encoge de hombros.

—Pues apesta, y me importa, ¿está bien?

—Sam, ¿sabes cuánto duraron Sarah y Mark?

—Mucho.

—Dos años.

—¿Y no te importa?

—En absoluto. ¿A quién le importa su pasado? Además, míralo —le digo y señalo con un gesto a Alex, que está en la cocina, recostado contra el mesón, con la mirada nerviosa y una ligera capa de sudor brillándole en la frente—. ¿En serio crees que Emily añora estar con eso?

Sam lo mira y se encoge de hombros.

—Eres un buen tipo, Sam Goode. No seas tan duro contigo.

—No lo estoy siendo.

—Pues entonces no te preocupes por el pasado de Emily. Las cosas que hicimos o dejamos de hacer en el pasado no tienen por qué definirnos. Algunas personas se dejan llevar por el arrepentimiento. Puede que sea eso, puede que no. Pero el caso es que ya pasó. Supéralo.

Sam suspira. Sigue luchando en su interior.

—Vamos, tú le gustas. No tienes por qué estar asustado —le digo.

—Pero lo estoy.

—La mejor manera de lidiar con el miedo es confrontarlo. Solo tienes que ir y darle un beso. Te aseguro que te corresponderá.

Me mira y asiente con la cabeza. Después baja al sótano, donde está Emily. Los dos perros entran en la sala, forcejeando, ambos con la lengua afuera y meneando la cola. Dozer se tira al suelo, esperando a que Abby se le acerque lo suficiente para echársele encima; ella se aleja con un brinco. Me quedo mirándolos hasta que desaparecen escaleras arriba, jugando al tira y afloja con un juguete de plástico. Falta un cuarto para las doce. Una pareja se besuquea en el sofá. Los del equipo siguen bebiendo en la cocina. Empiezo a tener sueño y sigo sin encontrar a Sarah.

Justo en ese momento, uno de los del equipo sube disparado por las escaleras del sótano con los ojos desorbitados y una mirada de desesperación. Corre al fregadero, abre el grifo al máximo y empieza a abrir las puertas de las alacenas.

—¡Hay un incendio abajo! —les dice a los que están cerca.

Todos empiezan a llenar cuencos y ollas con agua para luego bajar uno por uno, a toda velocidad.

Emily y Sam suben a la sala. Sam se ve un poco alterado.

—¿Qué pasa? —pregunto.

—¡Se está incendiando la casa!

—¿Es grave?

—¿Algún incendio no es grave? Y creo que fue culpa nuestra. Porque, eh, tumbamos una vela contra una cortina.

Tanto Sam como Emily están despeinados y es evidente que estaban besándose. Me digo mentalmente que tengo que felicitarlo después.

—¿Has visto a Sarah? —le pregunto a Emily.

Ella niega con la cabeza.

Más jugadores del equipo suben las escaleras a toda velocidad, Mark James entre ellos. Hay miedo en sus ojos. Y huelo el humo por primera vez. Miro a Sam.

—Salgan —le digo.

Él asiente, toma a Emily de la mano y salen juntos. Algunos los siguen, pero otros se quedan donde estaban, observando con curiosidad de borrachos. Algunos se quedan por ahí, dándoles palmadas en la espalda a los del equipo que suben y bajan las escaleras del sótano a toda prisa, animándolos tontamente, como si fuera una broma.

Voy a la cocina y tomo lo más grande que queda, una olla metálica de tamaño mediano. La lleno de agua y bajo. Todos han evacuado, aparte de los que estamos luchando contra el fuego, que es mucho mayor de lo que esperaba. La mitad del sótano arde en llamas. Y pretender sofocarlas con la poca agua que me queda es completamente inútil. Ni si quiera lo intento. Suelto la olla y vuelvo a subir como una flecha. Mark baja volando. Lo detengo a la mitad de las escaleras. Tiene los ojos borrachos, pero aun así puedo ver que está aterrorizado, desesperado.

—Déjalo —le digo—. Es demasiado grande. Tenemos que sacar a todo el mundo.

Él baja la vista hacia el sótano. Sabe que lo que acabo de decirle es la verdad. La fachada del chico malo ha desaparecido. El juego se ha acabado.

—¡Mark! —le grito.

Él asiente y suelta la olla y subimos juntos.

—¡Salgan todos! ¡Ahora! —grito cuando llego a lo alto de las escaleras.

Algunos de los más borrachos se quedan inmóviles. Algunos se ríen.

—¿Dónde están los malvaviscos? —pregunta alguien. Mark le da una bofetada y le grita que salga.

Tomo el teléfono inalámbrico de la pared y se lo lanzo.

—¡Llama a emergencias! —grito por entre el bullicio y la música que sigue atronando desde algún lugar, cual banda sonora del caos bullente. El suelo empieza a calentarse y empieza a salir humo por debajo de nosotros. Y solo entonces empiezan a tomárselo todos en serio. Los empujo hacia la puerta.

Paso a toda velocidad junto a Mark mientras empieza a marcar el número de emergencias en el teléfono y atravieso la casa. Subo de a tres escalones a la vez y entro en los cuartos abiertos pateando las puertas. Una pareja está besuqueándose en una cama. Les grito que salgan. Sarah no aparece por ningún lado. Entonces vuelvo a bajar las escaleras y atravieso la puerta principal para salir a la noche fría y oscura. Todos están de pie alrededor de la casa, observando. Puedo ver que a algunos les emociona la idea de que quede reducida a cenizas. Algunos se ríen. Puedo sentir cómo el pánico empieza apoderarse de mí. ¿Dónde está Sarah? Sam está por detrás de la multitud, que debe de llegar a la centena. Corro hacia él.

—¿Has visto a Sarah? —le pregunto.

—No.

Miro la casa. La gente sigue saliendo. Las ventanas del sótano resplandecen con un brillo rojo; las llamas lamen los cristales. El humo negro sale a borbotones por una de las ventanas que está abierta y asciende por los aires. Me abro camino entre la multitud. Y en ese momento, una explosión sacude la casa. Todas las ventanas del sótano quedan hechas trizas. Algunos aplauden. Las llamas han llegado al primer piso, y avanzan rápidamente. Mark James está al frente de la multitud, incapaz de apartar la vista del fuego. Su rostro está iluminado por el brillo anaranjado. Hay lágrimas en sus ojos y desesperación en su mirada; la misma mirada que vi en los ojos de los lorienses el día de la invasión. Debe de ser muy raro ver cómo se destruye todo lo que uno conoce. El fuego se extiende con hostilidad, indiferente, y lo único que Mark puede hacer es observar. Las llamas empiezan a alzarse por encima de las ventanas del primer piso. Podemos sentir el calor en nuestras caras.

—¿Dónde está Sarah? —le pregunto a Mark.

No me oye. Lo sacudo por los hombros. Se voltea y me mira con una perplejidad que sugiere que aún no puede creer lo que están viendo sus ojos.

—¿Dónde está Sarah? —vuelvo a preguntarle.

—No lo sé —responde.

Sigo abriéndome camino entre la multitud, buscándola, cada vez más desesperado. Todos contemplan el fuego. El revestimiento de vinilo ha empezado a bullir y derretirse. Se han quemado todas las cortinas. La puerta principal está abierta y el humo sale a borbotones por la parte superior, como una cascada al revés. Podemos ver todo el interior hasta la cocina, que se ha convertido en un infierno. El fuego ha llegado al segundo piso por el lado izquierdo de la casa. Y en ese momento, lo oímos todos.

Un grito prolongado y espantoso. Y el ladrido de los perros. El corazón me da un vuelco. Todos aguzamos el oído mientras esperamos no haber oído lo que todos sabemos que oímos. Una vez más. Inconfundible. Esta vez es un torrente, y no se apacigua. Gritos ahogados se cuelan por entre la multitud.

—¡Ay, no! —dice Emily—. ¡Ay, Dios, por favor, no!

CAPÍTULO VEINTISÉIS

NADIE HABLA. OJOS ABIERTOS DE PAR EN PAR, mirando hacia arriba, horrorizados. Sarah y los perros deben estar en algún lado en la parte de atrás. Cierro los ojos y bajo la cabeza. Lo único que puedo oler es el humo. "No se te olvide lo que está en juego", me advirtió Henri. Y sé muy bien lo que está en juego, pero su voz resuena en mi cabeza. Mi vida, y ahora la de Sarah. Otro grito. Aterrorizado. Grave.

Siento los ojos de Sam clavados en mí. Él ha visto, con sus propios ojos, mi resistencia al fuego. Pero también sabe que me persiguen. Miro a mi alrededor. Mark está de rodillas, meciéndose de atrás para adelante. Quiere que todo termine ya. Quiere que los perros dejen de ladrar. Pero eso no pasa, y cada ladrido es como una estocada en sus entrañas.

—Sam —digo en voz baja, para que solo él pueda oírme—. Voy a entrar.

Cierra los ojos, respira profundamente, después me mira fijamente.

—Ve por ella —me dice.

Le paso mi teléfono y le digo que llame a Henri si, por alguna razón, no vuelvo a salir. Sam asiente. Me dirijo hacia el fondo de la multitud, abriéndome paso entre la masa de cuerpos. Nadie se fija en mí. Cuando llego al fondo finalmente, corro a toda velocidad por el borde del jardín y luego hasta la parte posterior de la casa para poder entrar sin que me vean. La cocina está completamente envuelta en las llamas. Observo durante un momento breve. Puedo oír a Sarah y a los perros. Suenan más cerca ahora. Tomo aire profundamente, y con este aliento vienen otras cosas. Furia. Resolución. Temor y esperanza. Los dejo entrar, los siento todos. Y entonces atravieso el jardín e irrumpo en la casa. El infierno me traga de inmediato, y no oigo nada distinto al rumor crepitante del fuego. Mi ropa empieza a arder. El fuego no tiene fin. Voy hacia el frente de la casa. Las escaleras se han quemado hasta la mitad y lo que queda arde en llamas, a punto de desplomarse. No tengo tiempo de examinarlas y subo a toda carrera, pero ceden bajo mi peso cuando llego a la mitad. Me desplomo con ellas, y el fuego se alza como si alguien lo hubiera avivado. Siento una punzada en la espalda. Aprieto los dientes, conteniendo aun la respiración. Me levanto de los escombros y escucho los gritos de Sarah. Está gritando y está asustada y a punto de morir —una muerte espantosa—, si no voy por ella. Hay poco tiempo. Tendré que saltar hasta la segunda planta.

Doy un brinco y me agarro del borde del suelo y me subo. El fuego se ha extendido hasta el otro lado de la casa. Sarah y los perros están en alguna parte hacia mi derecha. Avanzo a brincos por el pasillo, revisando las habitaciones. Las fotos se han quemado entre sus marcos; siluetas ennegrecidas y derretidas en la pared. De pronto, mi pie se hunde entre las tablas y la sorpresa me deja sin aliento y respiro. Entran solo humo y llamas. Empiezo a toser. Me tapo la boca con el brazo, pero no ayuda mucho. El humo y el fuego me queman los pulmones. Caigo de rodillas, tosiendo, jadeando. Y entonces me invade una furia y me levanto y continúo, encorvado, apretando los dientes, con decisión.

Y los encuentro en la última habitación a la izquierda. Sarah grita: "¡Auxilio!". Los perros aúllan. La puerta está cerrada y la abro con una patada que la saca de sus goznes. Los tres están acurrucados unos contra otros en el rincón más apartado. Sarah me ve y grita mi nombre y empieza a levantarse. Le indico que se quede donde está, y en cuanto entro en el cuarto, una enorme viga en llamas cae entre nosotros. Entonces estiro la mano y arrojo la viga contra lo poco que queda del techo. Sarah parece confundida por lo que acaba de ver. Doy un salto de unos seis metros hacia ella por entre las llamas, que no me hacen el menor daño. Los perros están a sus pies. Pongo el bulldog entre sus brazos, alzo a la labrador y, con la otra mano, le ayudo a levantarse.

—Viniste.

—Nada, ni nadie, podrá hacerte daño mientras yo esté vivo.

Otra viga inmensa cae y se lleva parte del suelo hasta aterrizar en la cocina, debajo de nosotros. Tenemos que salir por la parte de atrás para que nadie me vea, o para que nadie vea lo que creo que voy a tener que hacer. Agarro a Sarah a mi lado con firmeza y al perro contra mi pecho. Damos dos pasos, después saltamos sobre el abismo ardiente creado por la viga caída. Cuando empezamos a avanzar por el pasillo, una enorme explosión desde abajo se lo lleva casi en su totalidad. Ya no hay pasillo; en su lugar quedan una pared y una ventana, consumidas por las llamas a toda velocidad. La única posibilidad que nos queda es atravesar la ventana. Sarah grita de nuevo, aferrándose a mi brazo, y puedo sentir las garras del perro clavándose en mi pecho. Estiro la mano hacia la ventana, la miro fijamente y me concentro… y entonces explota con todo y marco, dejándonos el espacio que necesitamos para salir. Miro a Sarah y la estrecho con firmeza a mi lado.

—Agárrate con fuerza —le digo.

Doy tres pasos y me lanzo hacia delante. Las llamas nos envuelven por completo, pero volamos por los aires como una bala, directo hacia la abertura. Me preocupa que no lo logremos, pero pasamos apenas rozando; puedo sentir el filo del marco destrozado rasguñándome los brazos y los muslos. Sostengo a Sarah y al perro lo mejor que puedo, y giro el cuerpo para poder aterrizar sobre la espalda y que los demás caigan encima de mí. Caemos en el suelo con un ruido sordo. Dozer sale rodando. Abby aúlla. Siento que Sarah se queda sin aire. Estamos a unos diez metros por detrás de la casa. Siento una cortada en la cabeza por el vidrio de la ventana. Dozer es el primero en levantarse. Parece estar bien. Abby va un poco más lenta, cojeando con una pata delantera, pero no creo que sea grave. Me quedo echado y abrazo a Sarah, que empieza a llorar. Puedo oler su pelo chamuscado. La sangre me chorrea por un lado de la cara y se junta en mi oreja.

Con Sarah entre los brazos, me incorporo sobre la hierba para recuperar el aliento. Las suelas de mis zapatos están derretidas, así como buena parte de mis *jeans*. Y tengo unas cortadas pequeñas a lo largo de ambos brazos. Pero no estoy quemado, en absoluto. Dozer se acerca y me lame la mano. Lo acaricio.

—Buen chico —le digo entre los sollozos de Sarah—. Busca a tu hermana y váyanse hacia el frente.

A lo lejos se oyen unas sirenas que deberían estar aquí en uno o dos minutos. El bosque está a unos cien metros por detrás de la casa. Los dos perros se quedan mirándome. Señalo con un gesto hacia el frente de la casa y los dos se levantan, como si hubieran entendido, y empiezan a caminar hacia allá. Sarah sigue entre mis brazos. La acomodo para acunarla, me pongo de pie y camino hacia el bosque, cargándola mientras ella llora en mi hombro. Apenas me interno en la arboleda, oigo que la multitud estalla en aplausos. Deben de haber visto a los perros.

Es un bosque espeso. La luna llena sigue brillando, pero entra poca luz, por lo que enciendo mis manos para que podamos ver. Empiezo a temblar. El pánico me recorre el cuerpo. ¿Cómo voy a explicárselo a Henri? Mis *jeans* son ahora unos *shorts* chamuscados. Me sangra la cabeza. Y también la espalda, junto con las cortadas en los brazos y las piernas. Cada vez que respiro, siento como si mis pulmones ardieran en llamas. Y llevo en brazos a Sarah, que ya debe de saber lo que puedo hacer, lo que soy capaz de hacer, o al menos una parte. Tendré que explicárselo todo y decirle a Henri que ahora ella también lo sabe. Ya tengo demasiados puntos en mi contra y él dirá que a alguno se le escapará algo en algún momento. Insistirá en que tenemos que irnos. No tengo escapatoria.

Pongo a Sarah en el suelo. Ya no llora. Me mira confundida, asustada, desconcertada. Sé que tengo que encontrar algo de ropa y regresar a la multitud para no despertar sospechas. Y tengo que llevar a Sarah para que no crean que está muerta.

—¿Puedes caminar? —le pregunto.

—Creo que sí.

—Sígueme.

—¿Adónde vamos?

—Tengo que conseguir ropa. Espero que alguno de los del equipo tenga alguna muda para después del entrenamiento.

Caminamos por entre los árboles. Pienso hacer un rodeo y mirar entre los autos.

—John, ¿qué fue eso? ¿Qué está pasando?

—Estuviste en un incendio y yo te saqué.

—Lo que hiciste allí adentro no es posible.

—Lo es para mí.

—¿Qué rayos quiere decir eso?

Me quedo mirándola. Tenía la esperanza de no tener que decirle nunca lo que estoy a punto de decirle. Aun cuando sabía que probablemente no era realista, tenía la esperanza de permanecer de incógnito en Paraíso, Ohio. Henri me ha dicho siempre que no me apegue demasiado a nadie, porque, en ese caso, van a darse cuenta de que soy diferente, y eso implicará una explicación. El corazón me late con fuerza y me tiemblan las manos, pero no porque tenga frío. Si tengo alguna esperanza de permanecer aquí, o de librarme de las consecuencias de lo que acabo de hacer, tengo que explicárselo a Sarah.

—No soy la persona que crees que soy.

—¿Quién eres?

—Soy el Número Cuatro.

—¿Y eso qué diablos significa?

—Sarah, esto te va a sonar absurdo y estúpido, pero lo que estoy a punto de decirte es la verdad. Tienes que creerme.

Me toca el lado de la cara con la mano.

—Si dices que es la verdad, te creo.

—Lo es.

—Entonces dímelo.

—Soy un extraterrestre. Soy el cuarto de nueve niños enviados a la Tierra después de que destruyeran nuestro planeta. Tengo poderes. Unos poderes que no tiene ningún ser humano, unos poderes que me permiten hacer cosas como las que hice en esa casa. Y aquí en la Tierra hay otros extraterrestres, los que atacaron mi planeta, que están persiguiéndome, y si me encuentran, me matarán.

Espero que me dé una bofetada o que se ría, o que grite, o que se dé la vuelta y salga despavorida. Pero se detiene y se queda mirándome fijamente a los ojos.

—Estás diciéndome la verdad.

—Sí.

La miro a los ojos, deseando con todas mis fuerzas que me crea. Ella me mira con ojos inquisitivos un buen rato; después asiente.

—Gracias por salvarme la vida. No me importa lo que seas ni de dónde vengas. Para mí, eres John, el chico al que amo.

—¿Qué?

—Te amo, John, y me salvaste la vida, y eso es lo único que importa.

—Yo también te amo. Y te amaré siempre.

La envuelvo entre mis brazos y la beso. Después de un minuto, más o menos, se aparta.

—Vamos a buscarte ropa y a regresar para que sepan que estamos bien.

Sarah encuentra una muda en el cuarto auto en el que buscamos. Se parece bastante a lo que tenía puesto —*jeans* y una camisa de abotonar— para que nadie note la diferencia. Cuando llegamos a la casa, nos quedamos lo más lejos posible, pero desde donde podamos ver. La casa se ha venido abajo y ya no es más que un montón de carbón ennegrecido y empapado de agua. De vez en cuando, unas volutas de humo se alzan fantasmalmente hacia el cielo nocturno. Hay tres camiones de bomberos. Cuento seis vehículos de la Policía; nueve luces intermitentes, pero sin ningún sonido que las acompañe. Y se han ido muy pocos, si es que se ha ido alguno. Han empujado a la multitud hacia atrás y han acordonado la casa con cinta amarilla. Los policías están interrogando a algunos. Hay cinco bomberos en medio del desastre, examinando los escombros.

Entonces oigo el grito de "¡Allí!" a nuestras espaldas. Todos los ojos se voltean hacia nosotros, y yo tardo por lo menos cinco segundos en darme cuenta de que es a mí a quien se refieren.

Se nos acercan cuatro policías. Detrás de ellos viene un hombre con un cuaderno y una grabadora. Mientras buscábamos la ropa, acordamos una historia: yo fui a la parte posterior de la casa, donde Sarah estaba observando el incendio. Ella había saltado por la ventana del segundo piso con los perros, que salieron corriendo. Los dos contemplamos el incendio desde lejos, apartados de la multitud, hasta que nos acercamos y nos unimos. También le expliqué que no podíamos contarle a nadie lo que pasó, ni siquiera a Sam ni a Henri, pues si alguien llegara a descubrir la verdad, tendría que marcharme inmediatamente. Y acordamos que yo respondería a todas las preguntas y ella estaría de acuerdo con todo lo que yo dijera.

—¿Es usted John Smith? —me pregunta uno de los policías. Es un hombre de estatura promedio y hombros encorvados. No está pasado de peso, pero no está nada en forma, pues tiene un poco de panza y un aspecto blandengue en general.

—Sí, ¿por qué?

—Dos personas dicen haberlo visto entrar en la casa y salir después por detrás, volando como Superman, con los perros y la chica en brazos.

—¿En serio? —pregunto con incredulidad. Sarah permanece a mi lado.

—Eso dijeron.

Finjo una carcajada.

—La casa estaba incendiándose. ¿Acaso parezco como si hubiera salido de una casa en llamas?

Él junta las cejas y pone las manos en las caderas.

—¿Está diciendo entonces que no entró en la casa?

—Me fui a la parte de atrás para buscar a Sarah —respondo—. Ella había salido con los perros. Los dos nos quedamos allí observando el incendio y después nos vinimos para acá.

El policía mira a Sarah.

—¿Eso es cierto?

—Sí.

—¿Y entonces quién entró en la casa? —interviene el periodista que está a su lado. Es la primera vez que mete la cucharada. Me lanza una mirada astuta, juzgadora. Desde ya puedo ver que no me cree mi historia.

—¿Y cómo voy a saberlo?

El tipo asiente con la cabeza y escribe algo en el cuaderno. No puedo leer nada.

—¿Está diciendo entonces que esos dos testigos son unos mentirosos? —pregunta.

—Baines —dice el policía, negando con la cabeza.

Yo asiento.

—No entré en la casa, ni la salvé a ella ni a los perros. Ellos estaban afuera.

—¿Quién habló de salvarla a ella o a los perros? —pregunta Baines.

Me encojo de hombros.

—Pensé que eso era lo que estaba insinuando.

—Yo no he insinuado nada.

Sam se me acerca con mi teléfono. Trato de clavarle la mirada para decirle que no es un buen momento, pero no entiende y me pasa el teléfono de todos modos.

—Gracias —le digo.

—Me alegra que estés bien —me dice. Los oficiales lo fulminan con la mirada y él se escabulle.

Baines me mira con los ojos entrecerrados, mascando chicle, tratando de reconstruir la información. Luego asiente para sí.

—¿Entonces le dio su teléfono a su amigo antes de ir a dar una vuelta? —pregunta.

—Le di mi teléfono durante la fiesta. Me estaba estorbando en el bolsillo.

—Seguro —dice Baines—. ¿Y adónde fue?

—Bueno, Baines, no más preguntas —dice el policía.

—¿Puedo irme? —pregunto. El policía asiente. Yo me alejo, con el teléfono en la mano, marcando el número de Henri, y Sarah a mi lado.

—Hola —contesta Henri.

—Ya puedes recogerme. Hubo un incendio espantoso.

—¿Qué?

—¿Puedes venir por nosotros?

—Sí. Ya voy para allá.

—¿Y cómo explica entonces la cortada que tiene en la cabeza? —pregunta Baines detrás de mí. Venía siguiéndome, oyendo mi conversación con Henri.

—Me corté con una rama en el bosque.

—Qué conveniente —dice y vuelve a escribir algo en el cuaderno—. Sabe que puedo distinguir cuando alguien está mintiéndome, ¿no?

No le presto atención y sigo caminando, con la mano de Sarah en la mía, en dirección a Sam.

—Descubriré la verdad, señor Smith. Siempre la descubro —grita Baines a mis espaldas.

—Henri ya viene —les digo a Sam y a Sarah.

—¿Qué diablos fue todo eso? —pregunta Sam.

—¿Quién sabe? Alguien cree haberme visto entrar en la casa, seguro fue alguien que bebió demasiado —termino diciendo, más a Baines que a Sam.

Nos quedamos al final del camino de acceso, esperando a Henri. Al llegar, él baja de la camioneta y contempla la casa quemada, a lo lejos.

—Diablos. Júrame que no tuviste nada que ver con esto —me dice.

—Nada de nada —le digo.

Subimos a la camioneta y Henri arranca, contemplando los escombros humeantes.

—Huelen a humo —nos dice.

Ninguno responde. Viajamos en silencio. Sarah va sentada en mi regazo. Dejamos a Sam primero, después salimos de la autopista, hacia la casa de Sarah.

—No quiero separarme de ti esta noche —me dice Sarah.

—Yo tampoco.

Cuando llegamos a su casa, me bajo con ella y la acompaño hasta la puerta. Y cuando la abrazo para despedirme, no me suelta.

—¿Me llamas cuando llegues?

—Claro.

—Te amo.

Sonrío.

—Y yo a ti.

Entra en la casa y yo regreso a la camioneta, donde está esperándome Henri. Tengo que encontrar la manera de que no se entere de lo que sucedió realmente y no nos haga irnos de Paraíso. Arrancamos y nos encaminamos hacia nuestra casa.

—¿Y qué le pasó a tu chaqueta? —pregunta.

—Estaba en el armario de Mark.

—¿Y qué te pasó en la cabeza?

—Me golpeé tratando de salir cuando empezó el incendio.

Me mira con recelo.

—Eres tú el que huele a humo.

Me encojo de hombros.

—Hubo mucho humo.

—¿Y cómo empezó?

—La borrachera, supongo.

Henri asiente y entramos en nuestra calle.

—Bueno —dice—, pues será interesante ver qué sale el lunes en el periódico.

Se voltea y me mira, examinando mi reacción.

Me quedo callado.

"Sí —pienso—, seguro que sí".

CAPÍTULO VEINTISIETE

NO PUEDO DORMIR. ESTOY ACOSTADO, CONTEMPLANDO EL techo por entre la oscuridad. Llamo a Sarah y hablamos hasta las tres. Cuelgo y me quedo allí echado, con los ojos abiertos de par en par. A las cuatro, me levanto pesadamente y salgo del cuarto. Henri está sentado a la mesa de la cocina, tomando café. Me mira. Está ojeroso y despeinado.

—¿Qué haces? —pregunto.

—Tampoco podía dormir —responde—. Estoy revisando las noticias.

—¿Has encontrado algo?

—Sí, pero todavía no sé qué signifique para nosotros. Los tipos que escribían y publicaban *Ellos caminan entre nosotros*, a los que conocimos, fueron torturados y asesinados.

Me siento frente a él.

—¡¿Qué?!

—La Policía los encontró después de que los vecinos llamaron al oír gritos en la casa.

—Pero ellos no sabían dónde vivimos.

—Afortunadamente. Pero quiere decir que los mogadorianos están cada vez más alerta. Y están cerca. Si vemos u oímos cualquier otra cosa inusual, tendremos que irnos de inmediato, sin preguntas ni discusiones.

—De acuerdo.

—¿Y tu cabeza?

—Duele.

Se necesitaron siete puntos para cerrar la herida. El mismo Henri me la cosió. Tengo puesto un suéter ancho. Y estoy seguro de que una de las heridas de mi espalda también necesita puntos, pero entonces tendría que quitarme la camiseta, ¿y cómo podría explicarle a Henri los otros cortes y rasguños? Se enteraría de lo que pasó. Todavía me arden los pulmones. Es más, el dolor está peor ahora.

—¿De modo que el incendio empezó en el sótano?

—Sí.

—¿Y estabas en la sala?

—Sí.

—¿Cómo supiste que empezó en el sótano?

—Porque todos subieron corriendo.

—¿Y sabías que todos estaban afuera en el momento en que saliste de la casa?

—Sí.

—¿Cómo?

Sé que está tratando de que me contradiga, que tiene dudas sobre mi historia. Estoy seguro de que no cree que me limité a quedarme afuera, observando como todo el mundo.

—No entré en la casa —le digo. Lo miro a los ojos y le miento, aunque me duela.

—Te creo.

Me despierto casi al mediodía. Los pájaros cantan del otro lado de la ventana y el sol entra a raudales. Suspiro aliviado. El hecho de haber podido dormir hasta tan tarde significa que no hubo noticias que me incriminaran. De haberlas habido,

Henri me habría sacado de la cama y me habría puesto a empacar.

Me volteo boca arriba y entonces me ataca el dolor. Siento el pecho como si tuviera a alguien encima, presionándolo. No puedo respirar bien. Cuando lo intento, siento un dolor agudo y esto me asusta.

Bernie Kosar está hecho un ovillo a mi lado, roncando. Lo despierto, forcejeando con él. Al principio se queja, después forcejea conmigo. Así empiezo el día. Despertando al perro que ronca a mi lado. Su cola batiente y su lengua jadeante me hacen sentir mejor enseguida. No importa que me duela el pecho. No importa qué nos depare el día.

La camioneta de Henri no está. En la mesa hay una nota que dice: "Voy a la tienda. Vuelvo a la una". Salgo de la casa. Me duele la cabeza y tengo los brazos rojos y las cortadas están un poco abultadas, como si me hubiera arañado un gato. Pero no me importan las heridas ni el dolor de cabeza ni la quemazón en el pecho, lo único que me importa es que sigo aquí, en Ohio, que mañana volveré al mismo colegio al que he ido desde hace tres meses y que veré a Sarah esta noche.

Henri regresa a la una. Su mirada ojerosa me dice que sigue sin dormir. Después de guardar las compras, se va a su habitación y cierra la puerta. Bernie Kosar y yo vamos a dar un paseo por el bosque. Intento correr, y lo logro durante un rato, pero después de más o menos un kilómetro, el dolor se hace demasiado intenso y tengo que parar. Seguimos caminando y recorremos unos ocho kilómetros. El bosque termina en otra carretera rural parecida a la nuestra. Doy media vuelta y regreso. Henri sigue en su cuarto, con la puerta cerrada. Me siento en el porche.

Me tenso cada vez que pasa un auto. No puedo dejar de pensar que alguno va a detenerse, pero todos siguen de largo.

La seguridad que sentí al despertarme se ha ido desvaneciendo lentamente a medida que avanza el día. Los domingos no imprimen la *Gaceta*. ¿Saldrá un artículo mañana? Supongo que esperaba que hubiera una llamada, o que el periodista de ayer apareciera en nuestra puerta, o alguno de los policías, con más preguntas. No sé por qué me preocupa tanto un periodista de poca monta, pero fue insistente. Demasiado insistente. Y sé que no se creyó mi historia.

Pero no viene nadie. No llama nadie. Esperaba algo, y como ese algo no aparece, entonces me invade el pavor de que estoy a punto de quedar al descubierto. "Descubriré la verdad, señor Smith. Siempre la descubro", dijo Baines. Pienso en ir hasta el pueblo para buscarlo y convencerlo de que no existe ninguna verdad, pero sé que eso solo alimentaría sus sospechas. Lo único que puedo hacer es contener la respiración y esperar lo mejor.

No estuve dentro de esa casa.

No tengo nada que ocultar.

Sarah viene por la noche. Vamos a mi habitación y la abrazo, echado de espaldas en la cama. Ella apoya la cabeza en mi pecho y me cubre con una pierna. Me hace preguntas sobre mi identidad, mi pasado, Lorien, los mogadorianos. Sigo asombrado de la velocidad y la facilidad con que ha creído y aceptado todo. Le contesto con sinceridad, y después de todas las mentiras que le he dicho los últimos días, esto me sienta bien. Pero cuando hablamos de los mogadorianos, empiezo a asustarme. Me preocupa que nos encuentren. Que lo que hice nos ponga en evidencia. Volvería a hacerlo, porque de lo contrario Sarah estaría muerta, pero tengo miedo. También tengo miedo de lo que hará Henri si se entera. Pues aunque no es mi padre biológico, sí lo es a efectos prácticos. Y lo quiero y él me quiere, y no quiero decepcionarlo. Y así, acostado con Sarah en mi cama, mi temor empieza a alcanzar nuevos niveles. No puedo soportar el no saber lo que nos deparará el nuevo día. La incertidumbre me desgarra en dos. La habitación está a oscuras. Una vela titila en el marco de la ventana, a unos cuantos centímetros de distancia. Respiro profundo, es decir, tan profundo como *puedo*.

—¿Estás bien? —pregunta Sarah.

La envuelvo entre mis brazos.

—Te echo de menos —le digo.

—¿Me echas de menos? Pero si estoy aquí.

—Es la peor manera de echar de menos a una persona. Cuando está justo a tu lado y aun así la echas de menos.

—Estás diciendo locuras.

Atrae mi cara hacia la suya y me da un beso. Sus labios suaves contra los míos. No quiero que se detenga. No quiero que se detenga nunca. Mientras Sarah esté besándome, todo está bien. Todo estará bien. Me quedaría en esta habitación para siempre si pudiera. Bien puede el mundo seguir de largo sin mí, sin nosotros. Mientras podamos quedarnos aquí, juntos, abrazados.

—Mañana —le digo.

Ella me mira.

—¿Mañana qué?

Sacudo la cabeza.

—No lo sé en realidad. Creo que simplemente tengo miedo.

Me lanza una mirada confundida.

—¿De qué?

—No lo sé. Tengo miedo, simplemente.

Cuando Henri y yo regresamos a la casa después de llevar a Sarah, vuelvo a mi habitación y me acuesto en el mismo lugar donde estaba ella. Todavía puedo olerla en mi cama. No voy a dormir esta noche. Ni siquiera pienso intentarlo. Me paseo por el cuarto. Cuando Henri se acuesta, salgo, me siento a la mesa de la cocina y escribo a la luz de una vela. Escribo acerca de Lorien, de Florida, de las cosas que he visto desde que empezó nuestro entrenamiento. La guerra, los animales, las imágenes de infancia. Espero alguna especie de descarga catártica, pero no hay tal. Solo me pongo más triste.

Cuando se me entume la mano, salgo de la casa y me quedo de pie en el porche. El aire frío ayuda a aliviar el dolor que siento al respirar. La luna está casi llena; tiene un lado recortado apenas muy sutilmente. Faltan dos horas para el amanecer, y con ese amanecer vendrá un nuevo día, y las noticias del fin de semana. El periódico llega a nuestra puerta a las seis, a veces seis media. Ya estaré en el colegio para cuando llegue, y si salgo en las noticias, me niego a irme sin ver a Sarah una vez más, sin despedirme de Sam.

Entro en la casa, me cambio y empaco el morral. Vuelvo a salir de puntillas y cierro la puerta silenciosamente tras de mí. Doy tres pasos en el porche y oigo unos rasguños en la puerta. Me doy la vuelta para abrirla y Bernie Kosar sale trotando. "Está bien —pienso—, vamos juntos".

Caminamos, deteniéndonos con frecuencia, escuchando el silencio. La noche está oscura, pero después de un rato un brillo pálido empieza a crecer en el cielo, por el oriente, justo cuando llegamos al colegio. No hay ningún auto en el estacionamiento y todas las luces de adentro están apagadas. En la pura fachada del colegio, frente al mural de los piratas, hay una roca grande pintada por bachilleres anteriores. Me siento en ella. Bernie Kosar se echa en la hierba a unos pocos centímetros. Paso allí media hora hasta que aparece el primer auto, una furgoneta. Supongo que es Hobbs, el conserje, que llega temprano para poner en orden el colegio, pero me equivoco. La furgoneta avanza hasta la entrada principal; el conductor se baja y la deja encendida. Lleva un montón de periódicos atados con un alambre. Nos saludamos con un gesto; él deja el paquete junto a la puerta y se marcha. Me quedo sobre la roca, mirando los periódicos con desdén. Los maldigo mentalmente, amenazándolos por si se atreven a traerme la mala noticia que tanto temo.

—No estuve dentro de esa casa el sábado —digo en voz alta, y en ese instante me siento estúpido. Después aparto la mirada, suspiro y bajo de la roca con un salto—. Bueno —le digo a Bernie Kosar—. Llegó la hora, para bien o para mal.

Él abre los ojos momentáneamente, luego los cierra y retoma su siesta sobre la tierra fría.

Rompo el atado y alzo el periódico de encima. La historia aparece en primera página. En la parte superior, hay una foto de los escombros quemados, tomada al día siguiente, al amanecer. Produce una sensación desoladora, premonitoria. Cenizas ennegrecidas frente a los árboles desnudos y la hierba cubierta de escarcha. Leo el titular:

LA CASA DE LOS JAMES *SE VA COMO HUMO*

Contengo el aliento, con una sensación de abatimiento en las entrañas, como si estuviera a punto de recibir una noticia espantosa. Ojeo el artículo a toda prisa; no lo leo, solo busco mi nombre. Llego hasta el final. Parpadeo y sacudo la cabeza para quitarme las telarañas de los ojos. Una sonrisa prudente se dibuja en mi rostro. Luego vuelvo a repasarlo rápidamente.

—No puede ser —digo—. Bernie Kosar, ¡mi nombre no aparece!

El perro no me pone atención. Corro por el prado y vuelvo a subirme a la roca con un brinco.

—¡Mi nombre no aparece! —vuelvo a gritar, esta vez lo más fuerte posible.

Me siento y leo el artículo. El titular hace referencia a la película *Se va como humo*, de Cheech y Chong, que, según parece, es una película sobre drogas. Lo que los policías creen que causó el incendio fue un porro de marihuana que se fumaron en el sótano. No tengo ni la menor idea de cómo descubrieron esa información, sobre todo por lo falsa que es. El artículo en sí es cruel y mezquino, es casi un ataque a la familia James. Ese periodista no me cayó bien y, por lo visto, a él no le caen bien los James. ¿Por qué será?

Me quedo sentado en la roca y leo el artículo tres veces antes de que llegue la primera persona para abrir las puertas. No puedo dejar de sonreír. Voy a quedarme en Ohio, en Paraíso. El nombre del pueblo ya no me resulta tan ridículo. En medio de la emoción, siento que estoy pasando algo por alto, que he olvidado algún elemento clave. Pero estoy tan feliz que no me importa. ¿Qué puede pasarme ahora? Mi nombre no aparece en el artículo. No me metí en esa casa. La prueba está aquí mismo, en mis manos. Nadie puede decir lo contrario.

—¿Por qué estás tan feliz? —me pregunta Sam en la clase de astronomía. Yo no he parado de sonreír.

—¿No leíste las noticias esta mañana?

Él asiente.

—Sam, ¡no salí en el periódico! ¡No tengo que irme!

—¿Y por qué ibas a salir en el periódico?

Estoy anonadado. Abro la boca para replicar, pero Sarah entra en el salón justo en ese momento y recorre el pasillo con aire despreocupado.

—Hola, preciosa —le digo.

Ella se inclina y me da un beso en la mejilla, algo que nunca daré por sentado.

—Alguien amaneció feliz hoy —dice.

—Feliz de verte —le digo—. ¿Estás nerviosa por tu examen de conducir?

—Tal vez un poquito. Quisiera que ya hubiera pasado.

Se sienta a mi lado. "Este es mi día —pienso—. Aquí es donde quiero estar y aquí estoy. Con Sarah a un lado y Sam al otro".

Voy a las clases tal como he hecho todos los demás días. Me siento con Sam a la hora del almuerzo. No hablamos del incendio. Debemos de ser los únicos en todo el colegio que no hablamos de eso. La misma historia, una y otra vez. No oigo mencionar mi nombre ni una sola vez. Mark no ha venido, como me lo esperaba. Corre el rumor de que lo van a suspender a él y a muchos de sus amigos por la teoría divulgada por el periódico. No sé si será verdad o no. Y no sé si me importe.

Para cuando Sarah y yo entramos en la cocina para la clase de la octava hora, mi certeza de que estoy a salvo se ha afianzado. Es tan firme, que estoy seguro de que me equivoco, de que he pasado algo por alto. La duda ha ido creciendo a lo largo del día, pero me he apresurado a ahuyentarla.

Hacemos pudín de tapioca. Es un día fácil. La puerta de la cocina se abre en la mitad de la clase, es el guarda del pasillo. Lo miro, e inmediatamente sé lo que significa: es el heraldo de las malas noticias, el mensajero de la muerte. Viene directo hacia mí y me entrega un papelito.

—El señor Harris quiere verte.

—¿Ahora?

Asiente.

Miro a Sarah y me encojo de hombros. No quiero que note mi miedo. Le sonrío y camino hacia la puerta. Antes de irme, me volteo y vuelvo a mirarla. Está inclinada sobre la mesa mezclando los ingredientes, con el mismo delantal verde que le amarré en mi primer día, el día en que hicimos *pancakes* y comimos del mismo plato. Tiene el pelo recogido en una cola de caballo y unos mechones sueltos le cuelgan sobre la cara. Se los acomoda detrás de la oreja y entonces ve que estoy en la puerta, observándola. Sigo mirándola, tratando de recordar cada minúsculo detalle de este momento: la forma como sostiene la cuchara de palo en su mano, el marfilado tono de su piel bajo la luz que entra por las ventanas que están a sus espaldas, la ternura de sus ojos. Le falta el botón del cuello de la camisa, me pregunto si será consciente de ello. Entonces, el guarda del pasillo dice algo detrás de mí. Le digo adiós a Sarah con la mano, cierro la puerta y avanzo por el corredor. Me tomo mi tiempo, tratando de convencerme de que es solo una formalidad, algún documento que olvidamos firmar, alguna pregunta sobre mis expedientes académicos. Pero sé que no es solo una formalidad.

Cuando entro en la Rectoría, el señor Harris está sentado ante su escritorio, con una sonrisa que me aterroriza, la misma sonrisa de orgullo arrogante que tenía el día en que sacó de clase a Mark para la entrevista.

—Siéntese —me dice—. ¿Es cierto entonces? —pregunta y mira la pantalla de su computador, después vuelve a mirarme.

—¿Cierto qué?

En el escritorio hay un sobre con mi nombre escrito a mano en tinta negra. Se da cuenta de que estoy mirándolo.

—Ah, sí, esto le llegó por fax hace como media hora.

Alza el sobre y me lo lanza. Lo atrapo.

—¿Qué es? —pregunto.

—Ni idea. Mi secretaria lo guardó en el sobre en cuanto llegó.

Pasan muchas cosas al mismo tiempo. Abro el sobre y saco el contenido. Dos hojas. La primera es una página de presentación con mi nombre y la palabra "CONFIDENCIAL" escrita en letras grandes y negras. La pongo detrás de la segunda, que tiene una sola frase escrita en mayúsculas. No hay ningún nombre. Solo cuatro palabras negras escritas sobre un fondo blanco.

—Entonces, señor Smith, ¿es cierto? ¿Entró en la casa en llamas para salvar a Sarah Hart y a los perros? —pregunta.

La sangre se me sube a la cara. Alzo la vista. El señor Harris voltea la pantalla de su computador para que pueda verla. Es el blog afiliado a la *Gaceta*. No necesito buscar el nombre del autor para saber quién lo ha escrito. Con el título me basta y me sobra.

EL INCENDIO DE LA CASA JAMES: LA HISTORIA NO CONTADA

Me quedo sin aliento. El corazón me da un vuelco. El mundo se detiene, o al menos eso parece. Me siento como muerto por dentro. Vuelvo a bajar la vista hacia la hoja que tengo entre las manos. Papel blanco, suave al tacto. Dice:

¿ERES EL NÚMERO CUATRO?

Las dos hojas se me caen de las manos y bajan al suelo, donde se quedan inmóviles. "No lo entiendo —pienso—. ¿Cómo puede ser posible?".

—¿Es cierto? —pregunta el señor Harris.

Me quedo boquiabierto. El señor Harris sonríe, feliz, orgulloso. Pero no es a él lo que veo. Sino lo que está detrás, lo que veo a través de las ventanas de su oficina. Una mancha rojiza que dobla por la esquina, mucho más rápido de lo normal, de lo seguro. El rechinar de las ruedas al irrumpir en el estacionamiento. La camioneta que levanta la gravilla al volver a doblar. Henri inclinado sobre el timón cual maníaco enloquecido, apretando el freno con tal fuerza que se le sacude todo el cuerpo y el vehículo se detiene con un chirrido.

Cierro los ojos.

Pongo la cabeza entre las manos.

A través de la ventana oigo que la puerta de la camioneta se abre. La oigo cerrarse.

Henri estará en esta oficina en menos de un minuto.

CAPÍTULO
VEINTIOCHO

—¿ESTÁ BIEN, SEÑOR SMITH? —PREGUNTA EL RECTOR.
Lo miro. Él hace su mejor esfuerzo por mostrarse preocupado,
pero su sonrisa dentada vuelve a su rostro después de un segundo.

—No, señor Harris —le digo—. No estoy bien.

Recojo la hoja del suelo. Vuelvo a leerla. ¿De dónde habrá venido? ¿Será que ahora simplemente están jugando con
nosotros? No hay ningún teléfono, ninguna dirección, ningún
nombre. Tan solo cuatro palabras entre signos de interrogación. Alzo la vista hacia la ventana. La camioneta de Henri,
estacionada, echa humo por el tubo de escape. Seguro busca
entrar y salir lo más rápido posible. Vuelvo a mirar la pantalla del computador. El artículo fue publicado a las 11:59 a.m.,
hace casi dos horas. Me sorprende que haya tardado tanto en
llegar. Una sensación de vértigo empieza a invadirme. Siento
que me tambaleo.

—¿Necesita a la enfermera? —pregunta el señor Harris.

"La enfermera —pienso—. No, no necesito a la enfermera. La enfermería está al lado de la cocina. Lo que necesito,
señor Harris, es poder volver a ese momento hace quince minutos, antes de que llegara el guarda del pasillo". Sarah ya
debe de tener el pudín en el fuego. Me pregunto si ya habrá

empezado a hervir. ¿Estará mirando hacia la puerta, esperando que regrese?

El lejano eco de las puertas del colegio que se cierran de un golpazo llega hasta la Rectoría. Henri estará aquí en quince segundos. Después, a la camioneta. Y a la casa. ¿Y luego a dónde? ¿A Maine? ¿Missouri? ¿Canadá? Un nuevo colegio, un nuevo comienzo, otra nueva identidad.

Llevo casi treinta horas sin dormir y solo ahora siento el agotamiento. Pero entonces me invade algo más, y en esa fracción de segundo que separa al instinto de la acción, la realidad de que estoy a punto de irme para siempre y sin despedirme se hace demasiado insoportable. Mis ojos se achican, mi cara se tuerce en un gesto de dolor, y sin pensarlo, sin saber en realidad qué estoy haciendo, me lanzo sobre el escritorio del rector y atravieso el vidrio de la ventana, que se rompe en mil pedazos. A continuación, se oye un grito horrorizado.

Mis pies aterrizan en el césped de afuera. Doblo a la derecha, corro por el patio del colegio —los salones pasan a mi lado derecho como una mancha— y cruzo el estacionamiento hasta llegar al bosque que está más allá de la cancha de béisbol. Tengo heridas en la frente y en el codo izquierdo por el vidrio roto; me arden los pulmones, pero al diablo con el dolor. Sigo avanzando, con la hoja todavía en la mano derecha. Me la meto en el bolsillo. ¿Por qué me mandarían un fax los mogadorianos? ¿Por qué no aparecen de repente? Esa es su ventaja principal, poder aparecerse inesperadamente, sin previo aviso. La ventaja de la sorpresa.

En medio del bosque, doy un giro violento hacia la izquierda, abriéndome paso por entre la espesura hasta que empieza un campo. Las vacas rumiantes me miran con ojos inexpresivos al pasar a su lado a toda velocidad. Llego a la casa antes que Henri. No veo a Bernie Kosar por ningún lado.

Irrumpo en la sala y me detengo en seco, sin aliento. Sentado a la mesa de la cocina, frente al computador de Henri, hay alguien que enseguida supongo que es uno de ellos. Han llegado primero, y se las han arreglado para que estuviera solo, sin Henri. La persona se da la vuelta y yo aprieto los puños, listo para pelear.

Pero es Mark James.

—¿Qué estás haciendo aquí? —pregunto.

—Tratando de entender lo que está pasando —el miedo es evidente en su mirada—. ¿Quién diablos eres?

—¿De qué estás hablando?

—Mira —dice señalando la pantalla del computador.

Me le acerco, pero no miro la pantalla, pues mis ojos se enfocan inmediatamente en la hoja blanca que está al lado del computador. Es una copia idéntica de la que llevo en el bolsillo, excepto por el papel, que es más grueso que el del fax. Y entonces advierto otra cosa. En la parte de abajo, hay un teléfono, escrito con una letra muy pequeña. No esperarán que los llamemos, ¿no? "Sí, hola, soy yo, el Número Cuatro. Aquí estoy esperándolos. Llevamos diez años huyendo, pero vengan a matarnos ya, por favor, no opondremos ninguna resistencia". No tiene ningún sentido.

—¿Esto es tuyo? —pregunto.

—No —responde—, pero llegó por correo certificado en el mismo momento en que llegué yo. Tu papá la leyó mientras le mostraba el video y después salió disparado.

—¿Cuál video?

—Mira.

Miro la pantalla. Veo que Mark ha abierto un video en YouTube. Es de mala calidad, como si lo hubieran hecho con un celular. Y reconozco su casa de inmediato, cuya fachada está ardiendo en llamas. La cámara tiembla, pero pueden oírse los ladridos de los perros y los gritos ahogados entre la multitud. Después, la persona empieza a alejarse del tumulto por un costado de la casa hasta llegar a la parte de atrás. La cámara enfoca de cerca la ventana trasera, de donde vienen los ladridos. Entonces dejan de oírse los ladridos, y cierro los ojos porque sé lo que viene a continuación. Pasan unos veinte segundos, y en el momento en que salgo volando por la ventana —con Sarah en un brazo y el perro en el otro—, Mark detiene el video. La cámara está enfocada de cerca; nuestras caras son inconfundibles.

—¿Quién eres? —me pregunta.

Yo respondo con otra pregunta:

—¿Quién hizo este video?

—Ni idea.

La gravilla del camino de acceso salta bajo las ruedas de la camioneta cuando Henri llega a la casa. Me enderezo, y mi primer instinto es huir, salir de la casa y regresar al colegio, donde sé que Sarah se quedará hasta tarde para revelar unas fotos, hasta su examen de conducción, que es a las cuatro y media. En el video, su rostro se ve tan claramente como el mío, lo cual la pone en tanto peligro como a mí. Pero algo me hace quedarme, y entonces me pongo del otro lado de la mesa, y espero. La puerta de la camioneta se cierra de un golpazo. Henri entra en la casa cinco segundos después, con Bernie Kosar por delante.

—Me mentiste —dice desde la puerta, con una expresión dura en el rostro y la mandíbula apretada.

—Le miento a todo el mundo —le digo—. Tú me enseñaste.

—¡No nos mentimos entre nosotros! —grita.

Nos miramos fijamente.

—¿Qué está pasando? —pregunta Mark.

—No me iré hasta no haber encontrado a Sarah —digo—. ¡Está en peligro!

Henri sacude la cabeza.

—No es el momento de ponerse sentimental, John. ¿No has visto esto? —dice y atraviesa la sala y alza el papel y lo agita—. ¿De dónde diablos crees que ha venido?

—¿Qué diablos está pasando? —dice Mark, casi gritando.

Hago caso omiso de la hoja y de Mark, con los ojos clavados en los de Henri.

—Sí, lo he visto, y por eso tengo que volver al colegio. Ellos la verán e irán tras ella.

Henri empieza a acercárseme. Después de que ha dado el segundo paso, alzo la mano y lo detengo allí donde está, a unos tres metros. Intenta dar otro paso, pero lo mantengo en el mismo lugar.

—Tenemos que largarnos de aquí, John —me dice con tono afligido, casi suplicante.

Mientras lo mantengo a cierta distancia, empiezo a caminar hacia atrás, hacia mi habitación. Henri ya no trata de moverse. No dice nada. Simplemente está allí, quieto y con la mirada herida; una mirada que me hace sentir peor que nunca y apartar la mía. Cuando llego a mi puerta, nuestros ojos vuelven a encontrarse. Tiene los hombros caídos, los brazos le cuelgan a ambos lados, como si no supiera qué hacer consigo mismo. Se limita a mirarme fijamente, y parece como si fuera a llorar.

—Lo siento —le digo, ahora que ya me he concedido una ventaja suficiente para marcharme.

Doy media vuelta, entro en el cuarto, saco del cajón la navaja que usaba para quitarles las escamas a los pescados cuando vivíamos en Florida, brinco por la ventana y me interno en el bosque a toda velocidad. A continuación, se oyen los ladridos de Bernie Kosar, nada más. Corro más de un kilómetro y me detengo ante el claro donde Sarah y yo dibujamos ángeles en la nieve. Nuestro claro, como lo llamó ella. El claro en el que haríamos nuestros picnics de verano. La idea de que no estaré aquí en el verano me produce un dolor en el pecho, un dolor tan fuerte que me doblo en dos, apretando los dientes. Si por lo menos pudiera llamarla y advertirle que se vaya del colegio, pero mi teléfono, junto con todo lo demás que llevé al colegio, está en mi casillero. Tengo que ponerla fuera de peligro; después regresaré adonde Henri y nos iremos.

Doy un giro y corro hacia el colegio tan rápido como me lo permiten mis pulmones. Llego justo cuando los autobuses han empezado a salir del estacionamiento. Los observo desde el lindero del bosque. Hobbs está frente a la ventana de la fachada midiendo una gran lámina de contrachapado para cubrir el vidrio que rompí. Apaciguo mi respiración y hago mi mejor esfuerzo por despejarme la mente. Veo salir los vehículos, uno tras otro, hasta que solo quedan unos pocos. Hobbs termina de tapar el hueco y desaparece dentro del colegio. Me pregunto si le habrán advertido algo acerca de mí, si le habrán dicho que llame a la Policía si me ve. Miro mi reloj. Aunque apenas son las 3:30, la oscuridad parece haber llegado más rápido de lo normal, una oscuridad densa, pesada, absorbente. Los faroles del estacionamiento están encendidos, pero incluso sus luces se ven pálidas y debilitadas.

Dejo atrás el bosque y cruzo la cancha de béisbol y el estacionamiento. Quedan unos diez autos solitarios. La puerta del colegio ya está cerrada. Agarro la manija y cierro los ojos y me concentro y el cerrojo hace clic. Entro y no veo a nadie. Solo está encendida la mitad de las luces del pasillo. El aire está tranquilo y silencioso. Oigo el encerador funcionando en alguna parte. Cruzo por el vestíbulo y la puerta del cuarto oscuro aparece ante mis ojos. Sarah. Iba a revelar unas fotos antes de su examen. Paso por mi casillero y lo abro. Mi teléfono no está allí; el casillero está completamente vacío. Alguien lo tiene, y espero que ese alguien sea Henri. Para cuando llego al cuarto oscuro, no he visto ni a una sola persona. ¿Dónde están los deportistas, los músicos, los profesores que suelen quedarse hasta tarde para calificar exámenes o hacer lo que sea que hagan? Un mal presentimiento me cala los huesos y me horrorizo al pensar que algo le ha pasado a Sarah. Pongo la oreja en la puerta para escuchar, pero no oigo nada aparte del zumbido del encerador que viene desde alguna parte lejana del corredor. Respiro profundo y trato de entrar. La puerta está cerrada con llave. Entonces vuelvo a poner la oreja y toco suavemente. No hay respuesta, pero oigo un ligero rumor del otro lado. Respiro profundo, me tenso a la espera de lo que pueda encontrar adentro y abro el cerrojo.

El cuarto está oscuro como la boca de un lobo. Enciendo mis luces y muevo las manos hacia un lado, luego al otro. No veo nada y pienso que está vacío, pero entonces advierto un leve movimiento en el rincón. Me agacho para mirar, y veo que detrás del aparador, tratando de esconderse, está Sarah. Atenúo mis luces para que pueda ver que soy yo. Ella alza la vista por entre las sombras, sonríe y suelta un suspiro de alivio.

—Ya llegaron, ¿cierto?

—Si no lo han hecho todavía, falta poco.

Le ayudo a levantarse y ella me envuelve entre sus brazos y me aprieta tan fuerte que siento que no piensa soltarme nunca más.

—Vine para acá justo después de la octava hora, y cuando terminaron las clases empecé a sentir unos ruidos rarísimos en los pasillos. Todo se puso oscurísimo, entonces me encerré aquí y me quedé detrás del aparador, paralizada del miedo.

Sabía que algo andaba mal, sobre todo cuando me enteré de que habías atravesado la ventana y no contestabas al teléfono.

—Fue una jugada inteligente, pero ahora tenemos que irnos, y rápido.

Salimos del cuarto oscuro, cogidos de la mano. Las luces del pasillo parpadean y se apagan; el colegio entero queda inmerso en la oscuridad, aun cuando todavía falta una hora o más para que anochezca. Después de unos diez segundos, vuelven a encenderse.

—¿Qué está pasando? —susurra Sarah.

—No lo sé.

Avanzamos por el pasillo lo más sigilosamente posible; cualquier ruidito que hacemos parece amortiguado, apagado. La salida más rápida es por la puerta trasera que lleva al estacionamiento de los profesores, y mientras nos dirigimos hacia allá, el ruido del encerador aumenta. Supongo que vamos a encontrarnos con Hobbs, y supongo que él sabe que fui yo quien rompió el vidrio. ¿Me rechazará con el palo de una escoba y llamará a la Policía? A estas alturas, supongo que ya no importa.

Las luces vuelven a apagarse cuando llegamos al pasillo de atrás. Paramos y esperamos a que vuelvan a encenderse, pero esto no sucede. El encerador sigue funcionando; es un zumbido parejo. No puedo verlo, pero está a unos pocos metros de distancia, entre la oscuridad impenetrable. Me resulta extraño que la máquina siga andando, que Hobbs siga encerando en la oscuridad. Enciendo mis luces. Sarah me suelta la mano y se queda detrás de mí, con las manos en mis caderas. Primero encuentro el enchufe en la pared, luego el cable y luego la máquina. Está en un mismo lugar, chocando contra la pared, sin que nadie la maneje. Entonces me invade una ráfaga de pánico, seguida por un coletazo de miedo. Tenemos que largarnos de aquí.

Arranco el cable del enchufe y el encerador se detiene, reemplazado ahora por el suave rumor del silencio. Apago mis luces. Una puerta chilla al abrirse lentamente al fondo del pasillo. Me agacho con la espalda contra la pared, y Sarah bien agarrada a mi brazo. Los dos estamos demasiado asustados como para decir nada. El instinto me llevó a desconectar la máquina y ahora siento el impulso de volver a conectarla, pero sé que eso nos delataría si ya están aquí. Cierro los ojos y aguzo el oído. Ya no se oye la puerta chirriante. Un viento suave parece materializarse de la nada, pero no creo que haya ninguna ventana abierta. A lo mejor el viento está entrando por la ventana que rompí. En ese momento, la puerta se azota y un vidrio se rompe y cae hecho trizas sobre el suelo.

Sarah grita. Algo pasa rozándonos, pero no veo qué es ni me interesa averiguarlo. Tiro de la mano de Sarah y echo a correr por el pasillo. Empujo la puerta con el hombro y salgo a toda prisa al estacionamiento. Sarah jadea y los dos frenamos en seco. Me quedo sin respiración y siento escalofríos en la espalda. Las luces siguen alumbrando, pero solo débil y fantasmalmente, en la densa oscuridad. Y ambos lo vemos bajo el farol más cercano: la gabardina que ondea entre la brisa, el sombrero tan hundido que no se le ven los ojos. Alza la cabeza y me sonríe burlonamente.

Sarah me aprieta la mano con más fuerza. Damos un paso hacia atrás, pero tropezamos en nuestra prisa por escapar y recorremos el resto como cangrejos hasta tocar la puerta.

—¡Vamos! —grito al ponerme de pie. Sarah se levanta. Intento abrir la puerta, pero se cerró automáticamente cuando salimos—. ¡Diablos!

Con el rabillo del ojo, veo a otro. Está quieto, pero entonces lo veo dar su primer paso hacia mí. Y hay otro detrás. Los mogadorianos. Han llegado finalmente, después de todos estos años. Intento concentrarme pero las manos me tiemblan demasiado. Los siento acercarse, cerniéndose. Sarah se pega a mi cuerpo; puedo sentir cómo tiembla.

No logro concentrarme para abrir la puerta. ¿Qué pasó con la calma bajo presión, con todos esos días de entrenamiento en el jardín trasero? "No quiero morir —pienso—. No quiero morir".

—John —dice Sarah, y en su voz hay tanto miedo que me hace abrir los ojos de par en par y despertar con resolución.

El cerrojo hace clic. La puerta se abre. Entramos empujándola y la cierro de un portazo. Se oye un ruido sordo del otro lado, como si alguno de ellos la hubiera pateado. Corremos por el pasillo. Sentimos unos ruidos a continuación. No sé si habrá algún mogadoriano adentro del colegio. Otra ventana se rompe en un costado y Sarah grita por la sorpresa.

—No podemos hacer ruido —le digo.

Tratamos de abrir las puertas de los salones, pero todas están cerradas con llave. Creo que no tengo tiempo de abrir ninguna. Una puerta se azota en algún lado, pero no sé si fue delante o detrás de nosotros. Entonces, sentimos más ruidos, cada vez más cerca, cada vez más fuertes. Sarah me toma de la mano y corremos más rápido. Voy haciendo un esfuerzo enorme por recordar la distribución del edificio para mantener mis luces apagadas, para que no nos vean. Hasta que finalmente encontramos una puerta abierta y entramos precipitadamente. Es el salón de historia, que está en el costado izquierdo del colegio y da a una ligera cuesta de unos seis metros de altura, por lo que hay rejas en las ventanas. La oscuridad oprime los vidrios con firmeza y no entra ninguna luz. Cierro la puerta silenciosamente y espero que no nos hayan visto entrar. Paseo mis luces por el salón y vuelvo a apagarlas rápidamente. Estamos solos. Nos escondemos detrás de la mesa del profesor.

Intento recobrar la respiración. El sudor me chorrea por las sienes y me hace arder los ojos. ¿Cuántos habrán venido? Ya he visto tres, por lo menos, pero seguro que no son los únicos que andan por allí. ¿Habrán traído a las bestias, esas comadrejas pequeñas que tanto asustaron a los periodistas de Atenas? Quisiera que Henri estuviera aquí, o al menos Bernie Kosar.

La puerta se abre lentamente. Contengo la respiración, aguzando el oído. Sarah se aprieta contra mi cuerpo y nos abrazamos. La puerta vuelve a cerrarse muy sigilosamente hasta hacer clic. No sentimos ningunos pasos. ¿Será que solo abrieron y asomaron la cabeza para ver si estábamos adentro? ¿Será que siguieron de largo, sin entrar? Si lograron encontrarme después de todo este tiempo, dudo que sean tan perezosos.

—¿Qué vamos a hacer? —susurra Sarah después de treinta segundos.

—No lo sé —respondo también en un susurro.

El silencio inunda el salón. Lo que sea que haya abierto la puerta debe de haberse ido, o está esperando en el pasillo. Sin embargo, sé que cuanto más tiempo esperemos, más mogadorianos llegarán. Tenemos que salir de aquí. Tenemos que arriesgarnos. Respiro profundo.

—Tenemos que irnos —susurro—. No estamos a salvo aquí.

—Pero están allí afuera.

—Lo sé, y no se irán. Henri está en la casa y corre el mismo peligro que nosotros.

—¿Pero cómo vamos a salir?

No tengo ni la menor idea; no sé qué decir. Solo hay una salida, y es por donde entramos. Sarah sigue rodeándome con sus brazos.

—Somos presa fácil, Sarah. Nos encontrarán, y cuando esto suceda, ya habrán llegado todos. En cambio, así tendremos el elemento de la sorpresa, por lo menos. Si podemos salir del colegio, creo que podría hacer arrancar un auto. Si no, tendremos que abrirnos camino peleando.

Sarah asiente con la cabeza.

Respiro profundamente y salgo de debajo del escritorio. Le doy la mano a Sarah y ella se pone de pie conmigo. Damos un paso juntos, lo más silenciosamente posible. Luego otro. Tardamos un minuto entero en cruzar el salón y no nos topamos con nada en medio de la oscuridad. Mis manos brillan muy débilmente, sin emitir casi luz, apenas lo necesario para no chocarnos contra ningún pupitre. Miro la puerta fijamente. La abriré, le diré a Sarah que brinque a mi espalda y entonces correré con toda la fuerza y velocidad que me sean posibles, con mis luces encendidas, hasta salir del colegio al estacionamiento en busca de un auto, y si esto no funciona, hacia el bosque. Conozco bien el bosque y el camino a casa. Ellos son más, pero Sarah y yo tendremos la ventaja de que conocemos el terreno.

A medida que nos acercamos a la puerta, puedo sentir mi corazón latiendo tan fuerte que temo que los mogadorianos puedan oírlo. Cierro los ojos y acerco la mano al pomo, lentamente. Sarah se tensa y me aprieta la mano con todas sus fuerzas. Cuando me faltan unos pocos centímetros y estoy tan cerca del pomo que puedo sentir el frío que emana, nos agarran a los dos por detrás y nos echan al suelo.

Intento gritar, pero una mano me tapa la boca. El miedo me recorre todo el cuerpo. Puedo sentir a Sarah forcejeando, y hago lo mismo, pero la persona que nos tiene agarrados es más fuerte. No había previsto que los mogadorianos fueran más fuertes que yo. Los he subestimado enormemente. Ya no hay esperanza. He fallado. Le he fallado a Sarah y a Henri y lo siento. "Henri, espero que opongas más resistencia que yo".

Sarah respira pesadamente. Yo trato de liberarme con todas mis fuerzas, pero no puedo.

—*Shhh,* deja de resistirte —susurra una voz a mi oído. Es la voz de una chica—. Ellos están allí afuera. Tienen que calmarse, los dos.

Es una chica, tan fuerte como yo, incluso más. No lo entiendo. Nos suelta y me volteo para verla. Nos miramos detenidamente. A la luz de mis manos veo un rostro apenas un poco mayor que el mío. Ojos color avellana, pómulos altos, pelo largo y oscuro recogido en una cola de caballo, boca ancha, nariz fuerte y piel color aceituna.

—¿Quién eres? —pregunto.

Ella mira a la puerta, todavía en silencio. "Una aliada", pienso. Alguien, aparte de los mogadorianos, sabe que existimos. Alguien ha venido a ayudarnos.

—Soy Seis —dice—. Intenté llegar antes que ellos.

CAPÍTULO
VEINTINUEVE

—¿CÓMO SUPISTE QUE ERA YO? —PREGUNTO.

Ella mira hacia la puerta.

—He estado tratando de encontrarte desde que mataron a Tres. Pero después te explico. Primero tenemos que salir de aquí.

—¿Y cómo hiciste para entrar sin que te vieran?

—Puedo hacerme invisible.

Sonrío. El mismo legado de mi abuelo: la invisibilidad, y la capacidad de hacer invisible lo que toca, como hizo con la casa en ese segundo día de trabajo de Henri.

—¿Vives muy lejos de aquí? —pregunta.

—A unos cinco kilómetros.

La siento asentir entre la oscuridad.

—¿Y tienes un cêpan?

—Sí, claro, ¿tú no?

Seis cambia el peso del cuerpo de una pierna a otra y hace una pausa antes de hablar, como sacando fuerzas de una entidad invisible.

—Tenía —dice—, pero murió hace tres años. He estado sola desde entonces.

—Lo siento.

—Estamos en guerra, y morirá más gente. Tenemos que salir de aquí ahora mismo o moriremos también. Si están en la zona, entonces ya saben dónde vives, y eso significa que ya están allí y que no tiene sentido que seamos muy reservados en cuanto salgamos de aquí. Estos son solo exploradores. Los soldados están en camino, ellos tienen las espadas. Y las bestias llegarán poco después. En el mejor de los casos, tenemos un día. En el peor, ya están aquí.

Lo primero que pienso es: "Ya saben dónde vivo". Siento pánico. Henri está en la casa, con Bernie Kosar, y los soldados y las bestias podrían ya estar allí. Después pienso: "Su cêpan murió hace tres años. Seis ha estado sola todo este tiempo, sola en un planeta extraño, ¿desde qué, los trece, catorce años?".

—Él está en la casa —digo.

—¿Quién?

—Henri, mi cêpan.

—Estoy segura de que está bien. No le harán daño mientras tú andes por ahí. Es a ti a quien buscan, y lo usarán a él para atraerte —dice Seis y alza la cabeza hacia la ventana enrejada. Sarah y yo nos damos la vuelta y miramos con ella. Unos faros giran por la curva a toda velocidad, en dirección al colegio, pero su luz es muy débil, de modo que no vemos nada más. Luego disminuyen la velocidad, doblan por la entrada y desaparecen rápidamente. Seis se vuelve hacia nosotros—. Todas las puertas están bloqueadas. ¿Por dónde más podemos salir?

Reflexiono y concluyo que la mejor opción es una de las ventanas sin rejas de otro salón.

—Podemos salir por el gimnasio —dice Sarah—. Debajo del escenario hay un pasadizo que se abre por detrás del colegio como un escotillón.

—¿De verdad? —pregunto.

Ella asiente, y yo me siento orgulloso.

—Denme una mano, cada uno —dice Seis. Tomo la derecha y Sarah la izquierda—. Deben hacer el menor ruido posible. Mientras estén cogidos de mis manos, ambos serán invisibles. Ellos no podrán vernos, pero podrán oírnos. En cuanto hayamos salido, correremos a toda velocidad. No podremos escapar, no ahora que ya nos encontraron. La única forma de escapar es matándolos a todos, hasta que lleguen los otros.

—De acuerdo —digo.

—¿Sabes lo que eso significa? —pregunta Seis.

Niego con la cabeza. No sé muy bien qué me está preguntando.

—Ya no podemos escapar —dice—. Eso significa que tendrás que luchar.

Pretendo responderle, pero el rumor que se oía del otro lado de la puerta se acalla. Silencio. El pomo se sacude a continuación. Seis respira profundamente y me suelta la mano.

—Ya no vamos a salir sigilosamente —dice—. La guerra empieza ahora.

Se endereza a toda prisa y estira las manos hacia delante. La puerta se rompe de sus goznes y sale volando por el pasillo. Madera destrozada. Vidrio hecho añicos.

—¡Enciende tus luces! —grita.

Las prendo. Entre los restos de la puerta rota hay un mogadoriano. Sonríe y le sale sangre por la comisura de los labios, donde lo ha golpeado la puerta. Ojos negros, piel pálida como si nunca la hubiera tocado el sol. Una criatura cavernícola que ha resucitado de entre los muertos. Lanza algo que no veo y oigo a Seis gruñir a mi lado. Lo miro a los ojos y un dolor me desgarra por dentro y me deja clavado donde estoy, incapaz de moverme. Cae la oscuridad. Tristeza. Siento el cuerpo agarrotado. Imágenes brumosas del día de la invasión parpadean en mi mente: la muerte de las mujeres y los niños, mis abuelos. Lágrimas, gritos, sangre, montañas de cuerpos en llamas. Seis rompe el hechizo al alzar al mogadoriano en el aire y arrojarlo contra la pared. Él trata de incorporarse, pero Seis vuelve a alzarlo, y esta vez lo lanza con todas sus fuerzas contra una pared y contra la otra. El explorador cae al suelo, torcido y quebrado. Su pecho se levanta una vez, luego se queda quieto, y uno o dos segundos después, el cuerpo entero se convierte en un montón de cenizas, haciendo un ruido parecido al de un bulto de arena que se desploma en el suelo.

—¿Qué diablos fue eso? —le pregunto a Seis, pues no entiendo cómo es posible que el cuerpo se desintegrara como acaba de hacerlo.

—¡No los mires a los ojos! —me grita ella, haciendo caso omiso de mi confusión.

Entonces pienso en el periodista de *Ellos caminan entre nosotros*. Ahora comprendo lo que vivió al mirarlos a los ojos y me pregunto si, cuando le llegó la hora finalmente, le habrá dado la bienvenida a la muerte con tal de liberarse de las imágenes que se proyectaban eternamente en su cabeza. Solo puedo imaginar la intensidad que habrían alcanzado si Seis no rompe el hechizo.

Desde el fondo del pasillo, otros dos exploradores avanzan sigilosamente hacia nosotros, envueltos en un velo de oscuridad, como si absorbieran todo lo que los rodea y lo volvieran todo negro. Seis se alza delante de mí, con firmeza, la barbilla en alto. Es unos cinco centímetros más baja que yo, pero su presencia la hace parecer cinco centímetros más alta. Sarah está detrás de mí. Los dos mogadorianos se detienen en el punto donde el pasillo se cruza con otro y nos muestran sus dientes en una sonrisa desdeñosa. Tengo el cuerpo tenso, los músculos agotados. Los dos respiran profunda y roncamente; ese fue el rumor que oímos del otro lado de la puerta: su respiración, no sus pasos. Vigilándonos. Un ruido distinto inunda el pasillo. Los dos mogadorianos dirigen su atención hacia allá. Una puerta que se sacude como si alguien intentara abrirla a la fuerza. De la nada sale un ruido como de disparo, seguido por la puerta del colegio que se abre con una patada. Ambos se muestran sorprendidos, y cuando se dan la vuelta para huir, otras dos detonaciones retumban en el corredor y los dos exploradores caen de espaldas. Entonces oímos el sonido de dos pares de zapatos que se acercan y el clic-clac de las uñas de un perro. Seis se tensa a mi lado, preparada para enfrentar lo que sea que viene hacia nosotros. ¡Henri! Eran los faros de su camioneta los que vimos entrar en el terreno del colegio. Lleva una pistola de dos cañones que no había visto nunca. Bernie Kosar viene a su lado y corre a mi encuentro. Me agacho y lo alzo, y él me lame la cara desesperadamente. Estoy tan emocionado de verlo que casi me olvido de decirle a Seis quién es el hombre de la pistola.

—Es Henri, mi cêpan.

Él se acerca a nosotros, vigilante, mirando hacia las puertas de los salones al pasar. Y por detrás, con el cofre loriense entre sus brazos, viene Mark. No tengo ni idea de por qué habrá venido con Henri, en cuyos ojos hay una mirada enajenada, fatigada, llena de miedo y preocupación. Después de la forma como me fui de la casa, espero lo peor. Algún tipo de reprimenda, una bofetada quizás, pero se pasa la pistola a la mano izquierda y me abraza con todas sus fuerzas. Y yo lo abrazo a él.

—Lo siento, Henri. No sabía que esto sucedería.

—Lo sé. Y estoy feliz de que estés bien —dice—. Vamos, tenemos que salir de aquí. Todo el maldito colegio está rodeado.

Sarah nos lleva al salón que considera más seguro de todos, el de la cocina, al fondo del pasillo. Cerramos la puerta con llave. Seis la bloquea con tres refrigeradores para que no puedan abrirla, mientras Henri corre a las ventanas y baja las persianas. Sarah va directo al módulo que solemos usar los dos, abre el cajón y saca el cuchillo carnicero más grande que encuentra. Mark se queda mirándola, y al ver lo que acaba de hacer, deja el cofre en el suelo y se busca su propio cuchillo. Después rebusca entre otros cajones, saca un ablandador de carne y se lo acomoda en la pretina del pantalón.

—¿Están bien? —pregunta Henri.

—Sí —respondo.

—Exceptuando el puñal que tengo clavado en el brazo, sí, estoy bien —dice Seis.

Enciendo mis luces débilmente y le miro el brazo. No era una broma. Un pequeño puñal se asoma justo en la parte donde el bíceps se une con el hombro, por eso la oí jadear antes de matar al explorador. Él le lanzó un cuchillo. Henri se acerca y se lo saca. Ella suelta un gruñido.

—Afortunadamente, es solo un puñal —dice Seis, mirándome—. Los soldados tendrán las espadas que irradian distintos tipos de poder.

Quiero preguntarle qué clase de poderes, pero Henri interviene.

—Toma esto —dice y le pasa la pistola a Mark, que la recibe con la mano libre sin protestar, observando con asombro todo lo que está sucediendo a su alrededor. Me pregunto cuánto le habrá contado Henri y, sobre todo, me pregunto por qué razón lo habrá traído consigo. Vuelvo a mirar a Seis. Henri le amarra un trapo en el brazo mientras ella lo sostiene en su lugar. Después alza el cofre y lo pone sobre la mesa más cercana.

—Ven, John.

Le ayudo a abrirlo, sin pedirle ninguna explicación. Él alza la tapa, mete la mano y saca una piedra aplanada y oscura como el aura que rodea a los mogadorianos. Seis parece saber para qué sirve la piedra y se quita la camiseta. Por debajo lleva un traje elástico, color gris y negro, muy parecido al azul y plata que tenía mi padre en mis visiones; toma aire y le ofrece el brazo a Henri. Él presiona la piedra sobre la herida. Seis gruñe y se retuerce de dolor, apretando los dientes, con la frente bañada en sudor, la cara colorada y los tendones abultados en el cuello. Henri sostiene la piedra sobre la herida durante casi un minuto. Luego la aparta y Seis se dobla en dos, respirando profundo para recomponerse. Le miro el brazo; aparte de la poca sangre que sigue brillando, la herida ha sanado por completo. Y no queda ninguna cicatriz, absolutamente nada, solo el pequeño rasguño en su traje.

—¿Qué es eso? —pregunto señalando la piedra con un gesto.

—Una piedra sanadora —dice Henri.

—¿Esas cosas existen en realidad?

—Existen en Lorien, pero el dolor de la sanación es el doble del dolor producido por lo que sea que haya sucedido. Funciona únicamente cuando la herida se produce con intención de hacer daño o matar, y hay que usarla enseguida.

—¿Con intención? —pregunto—. ¿O sea que no funcionaría si me tropezara y me cortara la cabeza por accidente?

—No —responde Henri—. Esa es la clave de los legados: defensa y pureza.

—¿Les serviría a Mark o Sarah?

—Ni idea —dice Henri—. Y espero que no tengamos que averiguarlo.

Seis recupera la respiración y se endereza, tocándose el brazo. Ya no tiene la cara tan roja. Detrás de ella, Bernie Kosar va y viene de la puerta a las ventanas, que están demasiado altas para que pueda mirar hacia el exterior, pero se apoya en las patas traseras y lo intenta de todos modos, gruñéndole a lo que siente que hay allí afuera. "Que tal vez no sea nada", pienso. El perro muerde el aire de tanto en tanto.

—¿Tomaste mi teléfono hoy cuando viniste al colegio? —le pregunto a Henri.

—No. No tomé nada.

—Ya no estaba cuando regresé.

—No funcionaría de todos modos. Le han hecho algo a la casa y al colegio. No hay electricidad y no hay señal que pueda atravesar la capa de quién sabe qué que han activado. Todos los relojes se han detenido. Hasta el aire parece muerto.

—No tenemos mucho tiempo —nos interrumpe Seis.

Henri asiente. Una leve sonrisa se dibuja en su rostro al mirarla, una mirada de orgullo, hasta de alivio quizás.

—Me acuerdo de ti —le dice.

—Y yo de ti.

Henri alarga la mano y Seis la estrecha.

—Estoy *jodientemente* feliz de volver a verte.

—Jodidamente —le corrijo, pero no me hace caso.

—Llevo un buen tiempo buscándolos —dice Seis.

—¿Dónde está Katarina? —pregunta Henri.

Seis sacude la cabeza. Una tristeza profunda nubla su rostro.

—No lo logró. Murió hace tres años. He estado buscando a los otros desde entonces, incluyéndolos a ustedes.

—Lo siento —dice Henri.

Seis asiente y mira a Bernie Kosar, que acaba de empezar a gruñir ferozmente. Parece haber crecido lo necesario como para poder echar un vistazo por la parte inferior de la ventana. Henri agarra la pistola del suelo y camina hasta quedar a metro y medio de la ventana.

—John, apaga tus luces.—me dice. Yo obedezco—. Ahora, cuando te diga, abre la persiana.

Me pongo al lado de la ventana y le doy dos vueltas a la cuerda en torno a mi mano. Le hago un gesto de asentimiento a Henri, y por encima de su hombro veo que Sarah se ha tapado las orejas con las manos, a la espera de la detonación. Henri amartilla la pistola y apunta.

—Es la hora de la venganza —dice—. ¡Ahora!

Tiro de la cuerda y la persiana sube volando. Henri dispara. El sonido ensordecedor retumba en mis oídos durante varios segundos. Sin dejar de apuntar, Henri vuelve a amartillarla. Tuerzo el cuerpo para mirar hacia afuera. Dos exploradores yacen en la hierba, inmóviles. Uno de ellos queda reducido a ceniza con el mismo ruido sordo que hizo el del pastillo. Henri le dispara al otro por segunda vez, y este también se hace ceniza. Las sombras parecen arremolinarse a su alrededor.

—Seis, trae un refrigerador —dice Henri.

Mark y Sarah observan con asombro mientras el refrigerador flota por el aire hacia nosotros y es ubicado delante de la ventana para que los mogadorianos no puedan entrar ni mirar hacia adentro.

—Es mejor que nada —dice Henri; luego se voltea hacia Seis—: ¿Cuánto tiempo tenemos?

—Poco —dice ella—. Tienen un puesto de avanzada a tres horas de aquí, en una montaña hueca, en Virginia Occidental.

Henri abre la pistola, mete dos nuevos cartuchos y la cierra.

—¿Cuántas balas le caben? —pregunto.

—Diez.

Sarah y Mark hablan en voz baja. Me les acerco.

—¿Están bien?

Sarah asiente con la cabeza, Mark se encoje de hombros. Ninguno de los dos sabe qué decir ante el terror de la situación. Le doy un beso en la mejilla a Sarah y le tomo la mano.

—No te preocupes —le digo—. Lo lograremos.

Me volteo hacia Seis y Henri.

—¿Y por qué se quedan afuera esperando? —pregunto—. ¿Por qué no rompen una ventana y entran? Saben que son muchos más que nosotros.

—Solo quieren mantenernos aquí adentro —dice Seis—. Nos tienen justo donde quieren. Todos juntos, en un mismo lugar. Y están esperando a que lleguen los otros, los soldados con las armas, los que están entrenados para matar. Ahora están desesperados porque saben que estamos desarrollando nuestros legados. No pueden darse el lujo de arriesgarse a que nos fortalezcamos. Saben que algunos de nosotros ya podemos defendernos.

—Tenemos que salir de aquí entonces —ruega Sarah con voz baja y temblorosa.

Seis asiente con gesto tranquilizador, y en ese momento me acuerdo de algo que había olvidado en medio de la emoción.

—Un momento, el que estés aquí, el que estemos juntos, eso rompe el hechizo. Ahora pueden matar a cualquiera —le digo—. Pueden matarnos cuando quieran.

Por la expresión de horror de Henri, me doy cuenta de que a él también se le había escapado.

Seis asiente.

—Tenía que correr el riesgo. No podemos seguir huyendo, y estoy harta de esperar. Todos estamos desarrollándonos y estamos preparados para contraatacar. No podemos olvidar lo que nos hicieron ese día, y nunca olvidaré lo que le hicieron a Katarina. Todas las personas a las que conocemos han muerto, nuestras familias, nuestros amigos. Creo que planean hacer con la Tierra lo mismo que hicieron con Lorien, y ya están casi listos. Quedarnos sentados esperando y sin hacer nada sería permitir la misma destrucción, la misma muerte y aniquilación. ¿Por qué dejar que eso suceda? Si este planeta muerte, moriremos con él.

Bernie Kosar sigue ladrándole a la ventana. Casi siento ganas de dejarlo salir, de ver qué puede hacer. Echa espuma por la boca, muestra los dientes y tiene los pelos del lomo erizados. "El perro está listo —pienso—. La pregunta es: ¿estamos listos los demás?".

—Bueno, pues ahora estás aquí —dice Henri—. Esperemos que los demás estén a salvo, que puedan arreglárselas por su cuenta. De lo contrario, ustedes dos lo sabrán de inmediato. En lo que a nosotros respecta, la guerra ha tocado a nuestra puerta. No lo pedimos, pero no tenemos otra alternativa que enfrentarla, con la cabeza en alto y con todas nuestras fuerzas —alza la cabeza y nos mira; sus ojos resplandecen en la oscuridad de la habitación—. Estoy de acuerdo contigo, Seis. Ha llegado la hora.

CAPÍTULO TREINTA

EL VIENTO ENTRA EN EL SALÓN POR LA VENTANA ABIERTA, y el refrigerador que la bloquea no puede evitar la entrada del aire frío. El colegio está helado ya por la falta de electricidad. Seis lleva ahora solo el traje elástico, que es todo negro, salvo por una raya gris que lo atraviesa diagonalmente por delante; se alza en medio del grupo con una elegancia y una seguridad tales, que desearía tener mi propio traje loriense. Cuando abre la boca para hablar, la interrumpe un estruendo que viene de afuera. Todos corremos a las ventanas, pero no podemos ver nada de lo que está pasando. Al estruendo le siguen unos estrépitos y ruidos de cosas que se rompen, se desgarran. Destrucción.

—¿Qué está pasando? —pregunto.

—Tus luces —dice Henri entre los estrépitos.

Las enciendo y las proyecto sobre el patio, pero solo alcanzan a alumbrar unos quince metros antes de caer en las fauces de la oscuridad. Henri retrocede un poco, alza la cabeza y escucha con concentración extrema para luego asentir con resignada aceptación.

—Están acabando con todos los autos que hay afuera, incluida mi camioneta —dice—. Si sobrevivimos y logramos escapar del colegio, tendrá que ser a pie.

El terror nubla los rostros de Mark y Sarah.

—No podemos perder más tiempo —dice Seis—. Con o sin estrategia, tenemos que irnos antes de que lleguen las bestias y los soldados. Ella dijo que podíamos salir por el gimnasio —dice señalando a Sarah—. Es nuestra única esperanza.

—Se llama Sarah —le digo.

Me siento en una silla cercana, perturbado por la urgencia en la voz de Seis. Ella parece ser la firme, la que ha conservado la calma bajo el peso de los terrores que hemos visto hasta ahora. Bernie Kosar está de nuevo ante la puerta y rasguña los refrigeradores que la bloquean, aullando y gruñendo impacientemente. Como he encendido mis luces, Seis puede verlo bien por primera vez. Se queda mirándolo, después achica los ojos y acerca el rostro lentamente. Camina hacia él y se agacha para acariciarlo. Yo me volteo y la miro. Me sorprendo al ver que está sonriendo.

—¿Qué? —pregunto.

Seis alza la vista hacia mí.

—¿No lo sabes?

—¿Saber qué?

Sonríe aún más y vuelve a mirar a Bernie Kosar, que se aleja de ella a toda prisa y corre de vuelta a la ventana para rasguñarla, gruñendo y soltando uno que otro ladrido de frustración. El colegio está rodeado, la muerte es inminente, casi segura, y Seis sonríe. Esto me irrita.

—Tu perro —dice—. ¿De verdad no lo sabes?

—No —dice Henri. Lo miro, y él le indica a Seis que no con la cabeza.

—¿Qué diablos está pasando? —pregunto—. ¿Ah?

Seis me mira, y después a Henri. Suelta una risa a medias y abre la boca para decir algo, pero justo antes de que pueda escapar alguna palabra, ve algo y regresa a la ventana a toda velocidad. Los demás la seguimos y, como antes, el brillo sutil de un par de focos delanteros recorre la curva, la calle y entra en el estacionamiento del colegio. Otro auto, tal vez sea un profesor o un entrenador. Cierro los ojos y respiro.

—Podría no significar nada —digo.

—Apaga tus luces —me dice Henri.

Las apago cerrando los puños. Por alguna razón, la aparición de ese auto allí afuera me enfurece. Al diablo con el agotamiento y los temblores que no me han abandonado desde que atravesé la ventana del rector. No soporto estar encerrado en este salón, sabiendo que los mogadorianos están allí afuera, esperando, tramando nuestra muerte. Ese auto podría significar la llegada de los primeros soldados a la escena. Pero justo cuando esta idea aparece en mi mente, vemos que las luces salen rápidamente del estacionamiento y se alejan a toda prisa por la misma calle por la que aparecieron.

—Tenemos que salir de este maldito colegio —dice Henri.

Henri está sentado a unos tres metros de la puerta, apuntándole con la pistola. Respira lentamente a pesar de que está tenso; puedo ver cómo aprieta la mandíbula. Nadie dice nada. Seis se ha hecho invisible y ha salido para explorar el terreno. Esperamos, hasta que regresa finalmente. Tres golpecitos en la puerta; es la contraseña para que sepamos que es ella y no un explorador tratando de entrar. Henri baja la pistola, Seis entra y yo vuelvo a bloquear la puerta con uno de los refrigeradores. Ha tardado diez minutos enteros.

—Tenías razón —le dice a Henri—. Han acabado con todos los vehículos que había en el estacionamiento y han conseguido mover todos los restos para que no podamos abrir ninguna puerta. Y Sarah también tenía razón; han pasado por alto la escotilla del gimnasio. Conté a siete exploradores afuera y a cinco adentro, recorriendo los pasillos. Había uno afuera de esta puerta, pero ya me deshice de él. Parece que empiezan a impacientarse. Creo que eso significa que los otros ya deberían haber llegado, y eso indica que no pueden estar lejos.

Henri se levanta, toma el cofre y me hace una señal. Le ayudo a abrirlo y él mete la mano, saca unas piedritas redondas y se las guarda en el bolsillo. No tengo ni la menor idea de qué son. Luego cierra el cofre, lo mete en uno de los hornos, cierra la puerta y yo la bloqueo con unos de los refrigeradores. No nos queda otra alternativa. El cofre es pesado; sería imposible pelear con él a cuestas, y necesitamos todas las manos disponibles para salir de este desastre.

—Odio tener que dejarlo —dice Henri, sacudiendo la cabeza.

Seis asiente con aire inquieto. Por alguna razón, la idea de que los mogadorianos puedan apoderarse de él los aterroriza a ambos.

—Aquí estará bien —les digo.

Henri toma la pistola. Después mira a Sarah y a Mark.

—Ustedes no tienen nada que ver con esta guerra —les dice—. No sé qué nos espere allá afuera, pero si la cosa se pone fea, vuelvan al colegio y quédense escondidos. Ellos no vienen por ustedes y no creo que vengan a buscarlos si nos atrapan a nosotros.

Sarah y Mark están ambos aterrados. Cada uno sostiene su respectivo cuchillo en la mano derecha, con los puños pálidos de lo apretados. Mark se forró el cinturón con todo lo que encontró en los cajones de la cocina que podría resultarle útil: más cuchillos, el ablandador de carne, un rallador de queso, unas tijeras.

—Salimos del salón hacia la izquierda, y al llegar al final del pasillo, el gimnasio está detrás de una doble puerta a unos seis metros a la derecha —le digo a Henri.

—El escotillón está justo en el centro del escenario —dice Seis—, cubierto por una estera azul. No había exploradores en el gimnasio, pero eso no significa que no vaya a haber ninguno ahora.

—Entonces… ¿solo vamos a salir y tratar de escapar? —pregunta Sarah, con la voz llena de pánico, respirando con dificultad.

—Es la única alternativa —dice Henri.

Le tomo la mano; su cuerpo tiembla intensamente.

—Todo va a estar bien —le digo.

—¿Cómo lo sabes? —pregunta con un tono más exigente que interrogante.

—No lo sé.

Seis aparta el refrigerador de la puerta. Bernie Kosar empieza a rasguñarla enseguida, tratando de salir, gruñendo.

—No puedo hacerlos invisibles a todos. Si desaparezco, seguiré estando cerca —dice Seis antes de tomar el pomo de la puerta.

Sarah respira profunda y temblorosamente a mi lado, apretándome la mano con todas sus fuerzas. Puedo ver cómo tiembla el cuchillo en su mano derecha.

—Mantente cerca de mí —le digo.

—No pienso apartarme de tu lado.

La puerta se abre y Seis sale de un brinco al pasillo, después Henri y después yo. Bernie Kosar sale corriendo por delante de todos; una bola de furia que se aleja a toda velocidad. Henri apunta la pistola hacia un lado, luego al otro. El pasillo está vacío. Bernie Kosar ya ha llegado a la intersección, donde desaparece. Seis lo imita y se hace invisible, y los demás corremos hacia el gimnasio, con Henri a la cabeza. Hago que Sarah y Mark vayan delante de mí. Ninguno puede ver nada en realidad, solo podemos oír nuestras pisadas. Enciendo mis luces para ayudar a guiar el camino, y ese es el primer error que cometo.

La puerta de un salón se abre de pronto a mi derecha. Todo sucede en una fracción de segundo, y antes de que pueda reaccionar, me dan en el hombro con algo pesado. Mis luces se apagan y me estrello contra una vidriera. Me corto en la coronilla y la sangre chorrea por los lados de mi cara casi inmediatamente. Sarah grita. Lo que sea que acaba de golpearme vuelve a darme un porrazo, esta vez en las costillas, dejándome sin aire.

—¡Enciende tus luces! —grita Henri.

Eso hago.

Un explorador se alza por encima de mí con un trozo de madera, de unos dos metros de largo, que debe de haber encontrado en el salón de artes industriales. Lo levanta en el aire para volver a golpearme, pero Henri, que está a unos seis metros, le dispara primero. La cabeza del explorador vuela en mil pedazos. El resto de su cuerpo se convierte en ceniza incluso antes de tocar el suelo.

Henri baja la pistola.

—¡Mierda! —dice al ver la sangre y da un paso hacia mí.

Entonces veo de reojo a otro explorador, en la misma puerta y con un mazo sobre la cabeza. Se abalanza contra mí, pero, por medio de la telequinesis, le lanzo lo que tengo más cerca, sin saber siquiera qué es. Un objeto dorado y brillante que vuela violentamente por los aires y lo golpea con tal fuerza que le rompe el cerebro. El cuerpo cae al suelo, donde yace inmóvil. Henri, Mark y Sarah se acercan a toda prisa. Como el explorador sigue vivo, Henri toma el cuchillo de Sarah y se lo clava en el pecho, reduciéndolo a un montón de cenizas. Después le devuelve el cuchillo a Sarah, que lo sostiene frente a sí, entre el pulgar y el índice, como si fueran unos calzoncillos sucios. Mark se agacha y recoge el objeto que acabo de lanzar y que se ha partido en tres.

—Es mi trofeo al mejor jugador del colegio —dice, y no pude evitar reírse para sí—. Me lo dieron el mes pasado.

Me levanto. Fue la vitrina de los trofeos contra lo que me estrellé.

—¿Estás bien? —pregunta Henri, mirándome la herida.

—Sí, estoy bien. Sigamos.

Corremos por el pasillo hasta el gimnasio, atravesamos la cancha y brincamos al escenario. Enciendo mis luces para ver la estera azul que se mueve como por sí misma. Después se levanta el escotillón y solo entonces Seis vuelve a hacerse visible.

—¿Qué fue lo que pasó en el pasillo? —pregunta.

—Tuvimos un pequeño problema —dice Henri, que es el primero en bajar por la escalera para asegurarse de que no haya moros en la costa. Le siguen Sarah y Mark.

—¿Dónde está el perro? —pregunto.

Seis sacude la cabeza.

—Sigue tú —le digo, y ella baja primero. Entonces soy el único que queda en el escenario. Silbo lo más fuerte posible, siendo completamente consciente de que estoy delatando mi posición con esto. Espero.

—Vamos, John —dice Henri desde abajo.

Me meto en la escotilla. Tengo los pies en la escalera, pero de la cintura para arriba sigo estando en el escenario, observando.

—¡Vamos! —me digo a mí mismo—. ¿Dónde estás?

Y en esa fracción de segundo, en la que no me queda más alternativa que rendirme, y justo antes de bajar del todo,

Bernie Kosar se materializa en el otro extremo del gimnasio y corre a mi encuentro, con las orejas pegadas a los lados de la cabeza. Sonrío.

—¡Vamos! —Henri grita esta vez.

—¡Espera! —le respondo.

Bernie Kosar brinca al escenario y a mis brazos.

—¡Toma! —grito y le paso el perro a Seis. Bajo, cierro la escotilla, echo el cerrojo y enciendo mis luces al máximo.

Las paredes y el suelo de cemento hieden a moho y tenemos que caminar agachados para no golpearnos en la cabeza. Seis va a la delantera. El túnel tiene unos treinta metros de largo y no tengo ni la menor idea de para qué habrá servido en algún momento. Llegamos al final. Un corto tramo de escaleras lleva a unas puertas metálicas, como de sótano. Seis espera hasta que todos estamos juntos.

—¿Adónde conducen? —pregunto.

—A la parte trasera del estacionamiento de los profesores —dice Sarah—. No muy lejos de la cancha de fútbol.

Seis pone una oreja en la pequeña rendija que hay entre las dos puertas. No se oye nada aparte del viento. Todos tenemos la cara bañada en sudor, polvo y miedo. Seis mira a Henri y asiente. Apago mis luces.

—Muy bien —dice ella, y se hace invisible.

Entonces alza la puerta solo lo necesario para asomarse y echar un vistazo. Los demás la observamos conteniendo la respiración, esperando, escuchando, nerviosísimos. Ella mira hacia un lado, luego hacia el otro y, cuando queda satisfecha de ver que hemos pasado inadvertidos, abre la puerta del todo y salimos uno tras otro.

Todo está oscuro y silencioso, no hay viento, los árboles del bosque a nuestra derecha están inmóviles. Miro alrededor. Puedo ver los contornos rotos de los autos destrozados y apilados frente a las puertas del colegio. No hay luna ni estrellas. Ni siquiera hay cielo. Es casi como si estuviéramos bajo una burbuja de oscuridad, una especie de bóveda donde solo hay sombras. Bernie Kosar empieza a gruñir; suavemente primero, por lo que pienso que lo hace solo por la ansiedad, pero el gruñido aumenta y se hace más feroz, más amenazante, y entonces sé que percibe algo allí afuera. Todos volteamos la cabeza para ver a qué está gruñéndole, pero no se mueve nada. Doy un paso adelante para poner a Sarah detrás de mí y pienso en encender mis luces, pero sé que eso nos delataría aún más que los gruñidos de Bernie Kosar, que sale disparado de repente.

Corre unos treinta metros, se abalanza hacia el aire y le hinca los dientes a uno de los exploradores ocultos, que se materializa de la nada, como si se hubiera roto algún hechizo de invisibilidad. Y en un instante, podemos verlos a todos, rodeándonos. Son por lo menos veinte, y empiezan a acercársenos.

—¡Es una trampa! —grita Henri, que dispara dos veces y derriba a dos exploradores enseguida.

—¡Regresen al túnel! —les grito a Mark y a Sarah.

Uno de los exploradores arremete contra mí. Yo lo alzo en el aire y lo arrojo con todas mis fuerzas contra un roble que está a unos veinte metros de distancia. Él cae al suelo con un golpe sordo, se levanta rápidamente y me lanza un puñal, que yo desvío para volver a levantarlo del suelo y lanzarlo con más fuerza aún. El explorador estalla y queda reducido a cenizas a los pies del árbol. Henri sigue disparando; las detonaciones retumban. Dos manos me agarran por detrás y me dispongo a liberarme cuando me doy cuenta de que es Sarah. Seis ha desaparecido. Bernie Kosar ha derribado a un mogadoriano y le ha hundido los dientes hasta el fondo de la garganta. Los ojos del perro arden y echan chispas.

—¡Al colegio! —grito, pero Sarah no me suelta.

Un trueno rompe el silencio. Se avecina una tormenta. Nubes negras se ciernen sobre nuestras cabezas, con relámpagos que desgarran el cielo nocturno y truenos que retumban y hacen sobresaltar a Sarah con cada estruendo. Seis ha reaparecido, a unos diez metros de nosotros, con la vista alzada hacia el cielo, el rostro retorcido por la concentración y los dos brazos levantados. Ella es la que está creando la tormenta, controlando el clima. Y entonces empiezan a caer unos rayos que matan a los exploradores justo donde están, creando pequeñas explosiones de nubes de ceniza que se amontonan lánguidamente por todo el patio. Henri se hace a un lado para recargar la pistola. El explorador al que está estrangulando Bernie Kosar sucumbe finalmente a la muerte y estalla en un montón de ceniza que cubre el rostro del animal. Este estornuda, se sacude las cenizas y sale disparado tras el explorador más cercano hasta que ambos desaparecen dentro del espeso bosque a unos cincuenta metros de distancia. Siento un temor insoportable al pensar que acabo de verlo por última vez.

—Tienes que volver al colegio —le digo a Sarah—. Tienes que volver ahora y esconderte. ¡Mark! —grito, pero no lo veo. Me volteo a toda velocidad y lo veo corriendo hacia Henri, que sigue recargando la pistola. Al principio no entiendo por qué, pero entonces veo lo que está sucediendo: un explorador se le ha acercado a Henri sin que este se dé cuenta.

—¡Henri! —grito para llamar su atención y levanto la mano para detener al mogadoriano con el puñal alzado en el aire, pero Mark lo ataca primero y forcejea con él.

Henri cierra la pistola y Mark le quita el puñal al explorador con una patada. Henri dispara y el explorador explota. Después, Henri le dice algo a Mark. Yo vuelvo a llamarlo y él viene corriendo, respirando pesadamente.

—Tienes que volver con Sarah al colegio.

—Pero yo puedo ayudarles —dice.

—Tú no tienes nada que ver con esta guerra. ¡Tienen que esconderse! ¡Vuelve al colegio con Sarah y escóndanse!

—De acuerdo.

—Tienen que quedarse escondidos, ¡pase lo que pase! —grito entre el estruendo de la tormenta—. Ellos no irán a buscarlos. Es a mí a quien buscan. ¡Prométemelo, Mark! ¡Prométeme que te quedarás escondido con Sarah!

Mark asiente rápidamente.

—¡Te lo prometo!

Sarah llora y no hay tiempo para consolarla. Otro trueno, otro disparo. Me da un beso en la boca, cogiéndome la cara con las manos, y sé que podría quedarse así para siempre. Mark la aparta, alejándola.

—Te amo —me dice, y sus ojos me miran fijamente, del mismo modo como la miré antes de irme de la clase de cocina, como si fuera la última vez, y quisiera guardar esta última imagen en su memoria para siempre.

—Yo también te amo —farfullo en el instante en que los dos llegan a las escaleras del túnel, y, justo cuando las palabras salen de mi boca, Henri lanza un grito de dolor. Me doy la vuelta. Uno de los exploradores le ha clavado un cuchillo en el abdomen. Siento un ráfaga de terror. El explorador saca el puñal del costado de Henri; la hoja brilla con su sangre. Y cuando vuelve a atacar, estiro la mano y aparto el puñal en el último momento, de modo que es solo un puño lo que golpea a Henri, que suelta un gruñido, se recompone, oprime el cañón de la pistola en el mentón del explorador y dispara. El explorador se desploma, decapitado.

Empieza a llover. Una lluvia fría y pesada me empapa en un segundo. Henri, a quien le sangra el abdomen, apunta la pistola hacia la oscuridad, pero todos los exploradores se han metido entre las sombras, apartándose de nosotros, y entonces Henri no puede apuntar con precisión. Ya no les interesa atacarnos, pues saben que dos de los nuestros se han replegado y un tercero está herido. Seis sigue con los brazos alzados hacia el cielo. La tormenta se ha intensificado; el viento comienza a aullar. Seis parece tener dificultades para controlarla. Una tormenta de invierno, truenos en enero. De pronto, todo parece terminar con la misma velocidad con la que empezó: los truenos, los rayos, la lluvia. El viento amaina y un leve gemido empieza a intensificarse a lo lejos. Seis baja los brazos. Todos aguzamos el oído. Incluso los mogadorianos se dan la vuelta. El gemido crece y viene hacia nosotros, de eso no hay duda. Es una especie de profundo gemido mecánico. Los exploradores salen de entre las sombras y empiezan a reírse. Aunque hemos matado a diez, por lo menos, hay muchos más que antes. Una nube de humo se alza a lo lejos, sobre las copas de los árboles, como si una locomotora se acercara por la curva. Los exploradores se miran mutuamente con gesto de asentimiento, sonriendo sus sonrisas malvadas, y vuelven a formar su círculo alrededor de nosotros en lo que parece ser un intento por hacernos volver al colegio. Es evidente que no tenemos alternativa. Seis se nos une.

—¿Qué es eso? —pregunto.

Henri cojea; la pistola le cuelga lánguidamente a un costado. Respira con dificultad, tiene una cortada en la mejilla derecha debajo del ojo y un charco de sangre en el suéter gris, por la puñalada.

—Son los demás, ¿cierto? —le pregunta a Seis, que lo mira con expresión acongojada. Tiene el pelo mojado y pegado a ambos lados de la cara.

—Las bestias —responde ella—. Y los soldados. Han llegado.

Henri amartilla la pistola, respira profundamente y dice:

—Y es así como empieza la verdadera guerra. No sé qué pensarán ustedes, pero si ha de ser, pues que así sea. Por mi parte... —calla un momento— no pienso caer sin dar la lucha.

Seis asiente.

—Nuestro pueblo luchó hasta el final. Y eso haré yo también —dice.

La columna de humo se alza a más de un kilómetro de distancia. "Cargamento vivo —pienso—. Así los transportan, en remolques". Seis y yo seguimos a Henri escaleras abajo. Llamo a Bernie Kosar, pero no aparece por ningún lado.

—No podemos volver a esperarlo —dice Henri—. No tenemos tiempo.

Echo un último vistazo y cierro las puertas metálicas. Regresamos a toda prisa por el túnel, salimos al escenario y atravesamos el gimnasio. No vemos a ningún explorador, ni tampoco a Mark y a Sarah, y eso me tranquiliza. Espero que estén bien escondidos, y espero que Mark cumpla su promesa y no salgan de su escondite. Al volver a la cocina, quito el refrigerador, saco el cofre y lo abro junto con Henri. Seis toma la piedra sanadora y se la pone a Henri en el abdomen. Él guarda silencio, con los ojos cerrados, conteniendo la respiración. Tiene la cara roja por el esfuerzo, pero no deja escapar ni un solo sonido. Seis aparta la piedra después de un minuto. La herida ha sanado. Henri respira. Tiene la frente bañada en sudor. Ahora es mi turno. Seis presiona la piedra sobre la herida en mi cabeza y un dolor más fuerte que nada que haya sentido en mi vida me desgarra por dentro. Gruño y gimo, tensionando todos los músculos del cuerpo. Cuando acaba finalmente, me doblo por la mitad y necesito un minuto entero para recobrar la respiración.

Ya no se oye el gemido mecánico y el camión no se ve por ningún lado. Mientras Henri cierra el cofre y vuelve a ponerlo dentro del mismo horno de antes, miro por la ventana con la esperanza de divisar a Bernie Kosar, pero no lo veo. Otro par de focos pasa junto al colegio. Al igual que antes, no sé si es un auto o un camión. Disminuye la velocidad al acercarse a la entrada y luego vuelve a alejarse rápidamente. Henri se acomoda la camiseta y agarra la pistola. Cuando nos acercamos a la puerta, un sonido nos hace parar en seco a los tres.

Desde afuera nos llega un rugido fuerte, como de animal, un rugido siniestro que no se parece a nada que haya oído antes, seguido por el chasquido metálico de una puerta que se abre. Entonces, un estallido nos hace ponernos firmes nuevamente. Respiro profundamente una vez más. Henri sacude la cabeza y suspira con un gesto casi de impotencia, de esos gestos que se hacen cuando se ha perdido la batalla.

—Siempre hay esperanza, Henri —le digo. Él se voltea y me mira—. Hay acontecimientos que están por presentarse. Información que está por revelarse. No renuncies a la esperanza todavía.

Él asiente, y un ligerísimo asomo de sonrisa se dibuja en su rostro. Luego mira a Seis, un acontecimiento que creo que ninguno de los dos podría haber imaginado. ¿Quién puede asegurar que no nos esperan otros? Y, entonces, Henri retoma el hilo donde lo dejé, citando las palabras exactas que me dijo cuando era yo el que estaba desanimado, el día en que le pregunté cómo podíamos pretender ganar esta batalla —siendo muchos menos y estando lejos de casa—, contra los mogadorianos, que parecen disfrutar enormemente con la muerte y la guerra.

—Es lo último que se pierde —dice Henri—. Cuando has perdido la esperanza, lo has perdido todo. Y cuando crees que todo está perdido, cuando todo se ve gris y sombrío, siempre hay esperanza.

—Así es —le digo.

CAPÍTULO
TREINTA Y UNO

OTRO RUGIDO SURCA EL AIRE NOCTURNO, ATRAVESANDO las paredes del colegio. Un rugido que me hiela la sangre. La tierra empieza retumbar bajo los pasos de la bestia que ahora debe de estar suelta. Sacudo la cabeza. En mis visiones de la guerra de Lorien, pude ver lo grandes que eran.

—Por el bien de tus amigos y de nosotros —dice Seis—, tenemos que largarnos de aquí ahora que todavía tenemos tiempo, pues van a destruir el colegio entero, tratando de atraparnos.

Los tres nos miramos con gesto de asentimiento.

—La única esperanza está en irnos al bosque —dice Henri—. Sea lo que sea esa cosa, podríamos escapar si nos mantenemos invisibles.

Seis asiente.

—No me suelten la mano.

Como no necesitamos ninguna otra motivación, Henri le toma una mano y yo la otra.

—Tenemos que hacer el menor ruido posible —dice Henri.

El pasillo está oscuro y silencioso. Caminamos con urgencia sigilosa, moviéndonos lo más rápida y silenciosamente posible. Otro rugido, y en medio de este empieza otro.

Paramos. No es una bestia, sino *dos*. Seguimos y entramos en el gimnasio. No hay ningún rastro de los exploradores. Cuando llegamos al centro de la cancha, Henri se detiene. Me volteo, pero no puedo verlo.

—¿Por qué nos detenemos? —susurro.

—*Shh* —dice—. Escuchen.

Aguzo el oído, pero no percibo nada aparte del rumor constante de la sangre en mis oídos.

—Las bestias han dejado de moverse —dice Henri.

—¿Y qué?

—*Shh* —dice—. Hay algo más allí afuera.

Y entonces los oigo. Unos aullidos agudos, como de animales pequeños. Son unos ruiditos apagados, pero aumentan claramente.

—¿Qué diablos es eso? —pregunto.

Algo empieza a golpear el escotillón del escenario, por el que esperábamos escapar.

—Enciende tus luces —dice Henri.

Suelto la mano de Seis, enciendo mis luces y las dirijo hacia el escenario. Henri apunta con la pistola. La escotilla se mueve como si algo estuviera tratando de forzarla pero no tuviera la fuerza necesaria. "Las comadrejas —pienso—, esas criaturas pequeñas y robustas que aterrorizaron a los tipos de Atenas". Una de ellas golpea la escotilla con tanta fuerza que sale volando por el escenario y rebota sonoramente en la cancha. Y yo pensando que no tenían la fuerza necesaria. Entonces irrumpen otras dos, y al vernos, se dirigen hacia nosotros tan rápido que casi no puedo distinguirlas. Henri se queda mirándolas, apuntándoles con la pistola, con una sonrisa divertida en el rostro. Sus caminos se separan y ambas saltan al mismo tiempo desde una distancia de unos seis metros; una hacia Henri, la otra hacia mí. Henri dispara una vez y la comadreja explota y lo baña con su sangre y sus tripas. Y justo cuando estoy a punto de partir en dos a la segunda con telequinesis, la mano invisible de Seis la atrapa en pleno vuelo y la arroja al suelo cual balón de fútbol, matándola en el instante.

Henri amartilla la pistola.

—Bueno, no estuvo tan grave —me dice, y antes de que pueda responderle, el puño de una de las bestias hace añicos la pared del escenario. El puño se aleja y vuelve a golpear, destrozando el tablado y dejando a la vista el cielo nocturno. El impacto nos empuja a Henri y a mí hacia atrás.

—¡Corre! —grita Henri y dispara inmediatamente todas las balas que tiene en la pistola, pero estas no le hacen nada a la bestia, que se inclina hacia delante y ruge tan fuerte que siento cómo me ondea la ropa.

Una mano me agarra y me vuelve invisible. La bestia vuelve a atacar, dirigiéndose directamente hacia Henri, y entonces me invade el terror de pensar en lo que podría hacerle.

—¡No! —grito—. ¡A Henri! ¡Ve adonde Henri!

Me retuerzo hasta que finalmente logro agarrar a Seis y liberarme. Ella permanece oculta; yo me vuelvo visible. La bestia arremete contra Henri, que se mantiene firme y la ve venir. Sin balas. Sin escapatoria.

—¡Ve adonde Henri! —vuelvo a gritar—. ¡Seis, adonde Henri!

—¡Vete al bosque! —me grita ella.

No puedo hacer nada más que observar. La bestia, que debe de medir unos diez metros, se alza como una torre por encima de Henri y ruge con los ojos anegados en ira. Su puño musculoso y abultado se alza a toda velocidad en el aire, tan alto, que atraviesa las vigas y el techo del gimnasio. Luego cae, precipitándose tan velozmente que se vuelve borroso, como las aspas de un ventilador. Yo lanzo un grito de terror, consciente de que Henri está a punto de morir aplastado. No puedo apartar la mirada. Henri se ve diminuto; allí, de pie, con la pistola colgando lánguidamente a su lado. Pero cuando al puño de la bestia le falta una fracción de segundo para aplastarlo, Henri desaparece. El puño se estampa contra el suelo del gimnasio y el impacto hace trizas la madera y me lanza contra la tribuna que está a unos seis metros. Entonces, la bestia se dirige hacia mí, impidiéndome ver el lugar donde estaba Henri hace unos segundos.

—¡Henri! —grito.

La bestia ruge con tal fuerza que ahoga cualquier respuesta que pueda haber habido. Da un paso hacia mí. Al bosque, dijo Seis. "Vete al bosque". Me levanto y corro lo más rápido posible hacia el fondo del gimnasio, por donde acaba de entrar la bestia. Me doy la vuelta para ver si está siguiéndome, pero no. Tal vez Seis ha hecho algo para desviar su atención. Lo único que sé es que ahora tengo que arreglármelas por mi cuenta, solo.

Salto por encima de los escombros y me alejo del colegio, lo más rápido posible, hacia el bosque. Las sombras se arremolinan a mi alrededor, siguiéndome como espectros malvados, pero sé que puedo sobrepasarlas. La bestia ruge y oigo que se derrumba otra pared. Llego a los árboles y el enjambre de sombras parece haber desaparecido. Me detengo y escucho. Los árboles se mecen entre una brisa suave. ¡Aquí hay viento! He logrado escapar de la bóveda o lo que sea que hayan creado los mogadorianos. Siento que algo caliente se acumula en la pretina de mi pantalón. La cortada que me hice en la espalda en la casa de Mark James ha vuelto a abrirse.

Apenas puedo ver la silueta del colegio desde donde estoy. El gimnasio ha desaparecido por completo. Ahora es una montaña de ladrillos. La sombra de la bestia se alza sobre los escombros de la cafetería. ¿Por qué no ha venido a perseguirme? ¿Y dónde está la segunda bestia que oímos? El puño vuelve a caer. Otro salón demolido. Mark y Sarah están allí en alguna parte. Les dije que regresaran y ahora me doy cuenta de lo estúpida que fue esa idea. No preví que la bestia destruiría el colegio sin saber que yo no estaba allí. Tengo que hacer algo para apartarla. Respiro profundamente para juntar fuerzas. Cuando doy el primer paso, algo duro me pega en la cabeza y caigo de bruces en el barro. Me llevo la mano adonde acaban de pegarme y se me llena de sangre, las gotas chorrean por mis dedos. Me doy la vuelta y no veo nada al principio, pero luego sale de las sombras, sonriendo.

Un soldado. De modo que así son. Más altos que los exploradores —dos, incluso dos metros y medio de altura—; músculos abultados bajo una capa negra y harapienta. Unas venas largas y protuberantes surcan sus brazos. Botas negras. No lleva nada que le cubra la cabeza, y el pelo le cae sobre los hombros. La misma piel pálida y cerosa de los exploradores. Una sonrisa de seguridad en sí mismo, de irrevocabilidad. Una espada en una mano; larga y resplandeciente, hecha de algún tipo de metal que nunca he visto aquí en la Tierra ni en mis visiones de Lorien. Y parece latir, como si estuviera viva.

Empiezo a alejarme gateando; la sangre me chorrea por el cuello. La bestia del colegio vuelve a rugir y yo me agarro de las ramas bajas de un árbol cercano para ponerme de pie. El soldado está a unos tres metros. Cierro ambas manos en puños. Él dirige la espada hacia mí con aire despreocupado y algo sale volando desde la punta, algo que parece una daga pequeña. Entonces la veo describir un arco, dejando una ligera estela tras de sí, como el humo de un avión. Su luz me hechiza, impidiéndome apartar la mirada.

Un destello brillante se traga todo. El mundo se apaga en un vacío sordo. No hay paredes. Ni sonidos. Ni suelos. Ni tejados. Muy lentamente, las formas de las cosas empiezan a reaparecer. Los árboles se alzan cual efigies antiguas que hablan en susurros acerca del mundo que alguna vez existió en algún reino alterno habitado únicamente por sombras.

Estiro una mano para tocar el árbol más cercano, el único matiz de gris en un mundo completamente blanco. Lo atravieso con la mano, y, por un instante, el árbol tiembla como si fuera líquido. Tomo aire profundamente y, al espirar, vuelvo a sentir el dolor de la herida en la cabeza y los rasguños en los brazos y en todo el cuerpo por el incendio en la casa de los James. El sonido de agua que gotea me llega desde alguna parte. Lentamente, el soldado cobra forma, a unos cinco o diez metros de distancia. Gigantesco. Nos miramos con detenimiento. Su espada brilla más intensamente en este mundo nuevo. Sus ojos se achican y yo vuelvo a cerrar los puños. He alzado objetos mucho más pesados que él. He quebrado árboles y he causado destrucción. Seguro que podré corresponder a su fuerza con la mía. Concentro todo lo que estoy sintiendo en el centro de mi ser, todo lo que soy y todo lo que seré, hasta que siento que estoy a punto de explotar.

—¡*Aaaaah!* —grito y estiro los brazos hacia delante.

La fuerza bruta sale de mi cuerpo violentamente hacia el soldado, que sacude su espada como si fuera un matamoscas y se desvía hacia los árboles, que se mecen como el cereal que ondea con el viento en un trigal; después se quedan quietos. El soldado se ríe de mí. Una risa gutural, profunda, pensada para provocarme. Sus ojos rojos empiezan a resplandecer y a retorcerse como si estuvieran llenos de lava. Entonces, alza la mano libre y yo me tenso contra lo desconocido. Sin saber qué ha pasado, me aprieta la garganta con esa mano. El espacio que nos separaba se ha cerrado en un abrir y cerrar de ojos. El soldado me levanta con esa sola mano, respirando con la boca abierta de modo que puedo oler su aliento agrio y fétido, el olor de la descomposición. Y me retuerzo, tratando de apartar sus dedos de mi garganta, pero son como de hierro.

Y me arroja.

Aterrizo a unos doce metros, de espaldas. Me levanto y me embiste, blandiendo la espada hacia mi cabeza, pero me agacho y contraataco, empujándolo con todas mis fuerzas. Él retrocede dando un traspié, pero no se cae. Trato de alzarlo con telequinesis, pero no pasa nada. Mis poderes son débiles, casi inútiles, en este mundo alterno. El mogadoriano tiene la ventaja.

Entonces, sonríe ante mi futilidad y alza la espada con ambas manos. La espada cobra vida y pasa del plateado reluciente a un azul pálido. Llamas azules lamen la hoja. Una espada rebosante de poder, tal como lo anunció Seis. El soldado blande la espada y de su punta sale volando otra daga, directamente hacia mí. "Esto sí que puedo hacerlo", pienso. Tantas horas de entrenamiento con Henri en el jardín trasero, preparándome precisamente para esto. Siempre con cuchillos, que son casi lo mismo que una daga. ¿Acaso Henri sabía que las usarían? No lo dudo, aunque no las vi nunca en mis visiones de la invasión. Pero tampoco vi a estas criaturas. Eran distintas en Lorien, menos siniestras. El día de la invasión tenían un aspecto enfermizo, famélico. ¿Será que la Tierra tiene la culpa de esta convalecencia? ¿Será que sus recursos los han ayudado a estar más fuertes y sanos?

La daga grita, literalmente, al volar a mi encuentro. Y crece y arde en llamas, pero cuando estoy a punto de desviarla, explota en una bola de fuego y las llamas me atrapan, consumiéndome en una esfera ardiente. Cualquier otro se quemaría, pero yo no, y de alguna manera, esto me hace recuperar mis fuerzas. Puedo respirar. Sin saberlo, el soldado me ha fortalecido, ahora ha llegado mi turno de sonreír ante su futilidad.

—¿Eso es todo? —le grito.

Su rostro se enfurece. Con actitud desafiante, se pasa la mano por detrás del hombro para luego sacar una escopeta que parece un cañón y que se adapta a su cuerpo, envolviéndole el antebrazo. Su brazo y el arma son uno solo. Entonces me saco la navaja del bolsillo de atrás. La navaja que tomé en la casa antes de regresar al colegio. Pequeña, ineficaz, pero mejor que nada. Saco la cuchilla y ataco. Y la bola de fuego ataca conmigo. El soldado se endereza y baja la espada con violencia. Yo la desvío con la navaja, pero el peso de la espada rompe la cuchilla en dos. Tiro los restos al suelo y ataco con todas mis fuerzas. Mi puño choca contra el abdomen del soldado, que se dobla en dos, pero se endereza enseguida y vuelve a blandir la espada. Yo me agacho bajo su hoja en el último segundo y se me chamusca el pelo. Justo después de la espada, viene la escopeta. No tengo tiempo para reaccionar y me golpea en el hombro. Lanzo un gruñido y caigo de espaldas. El soldado se recompone y apunta la escopeta hacia el aire. Esto me desconcierta al principio. El arma empieza a arrancar y a chupar el gris de los árboles. Entonces lo comprendo: necesita cargarse antes de disparar, necesita robarse la esencia de la Tierra para funcionar. El gris de los árboles no son sombras; el gris es la vida de los árboles en su plano más elemental. Y ahora los mogadorianos están robándose esas vidas, consumiéndolas. Una raza extraterrestre que diezmó los recursos de su planeta en su afán de ascenso y que ahora hace lo mismo aquí. Por eso atacaron Lorien, y por eso mismo van a atacar la Tierra. Los árboles caen y se derrumban uno tras otro, convertidos en montañas de ceniza. La escopeta brilla más y más, tanto, que me hiere los ojos al mirarla. No hay tiempo que perder.

Ataco. El soldado mantiene la escopeta apuntada hacia el cielo y blande la espada. Me agacho y me abalanzo contra él. Su cuerpo se tensa y se retuerce del dolor. El fuego que me envuelve lo quema allí mismo, pero me he expuesto. Entonces, el soldado blande la espada débilmente, y aunque no alcanza a cortarme, no puedo hacer nada para evitar el golpe. Al golpearme, salgo volando como si me hubiera caído un rayo y aterrizo de espaldas a unos quince metros. Me quedo allí, tirado, sacudiéndome y temblando como si me hubiera electrocutado. Alzo la cabeza. Nos rodean treinta montañas de ceniza de los árboles caídos. ¿Cuántas veces le permitirá esto disparar? Sopla un viento suave y la ceniza empieza a filtrarse en el espacio vacío que nos separa. La luna regresa. El mundo al que me ha traído el soldado empieza a desfallecer y él lo sabe. La escopeta está lista. Hago un esfuerzo por ponerme de pie. Muy cerca de mí veo una de las dagas que me lanzó, que sigue brillando. Sin dudarlo, voy por ella.

El soldado baja la escopeta y apunta. El blanco que nos rodea empieza a debilitarse, los colores empiezan a reaparecer. Y entonces, dispara. Una descarga reluciente que contiene las formas macabras de todas las personas que conozco: Henri, Sam, Bernie Kosar, Sarah; todos están muertos en este reino alterno, y la luz es tan brillante que son lo único que puedo ver, tratan de llevarme con ellos y vienen a mi encuentro en una bola de energía que crece a medida que se acerca. Trato de desviar la embestida, pero es demasiado fuerte. La descarga blanca llega hasta mi escudo ardiente, y al tocarlo, una explosión violenta me lanza hacia atrás. Aterrizo con un golpe sordo. Compruebo que esté bien. Estoy intacto. La bola de fuego se ha extinguido. No sé cómo, pero ha absorbido la descarga, salvándome de lo que sin duda habría significado mi muerte. Así funciona la escopeta: la muerte de una cosa por la de otra.

El poder del control mental, la manipulación que explota el miedo y se hace posible gracias a la destrucción de los elementos del mundo. Los exploradores han aprendido a hacerlo débilmente con el pensamiento. Los soldados cuentan con armas que producen un efecto muchísimo mayor.

Me levanto, con el puñal brillante aún en la mano. El soldado acciona una especie de palanca a un lado de la escopeta como para volver a cargarla. Yo me abalanzo hacia él, y cuando estoy lo bastante cerca, le apunto al corazón y arrojo el puñal con todas mis fuerzas. El soldado dispara por segunda vez. El torpedo naranja que se abre camino violentamente hacia él y la certeza de la muerte blanca que se me avecina se cruzan en el aire, sin tocarse. Justo cuando espero la llegada de este segundo disparo que me traerá esa muerte, pasa otra cosa.

El puñal cae primero.

El mundo se desvanece. Las sombras se debilitan. El frío y la oscuridad regresan, como si no se hubieran ido nunca. Es una transición vertiginosa. Doy un paso atrás y me caigo. Mis ojos se adaptan a la escasez de luz y se enfocan en la figura negra del soldado que se cierne sobre mí. La descarga de la escopeta no viajó con nosotros, pero sí el puñal. El mango que palpita con su brillo naranja bajo la luz de la luna; la hoja hundida hasta el fondo del corazón del mogadoriano, que se tambalea. El puñal se hunde hasta desaparecer, y de la herida abierta, brotan chorros de sangre negra. El soldado lanza un gruñido, pone los ojos en blanco y se desploma, inmóvil. Luego explota en una nube de ceniza que me cubre los zapatos. El primer soldado al que he eliminado. Que no sea el último.

El paso por el mundo alterno me ha debilitado. Pongo la mano en un árbol cercano para estabilizarme y recobrar la respiración, pero el árbol ya no está allí. Miro a mi alrededor.

Todos los árboles que nos rodeaban se han convertido en montañas de ceniza, tal como en el otro mundo, igual que los mogadorianos al morir.

Oigo el rugido de la bestia y alzo la vista para ver cuánto del colegio queda en pie. Pero en vez del colegio, hay otra cosa, que se alza a unos cuatro o cinco metros de distancia, con una espada en una mano y otro cañón-escopeta en la otra. El cañón apunta directamente a mi corazón, un cañón que ya está cargado, rebosante de poder. Otro soldado. No creo tener fuerzas para luchar contra este como con el otro.

Tampoco tengo nada que pueda lanzarle, y el espacio que nos separa es demasiado grande como para arremeter antes de que dispare. Y entonces su brazo se sacude y el sonido de una detonación resuena en el aire. Mi cuerpo se sobresalta por instinto, esperando que la descarga me parta en dos. Pero estoy bien, no me ha pasado nada. Confundido, alzo la vista y veo el hueco en la frente del soldado, un hueco del tamaño de una moneda, por el que chorrea su sangre espantosa. Después se desploma y se desintegra.

—Esa va por mi papá —oigo decir detrás de mí. Me volteo y veo a Sam, con una pistola plateada en la mano derecha. Le sonrío. Él baja la pistola—. Pasaron por todo el centro del pueblo. Supe que eran ellos en cuanto vi el remolque.

Trato de recobrar la respiración, contemplando con asombro la figura de Sam. Hace solo unos minutos, en la descarga del primer soldado, era un cadáver en descomposición salido del infierno para llevarme con él y, ahora, acaba de salvarme.

—¿Estás bien? —pregunta.

Asiento.

—¿Por dónde llegaste?

—Los seguí en la camioneta de mi papá después de que pasaron por mi casa. Llegué hace quince minutos, pero los que ya estaban aquí pululaban a mi alrededor. Entonces me fui y me estacioné en un prado que está a un kilómetro y medio y caminé por el bosque.

El segundo par de focos que vimos desde la ventana del colegio era la camioneta de Sam. Abro la boca para responder, pero un trueno estremece el cielo. Se avecina otra tormenta. El alivio de saber que Seis sigue viva me recorre el cuerpo. Un rayo surca el cielo, y de todas partes empiezan a llegar nubes que se juntan en una sola masa gigantesca. Una oscuridad aún más profunda se cierne sobre nuestras cabezas, seguida por una lluvia tan densa, que tengo que achicar los ojos para ver a Sam, que está a un metro y medio. El colegio queda borrado del horizonte, pero, entonces, cae otro rayo y todo se ilumina durante una fracción de segundo. Veo que la bestia ha caído. A continuación, se oye un rugido agonizante.

—¡Tengo que ir al colegio! —grito—. Mark y Sarah están allí.

—Sí tú vas, yo también —me grita Sam por entre los estruendos de la tormenta.

No hemos dado más de cinco pasos cuando llega el viento, aullando, empujándonos hacia atrás. La lluvia torrencial nos hiere la cara. Estamos empapados, temblando de frío. Pero si estoy temblando, entonces sé que estoy vivo. Sam cae de rodillas y luego se echa bocabajo para que el viento no lo empuje. Yo hago lo mismo y contemplo las nubes con los ojos entrecerrados. Unas nubes oscuras y pesadas que no presagian nada bueno y se arremolinan en pequeños círculos concéntricos. En el centro, el centro al que estoy tratando de llegar con todas mis fuerzas, empieza a formarse un rostro.

Un rostro viejo, desgastado, barbado, de aspecto tranquilo, como si estuviera dormido. Un rostro que parece más viejo que la Tierra misma. Las nubes empiezan a bajar, acercándose lentamente a la superficie, consumiéndolo todo, oscureciéndolo todo, una oscuridad tan profunda e impenetrable que me cuesta imaginarme que algún sol siga existiendo en algún lugar. Otro rugido, un rugido de ira y muerte. Intento levantarme, pero vuelvo a caerme. El viento es demasiado fuerte y el rostro empieza a cobrar vida. ¡A despertar! Ojos que se abren en el rostro vuelto hacia arriba con una mueca. ¿Es una creación de Seis? El rostro adquiere la mirada de la cólera misma, una mirada de venganza, y empieza a bajar a toda velocidad; todo parece flotar en equilibrio. Luego abre la boca, hambrienta, torciendo el gesto para mostrar los dientes y entrecerrar los ojos en una mueca que solo puede describirse como malicia pura. Una cólera total y absoluta.

Entonces toca la superficie y una explosión estremece la tierra, una explosión que se extiende más allá del colegio, iluminando todo con un brillo amarillo, naranja y rojo. Yo salgo volando hacia atrás. Los árboles se parten por la mitad. La tierra ruge. Aterrizo con un golpe seco y quedo cubierto de ramas y barro. Los oídos me retumban como nunca. Un estruendo tan fuerte que debe de haberse oído a casi cien kilómetros a la redonda. Y entonces deja de llover y todo queda en silencio.

Me quedo echado en el barro, escuchando los latidos de mi corazón. Las nubes se despejan, revelando la media luna. Ni una sola ráfaga de viento. Miro a mi alrededor pero no veo a Sam. Le grito, pero no obtengo respuesta. Ansío oír algo, cualquier cosa, otro rugido, la pistola de Henri, pero nada.

Me levanto y me limpio el barro y las ramas lo mejor posible. Salgo del bosque por segunda vez. Las estrellas han reaparecido y brillan por millones en el cielo nocturno. ¿Ya se acabó todo? ¿Ganamos? ¿O es solo un paréntesis? Pienso en el colegio. Tengo que ir al colegio. Doy un paso adelante, y entonces lo oigo.

Otro rugido, proveniente del bosque, a mis espaldas.

El sonido regresa. Tres disparos sucesivos resuenan por entre la noche, pero no sé de dónde han venido. Espero con todo mi ser que sean de la pistola de Henri, que siga vivo, luchando.

La tierra empieza a temblar. La bestia anda suelta, ya no tengo duda, buscándome, rompiendo árboles y arrancándolos de raíz. Los mogadorianos no parecen haberse apaciguado en absoluto. ¿Será que esta bestia es aún más grande que la otra? No me interesa averiguarlo. Echo a correr hacia el colegio, pero entonces me doy cuenta de que es el último lugar al que debería ir. Sarah y Mark siguen allí, escondidos. O al menos eso espero.

Todo está otra vez como antes de la tormenta, envuelto por las sombras acechantes. Exploradores. Soldados. Giro a la derecha y corro por el sendero bordeado de árboles que lleva al campo de fútbol. La bestia me sigue de cerca. ¿En realidad puedo pretender escaparme? Si puedo llegar al bosque que está detrás de la cancha, tal vez lo logre. Conozco bien ese bosque, es el bosque que lleva a nuestra casa, y eso me dará ventaja. Miro a mi alrededor y veo las figuras de los mogadorianos en el patio del colegio. Son demasiados, muchísimos más que nosotros. ¿En realidad hubo un momento en que creímos que podíamos ganar?

Una daga pasa volando a mi lado. Un destello rojo que pasa casi rozándome y se clava en el tronco de un árbol cercano, que se prende en llamas. Otro rugido. La bestia me sigue los pasos. ¿Cuál de los dos tendrá más resistencia? Entro en la cancha, atravieso la línea del medio campo y sigo por el lado del equipo visitante. Otra daga pasa zumbando; esta vez es azul. El bosque está cerca, y cuando finalmente me interno en él a toda velocidad, una sonrisa se dibuja en mi cara. He alejado a la bestia de los demás. Si todos están a salvo, entonces he hecho mi trabajo. Y justo cuando esa sensación de triunfo crece en mi interior, me hiere la tercera daga.

Lanzo un grito y caigo de bruces entre el barro. Puedo sentir la hoja entre mis omóplatos. Un dolor tan agudo que me paraliza. Trato de sacarla, pero está demasiado arriba. Siento como si se moviera, clavándose más y más, y el dolor se extiende como si me hubiera envenenado. Lo siento en el estómago, retorciéndome. Tampoco logro sacarla con la telequinesis; mis poderes parecen fallarme. Cuando empiezo a arrastrarme hacia delante, uno de los soldados —a lo mejor es un explorador; no puedo distinguirlo— pone un pie en mi espalda, se agacha y saca la daga. Yo suelto un gruñido. El cuchillo se ha ido, pero el dolor permanece. Aunque el mogadoriano aparta el pie, todavía puedo sentir su presencia y hago un esfuerzo por ponerme boca arriba y darle la cara.

Otro soldado, que se alza orgulloso y sonríe con odio. La misma mirada del anterior, el mismo tipo de espada. La daga que antes estaba en mi espalda, se retuerce ahora en su mano. Eso fue lo que sentí; la cuchilla retorciéndose entre mi carne. Levanto una mano hacia el soldado para moverlo, pero sé que no surtirá efecto. No puedo concentrarme, todo está borroso. Él alza la espada en el aire. La hoja saborea la muerte, empieza a brillar en el cielo nocturno detrás de ella. "Hasta aquí llegué —pienso—. No puedo hacer nada". Lo miro a los ojos. Diez años huyendo y todo termina así de fácil, tan silenciosamente. Pero detrás del soldado acecha algo más. Algo mucho más amenazante que un millón de soldados con un millón de espadas. Unos dientes tan largos como el soldado mismo; unos dientes blancos que brillan en una boca demasiado pequeña para contenerlos. La bestia con sus ojos malignos se cierne sobre nosotros.

El aliento se me atora en la garganta y abro los ojos de par en par, horrorizado. Va a matarnos a los dos, pienso. El

soldado no se ha dado cuenta. Se tensa, me hace una mueca y empieza a bajar la espada para partirme en dos, pero es
demasiado lento y la bestia ataca primero. Sus fauces se cierran y se abren amenazantes como una trampa para osos, y
no paran hasta que los dientes se juntan y cortan el cuerpo
del soldado limpiamente por la mitad, justo por debajo de las
caderas, dejando únicamente dos extremidades inmóviles. La
bestia mastica dos veces y traga. Las piernas del soldado caen
al suelo huecamente, una a la derecha, otra a la izquierda, y se
desintegran al instante.

Reúno cada mínimo gramo de fuerza que me queda para
moverme y tomar la daga que ha caído a mis pies. La meto en
la pretina de mi pantalón y empiezo a alejarme, arrastrándo-
me. Siento a la bestia cerniéndose sobre mí, siento su respiración en mi nuca. Olor a muerte y a carne en descomposición.
Salgo a un pequeño claro y espero a que la cólera de la bestia
descienda en cualquier momento para destrozarme con sus
dientes y sus garras. Me arrastro hasta que ya no puedo avanzar más y apoyo la espalda contra un roble.

La bestia está en el centro del claro, a unos diez metros
de distancia. Ahora puedo verla bien por primera vez. Una
figura amenazante, brumosa en la oscuridad y el frío de la noche. Más alta y grande que la del colegio. Unos doce metros
que se alzan erguidos sobre dos patas traseras. La piel gris y
gruesa se extiende sobre sus músculos abultados. La cabeza sin
cuello e inclinada de modo que la mandíbula inferior sobresa-
le mucho más que la superior. Unos colmillos apuntan hacia
el cielo y los otros hacia el suelo, chorreando baba y sangre.
Los brazos largos y gruesos cuelgan a medio metro del suelo,
incluso cuando la bestia está erguida, y esto hace que parezca
que está ligeramente inclinada hacia delante. Ojos amarillos;
unos discos redondos a ambos lados de la cabeza que palpitan

con los latidos de su corazón, la única señal de que tiene algo parecido a un corazón.

Se inclina hacia delante y pone la mano derecha en el suelo. Una mano con dedos regordetes provistos de garras rapaces; garras destinadas para destrozar todo lo que toquen. Me olfatea, después ruge. Un rugido que me taladra el oído y que me habría lanzado a volar si no estuviera recostado contra un árbol. Abre la boca, mostrándome lo que deben de ser otros cincuenta dientes, todos perfectamente afilados. La mano libre se aparta de su lado y rompe por la mitad todos los árboles que golpea, unos diez o quince.

Ya no puedo seguir huyendo. Ni luchando. La sangre de la herida de la daga me chorrea por la espalda. Me tiemblan las piernas y las manos. Todavía tengo la daga en la pretina del pantalón, ¿pero qué sentido tiene que la saque? ¿Qué puedo esperar de una cuchilla de diez centímetros contra una bestia de doce metros? Sería poco menos que una esquirla y solo la enfurecería aún más. Mi única esperanza es desangrarme antes de que me mate y me devore.

Cierro los ojos y acepto la muerte. Mis luces están apagadas. No quiero ver lo que está a punto de suceder. Oigo movimiento a mis espaldas. Abro los ojos. Lo primero que pienso es que uno de los mogadorianos debe de estar acercándose para ver más claramente, pero enseguida sé que me equivoco. Hay algo conocido en ese andar al trote, algo que reconozco en el sonido de esa respiración. Y entonces entra en el claro.

Bernie Kosar.

Sonrío, pero mi sonrisa se desdibuja rápidamente. Si estoy condenado a morir, no tiene sentido que él también muera. "No, Bernie Kosar. No puedes estar aquí. Tienes que irte y tienes que correr como el viento, lo más lejos posible. Haz como si acabaras de terminar nuestra carrera matutina al colegio y es hora de volver a casa".

Él me mira al acercarse. "Estoy aquí —parece decirme—. Estoy aquí y lucharé contigo".

—No —digo en voz alta.

Él se detiene el tiempo necesario para lamerme la mano en un gesto tranquilizador. Después me mira con sus enormes ojos de color café. "Vete, John —oigo en mi mente—. Arrástrate si es necesario, pero vete de aquí". La pérdida de sangre me está haciendo delirar. Bernie parece estar comunicándose conmigo. ¿Será que si está realmente aquí, o estaré imaginando eso también?

Entonces se planta delante de mí como para protegerme y empieza a gruñir. Un gruñido suave al principio, pero después aumenta y se vuelve tan feroz como el rugido de la bestia, que clava la mirada en Bernie Kosar. Los dos se miran fijamente. Al perro se le erizan los pelos de la espalda y pega sus orejas pardas contra la cabeza. Su lealtad, su valentía, casi me hacen llorar. Es muchísimo más pequeño que la bestia y aun así sigue firme, decidido a luchar. Un rápido golpe de la bestia acabaría con él enseguida.

Estiro la mano hacia Bernie Kosar. Quisiera poder levantarme y alzarlo y largarme de aquí. Sus gruñidos son tan feroces que le tiembla el cuerpo entero, estremeciéndose.

Y entonces, sucede una cosa.

Bernie Kosar empieza a crecer.

CAPÍTULO
TREINTA Y DOS

DESPUÉS DE TODO ESTE TIEMPO, SOLO HASTA AHO-
ra lo entiendo. Las carreras matutinas en las que yo corría demasiado rápido como para que me siguiera el ritmo, él desa-
parecía entre el bosque y reaparecía delante de mí. Seis trató
de decírmelo. Ella lo supo con solo mirarlo. En esas carreras
matutinas, Bernie Kosar se internaba en el bosque para trans-
formarse, para convertirse en pájaro. La manera como salía
apresuradamente todas las mañanas, con el hocico pegado al
suelo para inspeccionar el jardín, para protegernos, a mí y a
Henri. Buscando indicios de los mogadorianos. La lagartija de
Florida. La lagartija que me miraba desde la pared mientras
desayunaba. ¿Cuánto tiempo ha estado con nosotros? Las *chimæras* que vi que metían en el cohete. ¿Habrán logrado llegar
a la Tierra después de todo?

Bernie Kosar sigue creciendo. Me dice que corra. Puedo
comunicarme con él. No, eso no es todo: puedo comunicarme con los animales. Otro legado. Empezó con el venado de
Florida el día que nos fuimos. El escalofrío que me recorrió la
espalda cuando me transmitió algo, una sensación. Yo se lo
atribuí a la tristeza de nuestra partida, pero me equivocaba.
Los perros de Mark James. Las vacas junto a las que pasaba
en mis carreras matutinas. Lo mismo. Me siento estúpido de

venir a descubrirlo apenas ahora. Si era tan obvio, si lo tenía justo en mis narices. Otro de los adagios de Henri: las cosas más evidentes son precisamente las cosas que tendemos a pasar por alto. Pero Henri lo sabía, por eso le dijo que no a Seis cuando ella trató de decírmelo.

Bernie Kosar ha terminado de crecer. Se le ha caído el pelo y, en su lugar, le han salido unas escamas alargadas. Parece un dragón, pero sin alas. Cuerpo musculoso, garras y dientes filudos, y unos cuernos enroscados como los de un carnero. Es más gordo que la bestia y mucho más bajo, pero su apariencia es igual de amenazante. Dos gigantes enfrentados en medio del claro, rugiéndose mutuamente.

"Corre", me dice. Trato de decirle que no puedo. No sé si pueda entenderme. "Sí puedes —me dice—. Tienes que hacerlo".

La bestia arremete con un azote que empieza en las nubes y baja brutalmente. Bernie Kosar lo bloquea con sus cuernos y ataca antes de que la bestia vuelva a arremeter. Un choque colosal en el puro centro del claro. Bernie Kosar se eleva y le hinca los dientes en un costado. La bestia le devuelve el golpe. Ambos son tan rápidos que desafían toda lógica. Los dos tienen ya los costados llenos de cortes sangrantes. Los observo, recostado contra el árbol. Intento ayudar, pero mi telequinesis sigue fallándome. La sangre sigue chorreando por mi espalda. Siento las extremidades pesadas, como si la sangre se me hubiera vuelto de plomo. Siento que me desvanezco.

La bestia sigue erguida sobre las dos patas mientras que Bernie Kosar tiene que luchar en cuatro. La bestia ataca, Bernie Kosar baja la cabeza y se estrellan la una contra el otro, chocando contra los árboles que están a mi derecha. De alguna manera, la bestia queda encima e hinca los dientes en la garganta de Bernie Kosar, que se sacude, tratando de zafarse, revolcándose bajo el mordisco de la bestia, pero no logra liberarse. Araña a la bestia por un lado con sus garras, pero esta no lo suelta.

En ese momento, una mano me agarra el brazo por detrás. Trato de apartarla, pero ni siquiera puedo hacer eso. Bernie Kosar cierra los ojos con fuerza, luchando entre las fauces de la bestia, con la garganta constreñida, sin poder respirar.

—¡No! —grito.

—¡Vamos! —grita la voz a mis espaldas—. Tenemos que largarnos de aquí.

—El perro —digo, sin distinguir de quién es esa voz—. ¡El perro!

La bestia está mordiendo y asfixiando a Bernie Kosar, está a punto de matarlo, y no puedo hacer absolutamente nada. Y después seguiré yo. Sacrificaría mi vida por la suya. Entonces lanzo un grito. Bernie Kosar tuerce la cabeza y me mira, con la cara estrujada por el dolor y el sufrimiento y la muerte inminente que debe de estar presintiendo.

—¡Tenemos que irnos! —grita la voz detrás de mí, y la mano me levanta.

Bernie Kosar me mira fijamente. "Vete —me dice—. Lárgate de aquí, ya mismo, ahora que puedes. No queda mucho tiempo".

De algún modo, logro ponerme de pie. Estoy mareado. El mundo es una bruma circundante. Los ojos de Bernie Kosar son lo único que veo claramente. Ojos que gritan "¡Auxilio!", aun cuando su mente me dice otra cosa.

—¡Tenemos que irnos! —vuelve a gritar la voz.

No me volteo para verle la cara, pero ahora sé quién es. Mark James, que ya no está escondido en el colegio y trata de salvarme de este enfrentamiento. El que esté aquí debe de significar que Sarah está bien, y durante un instante me permito sentirme aliviado, pero el alivio se esfuma tan rápido como llegó. En este preciso momento solo importa una cosa: Bernie Kosar, tumbado de lado, mirándome con ojos vidriosos. Él me salvó, ahora es mi turno de salvarlo.

Mark me rodea el pecho con el brazo y empieza a empujarme hacia atrás, fuera del claro, lejos de la pelea, pero yo me retuerzo y me libero. Los ojos de Bernie Kosar empiezan a cerrarse lentamente. "Está apagándose", pienso. "No pienso verte morir —le digo—. Estoy dispuesto a ver muchas cosas en este mundo, pero por nada del mundo voy a verte morir". No hay respuesta. La bestia muerde con más fuerza; puede sentir la cercanía de la muerte.

Entonces doy un paso tambaleante y saco la daga de la pretina de mi pantalón. La aprieto con fuerza entre mis dedos y cobra vida, empieza a brillar. No tengo cómo darle a la bestia si se la lanzo, y mis legados se han desvanecido todos. La decisión es fácil. No tengo más alternativa que atacar.

Respiro profunda y temblorosamente. Me balanceo hacia atrás y me tenso de arriba abajo por el agotamiento; no hay un solo milímetro de mi ser que no sienta algún tipo de dolor.

—¡No! —grita Mark detrás de mí.

Comienzo a correr hacia la bestia, que tiene los ojos cerrados, las fauces clavadas tan firmemente en la garganta de Bernie Kosar que la luz de la luna brilla en los charcos de sangre que la rodean. Diez metros, luego cinco. Los ojos de la bestia se abren de golpe, justo en el instante en que salto. Ojos amarillos que se retuercen iracundos al verme volando por el aire hacia ellos, sosteniendo la daga con las dos manos y sobre la cabeza, como si estuviera en una especie de sueño heroico del que no quisiera despertar jamás. La bestia suelta la garganta de Bernie Kosar e intenta morderme, pero sabe que me ha sentido demasiado tarde. La hoja de la daga brilla ante la expectativa y la hundo hasta el fondo de un ojo de la bestia. Algo como lodo brota de inmediato. La bestia suelta un chillido espeluznante, tan fuerte, que me cuesta imaginar que los muertos puedan seguir durmiendo.

Caigo de espaldas. Alzo la cabeza y veo a la bestia tambaleándose encima de mí. Intenta sacarse la daga del ojo, pero en vano; sus manos son demasiado grandes y la daga es demasiado pequeña. Las armas mogadorianas funcionan de un modo que creo que nunca entenderé, debido a los puentes místicos entre los mundos. La negrura de la noche se interna como por entre una nube remolinante en el ojo de la bestia, un tornado de muerte.

La bestia empieza a caer silenciosamente cuando la enorme nube negra termina de entrar en su cráneo, absorbiendo consigo la daga. Sus brazos cuelgan lánguidamente a sus lados. Le tiemblan las manos; un temblor violento que repercute por todo su inmenso cuerpo. Cuando las convulsiones terminan, la bestia se encorva y se desploma, apoyando la espalda contra los árboles. Aunque está sentada, todavía se alza unos siete metros por encima de mí. Y cae el silencio, a la espera de lo que está por venir. Entonces se oye un disparo, tan cerca que los oídos me retumban durante varios segundos. La bestia toma aire y lo sostiene como si estuviera meditando, hasta que su cabeza explota de repente y llueven pedazos de carne, sesos y huesos que luego se convierten en cenizas y polvo.

El silencio se posa sobre el bosque. Volteo la cabeza y miro a Bernie Kosar, que sigue tumbado de lado, inmóvil, con los ojos cerrados. No sé si está vivo o muerto. Mientras lo miro, empieza a cambiar nuevamente, encogiéndose, regresando a su tamaño normal, mientras permanece exánime. Oigo el sonido de hojas que crujen y ramas que se rompen. Necesito toda la fuerza que me queda tan solo para levantar la cabeza un par de centímetros del suelo. Abro los ojos y levanto la vista hacia la noche brumosa, esperando ver a Mark James, pero no es él quien se alza sobre mí. Me quedo sin aliento. Una figura acechante, indistinguible bajo la luz de la luna, da un paso adelante, tapando la luna, y yo abro los ojos de par en par ante el terror expectante.

CAPÍTULO
TREINTA Y TRES

LA IMAGEN BRUMOSA SE VUELVE NÍTIDA. A PESAR DEL agotamiento, el dolor y el miedo, una sonrisa se dibuja en mi rostro, acompañada por una sensación de alivio. Henri. Tira la pistola entre los matorrales y se arrodilla a mi lado. Tiene la cara ensangrentada, la camiseta y los *jeans* hechos jirones, cortadas a lo largo de ambos brazos y en el cuello, y los ojos anegados en miedo por lo que ha visto en los míos.

—¿Ya se acabó? —pregunto.

—*Shhh* —me dice—. ¿Te han herido con alguna de sus dagas?

—En la espalda.

Cierra los ojos y sacude la cabeza. Luego mete una mano en el bolsillo y saca una de las piedritas redondas que lo vi sacar del cofre loriense antes de salir de la cocina. Le tiemblan las manos.

—Abre la boca —me dice, y me mete una piedrita—. Ponla debajo de la lengua. No te la tragues.

Me levanta, poniendo sus manos en mis axilas. Me pongo de pie y él sigue sosteniéndome con un brazo mientras recupero el equilibrio. Me da la vuelta para mirarme la herida en la espalda. Siento la cara caliente. Una suerte de rejuvenecimiento florece en mi interior gracias a la piedra. Las extremidades me siguen doliendo por el agotamiento, pero he recuperado suficiente energía como para poder seguir.

—¿Qué es?

—Sal loriense. Disminuirá y anestesiará los efectos de la daga —dice—. Sentirás una ráfaga de energía, pero no durará mucho, y tenemos que regresar al colegio lo más pronto posible.

La piedra se siente fría en mi boca, y no sabe a sal; es más, no sabe a nada. Me miro el cuerpo y verifico que todo esté bien para después sacudirme con las manos los residuos cenicientos de la bestia caída.

—¿Están todos bien? —pregunto.

—Seis está gravemente herida —responde—. Sam está llevándola a la camioneta en este preciso momento; después vendrá al colegio a recogernos; por eso tenemos que regresar.

—¿Has visto a Sarah?

—No.

—Mark James estaba aquí hace nada —le digo, mirándolo—. Creí que estabas con él.

—No lo vi.

Miro al perro, más allá de Henri.

—Bernie Kosar —digo.

Sigue encogiéndose, las escamas desaparecen y en su lugar reaparece el pelaje canela, negro y café, regresando a la forma con la que lo he conocido más recientemente: orejas caídas, patas cortas, cuerpo alargado. Un sabueso con el hocico frío, siempre listo para correr.

—Acaba de salvarme la vida. Tú lo sabías, ¿no?

—Claro que lo sabía.

—¿Por qué no me lo dijiste?

—Porque él te cuidaba cuando yo no podía.

—¿Y cómo vino?

—En la nave, con nosotros.

Y en ese momento, recuerdo lo que creía que era un animal de peluche que solía jugar conmigo. En realidad, estaba jugando con Bernie Kosar, aunque en ese entonces se llamaba Hadley.

Caminamos juntos hasta el perro. Me agacho y le acaricio el costado.

—Tenemos que darnos prisa —insiste Henri.

Bernie Kosar no se mueve. El bosque está vivo, plagado de sombras que solo pueden significar una cosa, pero no me importa. Acerco la cabeza a la caja torácica del perro y, aunque muy débilmente, puedo oír el latido de su corazón. Todavía le queda algún rayito de vida. Está lleno de cortadas y tajos profundos, y la sangre parece brotar por todas partes; tiene la pata derecha torcida en un ángulo antinatural, rota. Pero está vivo. Lo alzo con la mayor suavidad posible, acunándolo entre mis brazos como a un bebé. Henri me ayuda a incorporarme, después se lleva la mano al bolsillo, saca otra piedrita de sal y se la mete en la boca. Esto me hace preguntarme si se referiría a sí mismo cuando dijo que no teníamos mucho tiempo. Los dos estamos temblorosos. Y entonces veo algo en su pierna. Una herida que resplandece con un brillo azul marino por entre la sangre que la rodea. También lo hirieron con sus puñales. Me pregunto si la piedrita de sal será la única razón por la que puede estar en pie ahora, tal como yo.

—¿Y la pistola? —pregunto.

—Se me acabaron las municiones.

Salimos del claro, tomándonos nuestro tiempo. Bernie Kosar no se mueve, pero puedo sentir que la vida no lo ha abandonado. Aún no. Después salimos del bosque, dejando atrás las ramas colgantes, los matorrales y el olor de las hojas húmedas y en descomposición.

—¿Crees que puedes correr? —pregunta Henri.

—No —respondo—. Pero correré de todos modos.

Por delante de nosotros se oye un gran alboroto. Gruñidos seguidos por el ruido metálico de unas cadenas.

Entonces, oímos un rugido, no tan siniestro como los otros, pero lo bastante fuerte como para saber que solo puede significar una cosa: otra bestia.

—No puede ser —dice Henri.

Unas ramas se quiebran detrás de nosotros y nos damos la vuelta enseguida, pero el bosque es demasiado frondoso como para poder ver. Entonces, enciendo la luz de mi mano izquierda y alumbro los árboles. A la entrada del bosque hay unos siete u ocho soldados. Al percibir mi luz, desenvainan todos sus espadas, que cobran vida, brillando con sus diversos colores en ese mismísimo instante.

—¡No! —grita Henri—. No uses tus legados; eso te debilitará.

Demasiado tarde. Apago mi luz. El vértigo y la debilidad regresan; después el dolor. Contengo la respiración y espero que los soldados se lancen al ataque, pero no lo hacen. No se oye ningún sonido aparte del evidente forcejeo que se está dando justo por delante de nosotros. Y, después, un alboroto de gritos detrás de nosotros. Me doy la vuelta. Las espadas relucientes empiezan a avanzar con aire arrogante, desde unos doce metros de distancia. Uno de los soldados suelta una risa confiada. Son nueve, armados y con todas sus fuerzas, contra nosotros tres, abatidos y armados únicamente con nuestra valentía. La bestia a un lado, los soldados al otro. Esa es la alternativa que se nos presenta ahora.

Henri no parece inmutarse. Saca otras dos piedritas del bolsillo y me pasa una.

—Las dos últimas —dice, y la voz le tiembla como si tuviera que hacer un gran esfuerzo solo para hablar.

Me meto la nueva piedra en la boca y la hundo debajo de mi lengua, aunque todavía me queda un poco de la otra. Una fuerza renovada me recorre el cuerpo.

—¿Qué opinas? —pregunta Henri.

Estamos rodeados y somos los únicos tres que quedamos. Seis está gravemente herida y Sam está llevándosela. Mark estuvo aquí pero ahora no hay rastro de él. Y Sarah, que ruego que esté escondida a salvo en el colegio, a unos ciento cincuenta metros delante de nosotros. Respiro profundamente y acepto lo inevitable.

—Creo que no importa, Henri —le digo y lo miro—. Pero el colegio está delante de nosotros, y Sam estará allí dentro de poco.

Lo que Henri hace a continuación me toma desprevenido: sonríe. Estira una mano y me aprieta un hombro. Tiene los ojos cansados y rojos, pero veo alivio en ellos, una sensación de serenidad, como si supiera que todo está a punto de terminar.

—Hicimos todo lo que pudimos. Y lo hecho, hecho está. Pero estoy tremendamente orgulloso de ti —me dice—. Lo has hecho increíblemente bien. Siempre supe que así sería. Nunca tuve la menor duda.

Bajo la cabeza. No quiero que me vea llorar. Aprieto al perro entre mis brazos. Por primera vez desde que lo alcé, muestra una ligera señal de vida al levantar la cabeza solo lo necesario para lamerme la cara. Y me transmite una palabra, una sola palabra, como si eso fuera lo único que le permite su fuerza: "Coraje", me dice.

Alzo la cabeza. Henri da un paso adelante y me abraza. Yo cierro los ojos y hundo la cara en su cuello. Sigue temblando; su cuerpo se siente frágil y delicado entre mis brazos.

Estoy seguro de que el mío no está más fuerte. "Aquí estamos", pienso. Con la cabeza en alto, atravesamos el prado hacia lo que sea que nos esté esperando. Al menos lo enfrentaremos con dignidad.

—Lo hiciste jodidamente bien —me dice.

Abro los ojos. Por encima de su hombro puedo ver que los soldados están más cerca, a unos seis metros. Se han detenido. Uno de ellos tiene una daga que palpita con un brillo gris y plateado. La lanza en el aire, la atrapa y se la arroja a Henri a la espalda. Yo alzo la mano y la desvío de modo que le pasa a menos de medio metro. Aunque la piedrita de sal se ha disuelto solo hasta la mitad, la fuerza me abandona casi al instante.

Henri toma mi brazo libre, lo acomoda sobre sus hombros y me rodea la cintura con su brazo derecho. Avanzamos tambaleándonos. La bestia aparece en nuestro horizonte, acechando por delante, en el centro del campo de fútbol. Los mogadorianos nos siguen por detrás. A lo mejor tienen curiosidad de ver a la bestia en acción, de verla matar. Cada paso que doy me cuesta más que el anterior. El corazón me late pesadamente. La muerte se avecina, y eso me aterroriza. Pero Henri está aquí. Y Bernie Kosar también. Me alegra no tener que encararla solo. Hay varios soldados al otro lado de la bestia. Incluso si pudiéramos superarla, tendríamos que seguir directo hacia ellos, que nos esperan con las espadas desenvainadas.

No tenemos alternativa. Cuando llegamos a la cancha, espero que la bestia se abalance sobre nosotros en cualquier momento. Pero no pasa nada. Cuando estamos a unos cinco metros de ella, nos detenemos, apoyándonos el uno en el otro.

La bestia es la mitad que la otra, pero aun así es lo bastante grande como para matarnos sin mucho esfuerzo. Una piel pálida, casi translúcida, se extiende sobre unas costillas protuberantes y unas articulaciones huesudas. Diversas cicatrices rosáceas cubren sus brazos y sus costados. Ojos blancos y sin vida. Cambia el peso de un lado a otro y se agacha. Después baja la cabeza al césped para oler lo que sus ojos no pueden ver. Puede sentirnos delante de ella y suelta un débil gemido. No percibo la ira y la maldad que irradiaban las otras bestias, ningún deseo de sangre y muerte. Hay una sensación de miedo, de tristeza. Me abro a la bestia y veo imágenes de tortura y hambre. Veo a la bestia encerrada en la Tierra durante toda su vida; una cueva húmeda en la que entra muy poca luz. Noches temblorosas tratando de mantenerse caliente, siempre fría y mojada, y veo cómo los mogadorianos enfrentan a las bestias entre sí, obligándolas a luchar para entrenarlas, para hacerlas fuertes y malvadas.

Henri me suelta. Como ya no puedo seguir cargando a Bernie Kosar, lo pongo suavemente sobre el césped, a mis pies. No lo he sentido moverse desde hace un rato y no sé si seguirá vivo. Doy un paso al frente y caigo de rodillas. Los soldados gritan a nuestro alrededor. No entiendo su idioma, pero por el tono de sus voces me doy cuenta de que están impacientes. Uno blande su espada y una daga pasa rozándome. Un destello blanco que sacude y rompe mi camiseta por delante. Me quedo arrodillado y alzo los ojos hacia la bestia que se cierne sobre mí. Alguien dispara algún arma, pero la descarga pasa volando sobre nuestras cabezas. Un disparo de advertencia, para acosar a la bestia, que tiembla. Una segunda daga surca el aire y la golpea por debajo del codo izquierdo. La bestia alza la cabeza y ruge adolorida.

"Lo lamento —intento decirle—. Lamento la vida que te han obligado a vivir. Han sido injustos contigo. Ninguna criatura se merece el trato que te han dado. Te has visto obligada a soportar el infierno, arrancada de tu planeta para luchar una guerra ajena. Te han golpeado y torturado y matado de hambre.

Ellos tienen la culpa de todo el dolor y sufrimiento que has experimentado. Tú y yo compartimos un lazo: las injusticias de estos monstruos".

Hago un esfuerzo gigantesco por transmitirle mis propias imágenes, lo que he visto y sentido. La bestia no aparta la mirada. Mis pensamientos están llegándole, de algún modo. Le muestro Lorien, el vasto océano y los bosques frondosos y las colinas verdes y rebosantes de vida y vitalidad. Animales que beben de las aguas azules y frescas. Un pueblo orgulloso y feliz de vivir sus días en armonía. Le muestro el infierno que vino después, el asesinato de hombres, mujeres y niños. Los mogadorianos, asesinos despiadados y sanguinarios que destruyen todo lo que encuentran en su camino debido a su propia imprudencia y a sus creencias lastimosas. Incluso su propio planeta. ¿Dónde acaba esto? Le muestro a Sarah y todas las emociones que he experimentado con ella. Felicidad y dicha, eso es lo que siento con ella. Y este es el dolor que siento por tener que dejarla, todo por culpa de ellos.

"Ayúdame —le digo—. Ayúdame a acabar con esta muerte y esta carnicería. Luchemos juntos. Ahora ya me queda muy poco, pero si luchas conmigo, yo lucharé contigo".

La bestia alza la cabeza hacia el cielo y ruge. Un rugido largo y profundo. Los mogadorianos pueden sentir lo que está pasando. Han visto suficiente y empiezan a disparar sus armas. Entonces veo que uno de los cañones apunta hacia mí. Dispara y la muerte blanca vuela como una flecha, pero la bestia baja la cabeza a tiempo y absorbe la descarga en mi lugar. Retuerce la cara de dolor, cierra los ojos con fuerza, pero vuelve a abrirlos casi inmediatamente. Y ahora veo la cólera.

Caigo de bruces sobre la hierba. Algo me rasguña, pero no veo qué es. Henri lanza un grito de dolor detrás de mí, sale a volar y aterriza a unos diez metros entre el barro, boca arriba, echando humo. No tengo ni la menor idea de qué lo ha golpeado. Algo grande y mortífero. Me invade el pánico.

"Henri, no —pienso—. ¡Henri, no, por favor!".

La bestia asesta un golpazo aplastante que acaba con varios soldados y acalla muchas de sus armas. Otro rugido. Alzo la mirada y veo que los ojos de la bestia se han puesto rojos, encendidos en furia. Retribución. Amotinamiento. Me mira una vez y después se aparta precipitadamente para perseguir a sus captores. Las pistolas escupen sus balas, pero muchas son acalladas rápidamente.

"Mátalos a todos —pienso—. Lucha noble y honorablemente, y acaba con todos".

Levanto la cabeza. Bernie Kosar yace inmóvil sobre la hierba. Henri también está inmóvil a unos diez metros. Pongo una mano en la hierba y me arrastro a través de la cancha, centímetro a centímetro, hacia Henri. Cuando llego, tiene los ojos ligeramente abiertos; cada respiro es una lucha. Hilos de sangre chorrean por su nariz y boca. Lo envuelvo entre mis brazos y lo alzo sobre mi regazo. Su cuerpo está frágil y débil, y siento que muere. Abre los ojos, me mira, alza la mano y me acaricia la cara. En ese instante, empiezo a llorar.

—Aquí estoy —le digo.

Él intenta sonreír.

—Lo siento mucho, Henri —le digo—. Debimos habernos ido cuando querías.

—*Shh* —dice—. No es tu culpa.

—Lo siento mucho —digo entre sollozos.

—Lo hiciste muy bien —me dice, susurrando—. Lo hiciste muy, muy bien. Siempre supe que así sería.

—Tenemos que regresar al colegio —le digo—. Puede que Sam esté allí.

—Escúchame, John. Todo lo que necesitas saber, todo está en el cofre. La carta.

—Esto no ha terminado. Todavía podemos lograrlo.

Puedo sentir que empieza a irse. Lo sacudo. Sus ojos se abren a su pesar. Un hilo de sangre chorrea por su boca.

—Nuestra venida aquí, a Paraíso, no fue por casualidad —no sé a qué se refiere—. Lee la carta.

—Henri —le digo y me inclino para limpiarle la sangre del mentón.

Él me mira fijamente.

—Ustedes son el legado de Lorien, John. Tú y los demás. La única esperanza que le queda al planeta. Los secretos... —le sobreviene un ataque de tos y más sangre. Sus ojos vuelven a cerrarse—. El cofre, John.

Lo aprieto con más fuerza entre mis brazos. Su cuerpo se relaja. Respira tan superficialmente que en realidad ya no respira.

—Vamos a regresar juntos, Henri. Tú y yo, te lo prometo —le digo y cierro los ojos.

—Sé fuerte —me dice y vuelve a toser, pero trata de hablar entre la tos—. Esta guerra... podemos ganar... encuentra a los otros... Seis... el poder de... —y calla.

Intento levantarme con él entre mis brazos, pero ya no me quedan fuerzas, apenas si puedo respirar. Oigo a la bestia rugir a los lejos. Los soldados siguen disparando sus cañones, cuyas detonaciones y fulgores se alzan sobre las tribunas de la cancha. Pero con cada minuto que pasa, cada vez hay menos estallidos, hasta que se oye el último. Bajo a Henri y pongo una mano en su cara. Él abre los ojos y me mira, y yo sé que es la última vez. Toma aire débilmente, espira y luego cierra los ojos muy despacio.

—No me habría perdido ni un solo segundo, muchacho. Por nada de Lorien. Por nada del mundo entero...

Cuando la última palabra sale de su boca, sé que se ha ido. Lo estrecho entre mis brazos, temblando, llorando, invadido por la desesperación y la desesperanza. Su mano cae sin vida sobre la hierba. Acuno su cabeza en mi mano y la aprieto contra mi pecho y lo mezo de atrás hacia delante y lloro como nunca en mi vida. El amuleto que cuelga de mi cuello resplandece con su brillo azul, se hace pesado durante una fracción de segundo y después vuelve la normalidad.

Me quedo sentado en el prado, sosteniendo a Henri mientras la última detonación se apacigua. El dolor abandona mi cuerpo y siento que empiezo a desvanecerme entre el frío de la noche. La luna y las estrellas brillan en lo alto. Oigo una carcajada que surca el viento y mis oídos se sintonizan con ella. Volteo la cabeza y, pese al mareo y la vista borrosa, puedo ver a un explorador a unos cinco metros de distancia. Gabardina larga, sombrero encasquetado hasta los ojos. Tira la gabardina y se quita el sombrero para dejar al descubierto una cabeza pálida y calva. Se lleva la mano hacia la parte de atrás del cinturón y saca un machete cuya hoja mide por lo menos unos treinta centímetros. Cierro los ojos. Ya no importa. La respiración áspera del explorador se aproxima, tres metros, un metro y medio. Y entonces se acaban las pisadas. El explorador suelta un gruñido de dolor y empieza a gorgotear.

Abro los ojos. El explorador está tan cerca que puedo olerlo. El machete cae de su mano, y en el pecho, donde supongo que debe de estar su corazón, veo la punta de un cuchillo carnicero. Alguien saca el cuchillo. El explorador cae de rodillas, se desploma hacia un lado y explota en una nube de ceniza. Por detrás, sosteniendo el cuchillo en su mano temblorosa y con lágrimas en los ojos, está Sarah. Deja caer el cuchillo y corre hacia mí para envolverme entre sus brazos, con Henri entre los míos. Sostengo la cabeza de Henri mientras mi propia cabeza desfallece y el mundo se desvanece entre la nada. El resultado de la batalla: el colegio destruido, los árboles caídos y las montañas de ceniza sobre el césped de la cancha de fútbol. Henri entre mis brazos. Y yo entre los de Sarah.

CAPÍTULO
TREINTA Y CUATRO

LAS IMÁGENES REVOLOTEAN; CADA UNA TRAE CONSIGO su propia alegría o su propia tristeza. O ambas cosas. En el peor de los casos, una negrura impenetrable y sin vida, y en el mejor, una felicidad tan radiante que hace doler los ojos. Imágenes que van y vienen desde algún proyector oculto manejado eternamente por una mano invisible. Una después la otra. El chasquido sordo del obturador. Pausa. Congela este cuadro. Enfócalo de cerca y que las imágenes te hagan daño. Henri siempre decía que el precio de un recuerdo es la nostalgia que trae consigo.

Un cálido día de verano, en la hierba fresca, con el sol brillante en un cielo despejado. La brisa viene del agua y trae la frescura del mar. Un hombre se acerca a la casa, maletín en mano. Es un hombre joven de pelo corto y castaño, recién afeitado, vestido informalmente. Hay una sensación de nerviosismo en la forma como se pasa el maletín de una mano a la otra y en la delgada capa de sudor que brilla en su frente. Toca a la puerta. Mi abuelo responde, abre la puerta para dejarlo pasar y luego vuelve a cerrarla tras él. Yo retomo mis juegos en el jardín. Hadley cambia de forma, vuela, se escabulle, ataca. Forcejeamos y nos reímos hasta que nos duele la barriga. El tiempo pasa como solo puede pasar bajo el abandono irresponsable de la invencibilidad infantil, de su inocencia.

Pasa un cuarto de hora. Tal vez más. A esa edad, un día puede durar para siempre. La puerta se abre y se cierra. Miro hacia arriba. Mi abuelo, acompañado por el hombre que he visto acercarse. Los dos me miran.

—Hay alguien que quiero que conozcas —dice mi abuelo.

Me levanto del césped y me sacudo la mugre de las manos.

—Este es Brandon —dice—. Es tu cêpan. ¿Sabes lo que eso significa?

Niego con la cabeza. Brandon. Así se llamaba. Todos estos años y solo ahora lo recuerdo.

—Significa que va a pasar mucho tiempo contigo de ahora en adelante. Significa que ustedes dos están conectados. Unidos mutuamente. ¿Entiendes?

Asiento, me acerco al hombre y le tiendo la mano, tal como he visto hacer tantas veces a los mayores. El hombre sonríe y se apoya en una rodilla. Toma mi pequeña mano entre su mano derecha y la aprieta con sus dedos.

—Es un placer conocerlo, señor —le digo.

Sus ojos claros, bondadosos y llenos de vida me miran como ofreciéndome una promesa, un vínculo, pero soy demasiado pequeño para saber lo que significa esa promesa o ese vínculo.

Asiente y pone la mano izquierda contra su mano derecha; mi mano diminuta queda perdida en alguna parte entre las dos. Luego me muestra un gesto de asentimiento, sin dejar de sonreír.

—Mi niño querido —dice—, el placer es todo mío.

Me despierto sobresaltado. Estoy acostado de espaldas, con el corazón desbocado y la respiración entrecortada, como si hubiera estado corriendo. Sigo con los ojos cerrados, pero por las sombras alargadas y la frescura del aire en la habitación puedo darme cuenta de que el sol acaba de salir. El dolor regresa, todavía me pesan las extremidades. Y con este dolor llega otro, un dolor mucho más grande que cualquier dolencia física que pudiera aquejarme: el recuerdo de las horas pasadas.

Inhalo profundamente y exhalo. Una sola lágrima rueda por mi mejilla. Mantengo los ojos cerrados, con la esperanza irracional de que si yo no encuentro el día, el día no podrá encontrarme, y entonces las cosas que pasaron en la noche quedarán anuladas. Me estremezco. Un llanto silencioso empieza a hacerse sonoro. Sacudo la cabeza y lo acepto. Sé que Henri está muerto y que ni toda la esperanza del mundo podrá cambiar este hecho.

Entonces, siento movimiento a mi lado. Me tenso, tratando de permanecer inmóvil para no ser detectado. Una mano me busca y me toca la mejilla. Una caricia delicada, amorosa. Mis ojos se abren y se adaptan a la luz que sigue al amanecer, hasta que el techo de una habitación desconocida se hace nítido. No tengo idea de dónde estoy ni de cómo pude haber llegado aquí. Sarah está sentada mi lado. Me acaricia la mejilla con la mano y recorre mi ceja con el pulgar. Se inclina y me da un beso, un beso suave y lento que quisiera poder guardar en una botella para siempre. Después se aparta. Yo respiro profundamente, cierro los ojos y la beso en la frente.

—¿Dónde estamos? —pregunto.

—En un hotel a cincuenta kilómetros de Paraíso.

—¿Cómo llegué hasta aquí?

—Sam nos trajo.

—Pero me refiero al colegio. ¿Qué pasó? Recuerdo que estabas conmigo anoche, pero después ya no recuerdo nada —digo—. Es más, parece como si fuera un sueño.

—Me quedé esperando contigo en la cancha hasta que Mark llegó y te llevó a la camioneta de Sam. No podía quedarme más tiempo escondida. Estaba desesperada de estar metida en el colegio, sin saber qué estaba pasando. Y sentía que podía ayudar de alguna manera.

Y ayudaste, sin duda. Me salvaste la vida.

—Maté a un extraterrestre —dice, como si todavía no hubiera asimilado el hecho.

Me envuelve entre sus brazos, con la mano por detrás de mi cabeza. Trato de incorporarme y lo logro por mi cuenta solo hasta la mitad; entonces Sarah me ayuda, empujándome por la espalda, pero con cuidado de no tocarme la herida de la daga. Saco los pies por el borde de la cama y me toco el tobillo en busca de las cicatrices. Las cuento con las yemas de los dedos. Siguen siendo solo tres, y así sé que Seis ha sobrevivido. Ya había aceptado el destino de tener que pasar solo el resto de mis días. Un viajero nómada sin ningún lugar adonde ir. Pero no estaré solo. Seis sigue aquí, conmigo, mi único vínculo con un mundo pasado.

—¿Seis está bien?

—Sí —responde Sarah—. Le dispararon y la apuñalaron, pero parece que ya está bien. Creo que no lo habría logrado si Sam no se la hubiera llevado a la camioneta.

—¿Y dónde está?

—En la habitación de al lado, con Sam y Mark.

Me levanto. Los músculos y las articulaciones me duelen en señal de protesta. Tengo todo el cuerpo adolorido y agarrotado. Estoy vestido con una camiseta limpia y unos *shorts*. Siento la piel fresca, con olor a jabón. Las heridas están limpias y vendadas, algunas están incluso cosidas.

—¿Tú hiciste todo esto? —pregunto.

—Casi todo. No fue fácil coser los puntos. Solo teníamos los que te cosió Henri en la cabeza como ejemplo. Sam me ayudó con eso.

Me quedo mirando a Sarah, sentada en la cama sobre sus piernas. Y entonces advierto algo más, una masa pequeña que se ha movido debajo de la cobija al pie de la cama. Me tenso y mi mente regresa inmediatamente a las comadrejas que salieron disparadas por el gimnasio. Sarah se da cuenta, sonríe y se mueve a gatas hacia el borde de la cama.

—Aquí hay alguien que quiere saludarte —dice.

Después levanta la punta de la cobija y la descorre lentamente para dejar al descubierto a Bernie Kosar, que duerme profundamente. Tiene una tablilla de metal en una de las patas delanteras y el cuerpo lleno de cortes y tajos que, como los míos, están limpios y ya están empezando a sanar. Sus ojos se abren muy despacio y se adaptan a la luz. Ojos bordeados de rojo, exhaustos. Mantiene la cabeza sobre la cama, pero bate la cola sutilmente, golpeando suavemente el colchón.

—¡Bernie! —exclamo y me arrodillo frente a él. Pongo una mano sobre su cabeza. No puedo dejar de sonreír. Los ojos se me llenan de lágrimas de felicidad. Su pequeño cuerpo hecho un ovillo, con la cabeza sobre las patas delanteras, mirándome, marcado por las heridas y las cicatrices de la batalla. Pero sigue aquí para contar la historia.

—¡Bernie Kosar, lo lograste! Te debo la vida —le digo y le doy un beso en la cabeza.

Sarah le acaricia el lomo.

—Lo llevé a la camioneta mientras Mark te cargaba.

—Mark. Siento haber dudado de él.

Sarah le alza una oreja a Bernie Kosar. Él se voltea y la olfatea y después la lame.

—¿Es cierto lo que dijo Mark, que Bernie Kosar creció hasta los diez metros y mató a una bestia del doble de su tamaño?

Sonrío.

—Del triple de su tamaño.

Bernie Kosar me mira. "Mentiroso", me dice. Yo le guiño un ojo, me levanto y miro a Sarah.

—Todo esto —le digo—. Todo ha pasado demasiado rápido. ¿Cómo lo llevas?

Ella asiente con la cabeza.

—¿Llevar qué? ¿El hecho de que me he enamorado de un extraterrestre, cosa que apenas descubrí hace como tres días, y que terminé metida de cabeza en una guerra? Pues sí, lo llevo bastante bien.

Le sonrío.

—Eres un ángel.

—Qué va —dice—. Solo soy una chica locamente enamorada.

Sale de la cama y me envuelve entre sus brazos, y nos quedamos abrazos en el centro de la habitación.

—¿De verdad tienes que irte?

Asiento.

Ella inhala profundamente y exhala con cierto temblor, esforzándose por no llorar. He visto más lágrimas en las últimas veinticuatro horas que en todos los años de mi vida.

—No sé adónde tienes que irte ni qué tienes que hacer, pero te esperaré, John. Mi corazón entero te pertenece, lo quieras o no.

La atraigo hacia mí.

—Y el mío te pertenece a ti.

Recorro la habitación. Encima de la mesa están el cofre loriense, tres maletas empacadas, el portátil de Henri y todo el
dinero que sacó del banco la última vez. Sarah debe de haber
rescatado el cofre del salón de las clases de cocina. Le pongo
una mano encima. "Todos los secretos", dijo Henri. Todos, allí
adentro. En algún momento lo abriré y los descubriré, pero ese
momento no es ahora. ¿Y qué habrá querido decir con lo de
que nuestra venida a Paraíso no fue una casualidad?

—¿Tú empacaste mis maletas? —le pregunto a Sarah,
que está detrás de mí.

—Sí, y puede que haya sido lo más difícil que haya tenido que hacer en mi vida.

Alzo mi morral. Debajo hay un sobre de papel manila,
con mi nombre escrito por delante.

—¿Qué es esto? —pregunto.

—No lo sé. Lo encontré en el cuarto de Henri. Fuimos
allí después de irnos del colegio y tratamos de recoger todo lo
que pudimos; después nos vinimos para acá.

Abro el sobre y saco el contenido. Todos los documentos
que Henri había elaborado para mí: certificados de nacimiento, documentos de identidad, visas, etcétera. Los cuento todos.
Diecisiete identidades diferentes, diecisiete edades diferentes.
En la primera página, hay una nota adhesiva escrita con la letra
de Henri, que dice: "Por si acaso". Después de la última hoja
hay otro sobre cerrado, con mi nombre escrito también con la
letra de Henri. Una carta, la carta de la que debía de estar hablando justo antes de morir. No tengo valor para leerla ahora.

Miro por la ventana. Una nieve ligera cae de las nubes bajas
y grises. La tierra está demasiado caliente como para que se
acumule. El auto de Sarah y la camioneta azul del papá de

Sam están estacionados uno junto a la otra. Mientras los contemplo, se oye un golpe a la puerta. Sarah abre, y Sam y Mark entran en la habitación; Seis los sigue, cojeando. Sam me abraza, me dice que lo siente.

—Gracias.

—¿Cómo te sientes? —pregunta Seis. Ya no lleva el traje, sino los *jeans* que tenía cuando la vi por primera vez y una de las camisetas de Henri.

Me encojo de hombros.

—Estoy bien, adolorido y agarrotado. Siento el cuerpo pesado.

—La pesadez es por la daga, pero se te irá pasando.

—¿Son muy graves tus heridas? —le pregunto.

Ella se alza la camiseta y me muestra un tajo en un costado, después otro en la espalda. La apuñalaron tres veces en total; sin contar las distintas cortadas que tiene en el resto del cuerpo y el disparo que le dejó una herida profunda en el muslo derecho, ahora vendado con gasa y cinta, y el motivo de su cojera. Me dice que, para cuando regresamos, era demasiado tarde para sanarla con la piedra. Me parece increíble que siga viva.

Sam y Mark tienen puesta la misma ropa de ayer. Ambos están sucios y cubiertos de barro mezclado con sangre. Y ambos tienen los ojos cansados, como si no hubieran dormido suficiente. Mark está detrás de Sam y cambia su peso de una pierna a la otra, incómodamente.

—Sam, siempre supe que eras una máquina demoledora —le digo.

Él se ríe con aire vacilante.

—¿Estás bien?

—Sí, estoy bien —respondo—. ¿Y tú?

—Ahí vamos.

Miro por encima de su hombro, a Mark.

—Sarah me contó que anoche me cargaste desde la cancha —le digo.

Se encoje de hombros.

—Me alegra haber podido ayudar.

—Me salvaste la vida, Mark.

Él me mira fijamente.

—Creo que anoche todos salvamos a alguien en algún momento. Seis me salvó en tres ocasiones diferentes. Y tú salvaste a mis perros el sábado. Creo que estamos en paz.

De alguna manera, logro sonreír.

—De acuerdo —le digo—. Sobre todo me alegra saber que no eres el imbécil que creía que eras.

Él sonríe a medias.

—Digamos que si hubiera sabido que eras un extraterrestre y podías partirme el cuello cuando quisieras, habría sido un poco más amable contigo ese primer día.

Seis recorre la habitación y mira mis maletas encima de la mesa.

—Tenemos que ponernos en marcha —dice. Luego me mira con preocupación tácita, suavizando la expresión—. Solo hay una cosa pendiente. No estábamos seguros de lo que querrías que hiciéramos.

Asiento. No necesito preguntar para saber de qué está hablando. Miro a Sarah. Va a suceder mucho antes de lo que pensaba. Me da un vuelco el estómago. Siento que podría vomitar. Sarah se acerca y me da la mano.

—¿Dónde está?

La tierra está húmeda por la nieve derretida. Tomo la mano de Sarah entre la mía y avanzamos en silencio por el bosque, un kilómetro y medio por detrás del hotel. Sam y Mark van al frente, siguiendo las huellas fangosas que dejaron hace unas horas. Por delante veo un pequeño claro, en cuyo centro han puesto el cuerpo de Henri sobre una tabla de madera. Está envuelto en la manta gris que tomaron de su cama. Me le acerco. Sarah me sigue y me pone una mano en el hombro. Los demás se quedan detrás. Aparto la cobija para verlo. Tiene los ojos cerrados, el rostro ceniciento y los labios morados por el frío. Le doy un beso en la frente.

—¿Qué quieres hacer, John? —pregunta Seis—. Podemos enterrarlo, si quieres. También podemos cremarlo.

—¿Cómo?

—Yo puedo hacer un fuego.

—Creí que solo podías controlar el clima.

—No solo el clima. Los elementos.

Contemplo el rostro amable de Seis; la aflicción escrita en él, pero también la angustia porque tenemos que irnos antes de que lleguen los refuerzos. No respondo. Aparto la mirada y abrazo a Henri por última vez, con mi cara pegada a la suya, y me abandono a la tristeza.

—Lo siento mucho, Henri —le susurro al oído. Cierro los ojos—. Te quiero. Tampoco me habría perdido ni un solo segundo. Por nada del mundo —susurro—. Y voy a llevarte de regreso. No sé cómo, pero voy a llevarte de regreso a Lorien. Siempre hacíamos bromas al respecto, pero eras mi padre, el mejor padre que podría haber deseado. Nunca te olvidaré. Mientras viva, no te olvidaré ni un solo minuto. Te quiero, Henri. Siempre te quise.

Lo suelto, vuelvo a cubrirle el rostro con la cobija y lo acomodo delicadamente sobre la tabla de madera. Me pongo de pie y abrazo a Sarah. Ella me estrecha hasta que paro de llorar. Me seco las lágrimas con el dorso de la mano y le hago un gesto de asentimiento a Seis.

Sam me ayuda a recoger ramas y hojas; después ponemos el cuerpo de Henri sobre la tierra de modo que su ceniza no se mezcle con nada más. Sam enciende una punta de la manta, y Seis crea un fuego furioso. Lo vemos arder, todos con los ojos aguados. Incluso Mark llora. Nadie dice nada. Cuando las llamas se apagan, recojo las cenizas en una lata de café que Mark tuvo la inteligencia de traer del hotel. Buscaré algo mejor en cuanto paremos. Cuando regresamos, pongo la lata sobre el tablero de mandos de la camioneta del papá de Sam. Me consuela saber que Henri viajará con nosotros, que vigilará las calles mientras dejamos atrás otro pueblo, como lo hemos hecho juntos tantas veces.

Metemos nuestras pertenencias en la parte trasera de la camioneta. Sam ha metido dos maletas suyas junto con las mías y las de Seis, lo que me desconcertó al principio, pero después me di cuenta de que había hecho algún trato con Seis y que vendrá con nosotros. Eso me alegra. Sarah y yo regresamos a la habitación del hotel. Tan pronto cierra la puerta, Sarah me toma la mano y me atrae hacia sí.

—Se me está rompiendo el corazón —dice—. Quiero ser fuerte en este momento, pero la idea de que te vas está matándome por dentro.

Le doy un beso en la cabeza.

—Mi corazón ya está roto —le digo—. Te escribiré en cuanto me organice. Y haré todo lo posible por llamarte cuando sepa que puedo hacerlo.

Seis asoma la cabeza por entre la puerta.

—Tenemos que irnos ya —dice.

Asiento. Seis cierra la puerta. Sarah alza el rostro hacia el mío y nos besamos, allí, en la habitación del hotel. La idea de que los mogadorianos regresen antes de que nos hayamos ido y de que entonces podría volver a poner a Sarah en peligro es lo único que me da fuerza. Si no, me derrumbaría. O me quedaría para siempre.

Bernie Kosar sigue esperando al pie de la cama. Menea la cola cuando lo alzo suavemente entre mis brazos y lo llevo a la camioneta. Seis prende el motor y lo deja encendido. Doy media vuelta, contemplo el hotel y me entristece el hecho de que no sea la casa, y de saber que no volveré a verla. Las tablas de madera descascarada, las ventanas rotas, las tejas negras, pandeadas por el exceso de sol y lluvia. Todo un paraíso, le dije una vez a Henri. Pero ya no es así. El paraíso perdido.

Me volteo y le hago una seña a Seis, que sube a la camioneta, cierra la puerta y espera.

Sam y Mark se dan la mano, pero no oigo lo que se dicen. Sam sube a la camioneta y espera con Seis. Yo le estrecho la mano a Mark.

—Te debo mucho más de lo que podré pagarte algún día —le digo.

—No me debes nada.

—No es cierto —insisto—. Algún día.

Aparto la mirada y siento deseos de derrumbarme bajo la tristeza de la partida. Mi decisión se sostiene por un hilo que está a punto de reventar.

Pero asiento con la cabeza.

—Volveremos a vernos algún día —le digo.

—Cuídate.

Envuelvo a Sarah entre mis brazos y la abrazo con fuerza. No quiero soltarla nunca jamás.

—Volveré a ti —le digo—. Te lo prometo, así sea lo último que haga, volveré a ti.

Sarah tiene la cara hundida en mi cuello. Asiente.

—Contaré los minutos hasta entonces —me dice.

Un último beso. La suelto y abro la puerta de la camioneta. Mis ojos no se despegan de los suyos. Ella se cubre la nariz y la boca con ambas manos. Ninguno de los dos es capaz de apartar la mirada. Cierro la puerta. Seis mete reversa y saca la camioneta del estacionamiento, después frena, mete el cambio. Mark y Sarah caminan hasta el borde del estacionamiento para vernos mientras nos alejamos. Las lágrimas ruedan por las mejillas de Sarah. Me volteo en el asiento y miro por la ventanilla trasera. Alzo la mano para decirles adiós. Mark hace lo mismo, pero Sarah se limita a observar. Y yo la observo mientras puedo, y la veo hacerse cada vez más pequeña, una mancha que se va desvaneciendo en la distancia. La camioneta disminuye la velocidad y gira, y los dos desaparecen del horizonte. Entonces, me doy la vuelta y observo los campos que pasan a nuestro lado y cierro los ojos y pienso en la cara de Sarah y sonrío. "Volveremos a estar juntos —le digo—. Y hasta que ese día llegue, te llevaré siempre en mi corazón y en todos mis pensamientos".

Bernie Kosar levanta la cabeza y la pone en mi regazo, yo pongo una mano en su lomo. La camioneta avanza por la carretera, hacia el sur. Los cuatro, juntos, rumbo a un nuevo pueblo. Dondequiera que sea.